JN075250

実務者のための

2024-25
年版

医師事務作業補助

実践入門BOOK

基礎知識&実践ノウハウ入門テキスト

［監修］札幌美しが丘脳神経外科病院 顧問
佐藤秀次

［編者］慶應義塾大学 医学部
医療政策・管理学教室 訪問助教
高橋 新

［協力］特定非営利活動法人
日本医師事務作業補助者協会

INTRODUCTORY BOOK

医学通信社

【執筆者一覧】

監修	佐藤　秀次	札幌美しが丘脳神経外科病院／顧問
編者	高橋　新	慶應義塾大学医学部医療政策・管理学教室／訪問助教
協力	特定非営利活動法人	日本医師事務作業補助者協会

その他の執筆者（五十音順）

池野絵美子	能美市立病院／医師事務作業補助者
伊藤　千恵	(元)横浜市立大学附属市民総合医療センター／医事課　診療支援担当
今田　光一	若草第一病院／スポーツ整形外科部長・医療情報担当部長
上田　博	芳珠記念病院／名誉院長
植中　勇人	ベルランド総合病院／管理部
梅田　弘美	岐阜県総合医療センター／医事課　がん登録室　主事
越後加代子	芳珠記念病院／医療サービス課　医師事務作業補助者
大宮　史朗	羽島市民病院／医療クラーク室長
勝木　保夫	特定医療法人社団勝木会やわたメディカルセンター／理事長
神野　正博	社会医療法人財団董仙会恵寿総合病院／理事長
木佐貫　篤	宮崎県立日南病院／副院長
久保田　巧	一般社団法人上尾中央医科グループ協議会／総局長
小林　竜弥	一般社団法人上尾中央医科グループ協議会経営管理本部施設基準管理室　在宅経営支援室／課長
渋谷由美子	(元)北海道大野記念病院／メディカルクラーク課　課長
瀬戸　僚馬	東京医療保健大学／医療保健学部医療情報学科　教授
多賀　千之	多賀クリニック／院長
高木　哲夫	(元)千葉県病院局／経営管理課経営室　副主幹
高橋　明	札幌美しが丘脳神経外科病院／理事長
武田まゆみ	潤和会記念病院／総務人事部　主任
田中　肇	(元)社会医療法人生長会／理事長
土屋　知穂	医療法人鉄蕉会亀田総合病院／診療支援部医師人事課
鶴田　和仁	潤和会記念病院／名誉院長兼宮崎リハビリテーション学院／学院長
寺澤　由香	札幌美しが丘脳神経外科病院／医師事務作業補助者
西川由美子	地方独立行政法人市立東大阪医療センター／事務局情報管理課
福田智恵子	特定医療法人社団勝木会やわたメディカルセンター／事務部
藤原　典子	(元)東大宮総合病院／医療クラーク室　主任
堀田　恵	府中病院／アイセンター　課長
前多亜佐子	社会医療法人財団董仙会恵寿総合病院／健康管理センター課長
松井　幸子	ベルランド総合病院／管理部
松木　大作	大阪府済生会吹田病院／診療支援課課長
南木　由美	医療法人渓仁会手稲渓仁会病院／医療秘書課　課長代理
矢口　智子	日本医師事務作業補助者協会理事長
柳澤　泰江	黒木病院／医師事務作業補助者
山崎　茂弥	七尾看護専門学校／事務長
山本　信孝	金沢脳神経外科病院／院長
吉原　文代	(元)古賀総合病院／診療情報管理室　副室長
吉村　博	潤和会記念病院／事務長
若林　進	杏林大学医学部付属病院／薬剤科長

推薦のことば

　2008年の診療報酬改定で医師事務作業補助体制加算が設けられてから，全国の病院で医師事務作業補助者が急速に増加しています。診療報酬制度によってこの補助者には32時間の研修が義務付けられていますが，その実態としては，自らの病院での研修をはじめ，各種団体や企業による研修・認証があり，またその名称も様々なものが使われています。さらに，業務の中身も書類作成から代行入力，患者への説明，医療の質向上のためのデータ整理，行政への対応など多岐にわたっています。

　そもそもこういった職種は，最近になって誕生し，必要性が増したのではなく，欧米では100年近く前から存在し，当たり前の職種として認知されていたようです。その根本は，Core Mission（本来業務）を見つめることにあったに違いありません。

　すなわち，医師は，医師にしかできないことをやり，そうではないことは専門職に委ねる――といったものです。その結果として，古くは看護師が生まれ，その後様々なコメディカル職種が生まれました。同様に，この医師事務作業補助者も生まれるべくして生まれたのです。そこに必要なのは，決して，誰が上で誰が下といったヒエラルキーではありません。医療チームとして，お互いを尊重しながらのコミュニケーションに基づいた分業・協働に違いありません。

　そして，その恩恵を一番享受するのは，仕事の一部を移管した医師ではなく，より速く，よりきめ細やかで，より質の高い医療サービスを受けることになる患者に他ならないのです。

　新しい職種，新しい組織が認知されるためには，まず数の広がりのフェーズが重要です。次に，信頼と質の向上のフェーズとなります。今，我が国の医師事務作業補助者は，まさにこの第2のフェーズの真っ只中にあるのはないでしょうか。この時期に，より実践的な本書が上梓されたことをうれしく思い，出版に至るまでに前向きに作業を進めた関係者をねぎらい，世に推薦したく思います。

2024年7月吉日

公益社団法人全日本病院協会　副会長
社会医療法人財団董仙会恵寿総合病院　理事長　神野正博

はじめに

　病院勤務医の事務的業務の負担軽減を目的に，2008 年に医師事務作業補助体制加算制度が開始されました。これを機に，医師事務作業補助者の導入が全国で急速に進んでいます。

　その一方で，医師事務作業補助者の活用に関する諸問題が浮上してきました。とりわけ重要と思われる問題は，医師事務作業補助者の病院内での立場や役割が定まっていないことや教育指導体制の不備から，本来の導入目的が果たせない病院が多々あることです。医療がこれから向かうべきは，役割分担と多職種協働による効率的な患者中心の医療です。そのためには，医療界に新しく誕生した医師事務作業補助者が医療チームの一員として活躍できる場を保証することは病院管理者の責務であり，その活用の成否の行方は職務の性質からみて医師に託されていると言ってよいでしょう。

　しかし，新しい職種であるがゆえに，その導入と活用におけるノウハウの不足があり，対応に苦慮する病院が多いのが実情です。そのため，監修者らは医師事務作業補助者の導入，システム構築，運用管理，教育・指導の助けになることを期待して，『医師事務作業補助マネジメントBOOK』（医学通信社／2012 年 11 月刊）の発刊に関わりました。このマネジメント BOOK の内容は主として配置管理者に向けられたものであるため，これと整合性のとれた医師事務作業補助者向けの実践マニュアル書が必要との判断があり，本書の刊行へとつながりました。実際に，医師事務作業補助者向けに体系的に書かれた著作が僅少であることも本書発刊の重要な動機になりました。

　また，マネジメント BOOK の発刊後，医師事務作業補助者の職種確立へ向けたエポック・メーキングな出来事がありました。それは NPO 法人日本医師事務作業補助研究会（現：協会）が医療の質向上と病院運営の全体最適に向けて，「医師事務作業補助業務指針試案」を 2013 年 4 月に策定・発表したことです。この指針試案は現時点における医師事務作業補助者の本邦唯一の体系化された業務指針であり，本書はこれに基づいて編纂されています。著作は病院長，医師，事務責任者，医師事務作業補助者の分担執筆によりますが，いずれも研究会が主催した全国会や地方会，セミナーなどで教育講演や先進的な事例発表をされてきた方々です。したがって，本書の読者は現時点における医師事務作業補助業務にかかわる最新の知識と模範となる作業技術を習得することができると確信します。

　医師事務作業補助者は医療専門職である医師や看護師，その他のコメディカル同様に日進月歩の医療界の一員として継続的に勉学・研鑽を積んでいくことが求められます。本書がその一助として活用され，医療の発展にささやかながらでも寄与できるなら，監修者，編者としてこれに勝る喜びはありません。最後に，本書が日本医師事務作業補助者協会の協力のもと，同じく医学通信社から発行されることに謝意を表します。

医療法人美脳　札幌美しが丘脳神経外科病院　顧問

NPO 法人日本医師事務作業補助者協会　顧問　佐藤秀次

目　次

「医師事務作業補助者」の表記について
　「医師事務作業補助者」の名称については，病院によって，**「医療秘書」「医療クラーク」「メディカルアシス
タント（MA）」「ドクターズアシスタント（DA）」「メディカルセクレタリー（MS）」**──など多様な例がみら
れます。本書では診療報酬制度上の名称である**「医師事務作業補助者」**に統一していますが，各施設での院内
呼称に関しては業務内容などの実情に合わせ，患者・家族や他の医療スタッフにわかりやすいものを用いるこ
とが望まれます。

第1章
医師事務作業補助
とは何か

1. 医師事務作業補助者とは何か

高橋 新，瀬戸 僚馬

1 医師事務作業補助者の定義

医師事務作業補助者の定義は，診療報酬制度の「医師事務作業補助体制加算」の項目に記されています。

診療報酬制度とは，日本の医療費の根幹をなす制度の一つです。日本の医療制度には3つの特徴があります。「国民皆保険」「フリーアクセス」そして「現物給付」です。国民皆保険は，その名のとおり原則としてすべての国民が何らかの医療保険制度に加入することを指します。諸外国を確認すると，ドイツやフランスでは日本と同じ社会保険方式による医療制度が構築されている一方で，アメリカではいまだ実現していない制度となっています。フリーアクセスとは，患者が受診する病院を自由に選択できる仕組みのことです。そして現物給付とは，保険制度からの支払いを現金ではなく，サービスで給付するという方式です。例えば民間の保険には「入院したら1日10,000円」といった商品がありますが，これは現金給付です。これに対して，現物給付では医師が必要と判断した手術や投薬などのサービスを直接給付し，ただし「一部負担金」という名で3割程度は患者が自己負担するようになっています。

医療サービスの給付に対して，保険者が病院などの保険医療機関に支払う費用のことを「診療報酬」と呼んでいます。日本の場合，この価格は，厚生労働省が定める告示，あるいは通知などによって定める公定制となっています。

医療費は，大きく分けるとドクターフィーとホスピタルフィーに分けられます。ドクターフィーとは手術料のように医師の技術に対して支払われる費用のことをいい，患者が受けるサービスに応じて算定されます。これに対して，ホスピタルフィーには，例えば入院1日当たりのベッド代や，看護師が行う日常生活援助など，個々の患者に直接賦課できないようなものも含まれています。そのため，病院の体制ごとに発生すると考えられる費用を，患者が分担するような仕組みになっています。医師事務作業補助体制加算は「入院基本料等加算」という区分に設けられていますので，その土台となるのは「入院基本料」と呼ばれる診療報酬です。「入院基本料」はホスピタルフィーの柱の一つです。ここで，医師の事務作業を支援する体制を取っている病院に対して，**入院初日に限って「医師事務作業補助体制加算」を算定**することが認められており，その**支援を行う従事者のことを「医師事務作業補助者」と呼ぶ**ことになっています（図表1-1）。

なお，医師事務作業補助体制加算は，特定機能病院（大学病院の本院，国立がん研究センター中央病院など）では，一部制限があります。特定機能病院は，医療法によって高度の医療を提供することはもちろん，そのための研究や研修を行うことも重要な役割と定められています。例えば大学病院の医師は，人事上の身分としては医療職ではなく教育職となる場合が多く，その本務は教育や研究と診療を併せもつということになります。その業務を支援するための費用を健康保険制度から賄うのは不合理ですから，特定機能病院で医師事務作業補助者を配置する場合は，明らかに診療を目的とした業務に特化することになります。

図表 1-1　診療報酬制度に基づく医師事務作業補助者の定義

> **［通知］基本診療料の施設基準等及びその届出に関する手続きの取扱いについて**
> **別添3　第4の2　医師事務作業補助体制加算**
> **1　通則**
> (1)　医師の負担の軽減及び処遇の改善に資する体制として次の体制を整備していること。(以下略)
> (2)　計画に基づき，診療科間の業務の繁閑の実情を踏まえ，**医師の事務作業を補助する専従者（以下「医師事務作業補助者」という）**を，15対1補助体制加算の場合は当該加算の届出を行った病床数（中略）15床ごとに1名以上，20対1補助体制加算の場合は（中略）配置していること。
> （令6保医発0305・5）

2　なぜ医師事務作業補助者が設けられたか

勤務医の負担が増えた背景

　医師事務作業補助体制加算は，2008年に新設されたまだ歴史の短い制度です。この制度が設けられた背景として，医師不足による勤務医の負担増大を欠かすことはできません。

　日本の保健医療は世界でもトップレベルにあり，その証拠に平均寿命は男性81.05歳，女性87.09歳（2022年）と先進国をリードし続けてきました[※1]。しかし，平均寿命が高いということは高齢者が多いということでもあります。このため，日本の高齢化率（65歳以上の人口の割合）は29.0％（2022年10月1日現在）で，これまた世界のトップに座しています。日本は現在，他の先進国でも例のない超高齢化，少子化，人口減少という課題に直面しています[※2]。

　もちろん長寿は喜ぶべきことですが，医療を継続的に提供していくための課題もあります。その要因はきわめて複雑ですが，医療費の問題もその一つです。高齢者が多くなると相対的に少なくなった勤労者世代が高齢者の医療費を支えなければなりませんので，どうしても合理化する必要性が高まります。そのなかで，先進国のなかでもとりわけ長かった入院期間を21世紀に入ってから大幅に短縮したこともあり，医師の診療密度が高まって負担も増えました。結果的に，ここ数年で日本の病院勤務医は徐々に少なくなっており，逆に開業する医師が増える傾向にあります。数多くの高齢者を支えるには，もちろん数多くの医師が必要です。勤務医が減ることで残された医師の負担が増え，これが悪循環となって外科や産婦人科などを閉鎖する病院も出てきました。特に地方の場合は診療科の閉鎖によって手術や出産がままならない地域も発生し，その地域に住めなくなってしまう住民も発生しました。2006年に小松秀樹医師が『医療崩壊』（朝日新聞社）と題した書籍を刊行したことなどを契機にこの言葉が流行し，医療の提供体制が転換期に達していることが社会問題として認知されるようになりました。持続可能な医療の質を担保するためには，限られた資源を有効活用することが求められています[※3]。

勤務医不足への解決策の一つとして

　勤務医の不足に対しては，いくつかの解決策が考えられます。もっとも直接的な方法は医師を増やすことです。その是非には様々な意見があるので論評を避けますが，少なくとも大幅に時間やコストがかかりますので，医師の増員だけで解決しないことは明らかです。また，電子カルテなどの医療情報システムを導入することによって医師の負担を軽減する方法も有力な手段として期待されていますが，これにもコストと時間がかかることは否めません。結局，医師不足を一つの方法だけで解決することは無理があるので，複数の方法を併用して日本の高齢者がピークとなる2025年を

[※1]　厚生労働省「令和4年簡易生命表の概況」

[※2]　Shibuya K, et al. Future of Japan's system of good health at low cost with equity: beyond universal coverage. Lancet. 2011.

[※3]　高橋新，宮田裕章．限られた資源を有効活用する地域医療連携体制の構築と現状の把握．NOMURA Healthcare note. 2018.18（6）.

4

図表 1-2　医師事務作業補助者が必要になった社会的背景

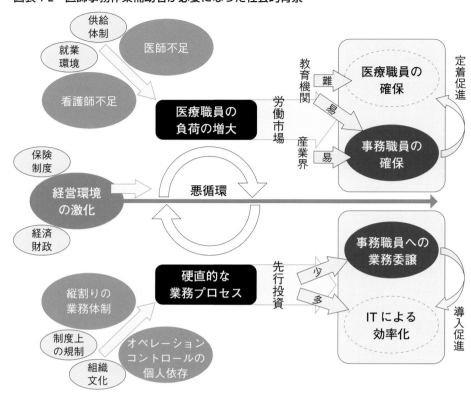

乗り切っていくことが現実解といえるでしょう。そのなかで，医師の業務負担を軽減させるための職種，すなわち医師事務作業補助者を誕生させることが，時代の趨勢となっていたのです。

　医師不足の指標の一つである「医師等の有効求人倍率（2024年3月）」は2.41倍あり[4]，これは医師1人に対して約2病院が手を挙げている状態を示しています。ちなみに看護師等の有効求人倍率も2.14倍ありますので，看護補助者を増やすことも現在の社会的ニーズの一つです（図表1-2）。

　ただ，現在の病院組織にも，問題がないとはいえません。あまりに縦割りな組織構造だったり，業務の進め方が極端に個人依存だったりする病院も散見され，そのため効率性の乏しい業務運営になっている面もあります。この点は，役割分担通知でも指摘されているとおりです。

医療秘書やメディカルアシスタントの歴史は古い

　アメリカやイギリスでは，戦前から医師事務作業補助者に近い職種が活躍していました。これは，医療秘書（Medical Secretary）やメディカルアシスタント（Medical Assistant）と呼ばれる職種です。日本でも加算新設前の2004年には日本医療秘書学会が誕生し，医療秘書のあるべき姿について議論が続けられてきました。同学会の母体である一般社団法人医療秘書教育全国協議会の事務局長である石本良之氏は，「医療秘書とは，近代的医療機関における医療の健全な運営のなかで，診療・看護・医療技術の行使に関連する業務を，専門的知識と技術をもって遂行する専門職であり，いわゆるチーム医療の一員として，管理者及び各専門職の持つ知識・技術が効率よく発揮できるように，専門的な援助と，各部門間の連絡調整に当たり，医療の高度化に寄与する者であ

[4] 厚生労働省「一般職業紹介状況（令和6年3月分及び令和5年度分）について」

る」[5] という定義も作っています。このように，医師事務作業補助者が根付く下地は，加算が設けられる以前からありました。しかし，十分な制度上の根拠をもたない医療秘書が普及するのは容易なことではなく，こうした職種が各病院に配置されるにはまだ時間が必要でした。この流れを変えたのが，2007年12月に厚生労働省が発出した「医師及び医療関係職と事務職員等との間等での役割分担の推進について」（以下，役割分担通知）であり，2008年の医師事務作業補助体制加算だったのです。

3　役割分担通知とチーム医療通知の概要

「役割分担通知」は，勤務医の負担軽減を図る必要性，その基本的な考え方，そして具体策を提示するものです。

役割分担通知では，勤務医の負担が甚大であることを前提としながらも，他方で効率的な病院運営のために業務を見直すべきことも指摘しています。そのうえで，「各医療機関においては，良質な医療を継続的に提供するという基本的考え方の下，医師，看護師等の医療関係職の医療の専門職種が専門性を必要とする業務に専念することにより，効率的な業務運営がなされるよう，適切な人員配置の在り方や，医師，看護師等の医療関係職，事務職員等の間での適切な役割分担がなされるべき」[6] と述べます。

これは，すでに述べたような社会背景から，日本の良質な医療を継続していくためには，病院内の役割分担を進めて医師などの負担を抜本的に軽減することが不可欠であることを表しています（図表1-3）。

医師の負担を軽減する職種としては，以前から看護師が配置されていました。保健師助産師看護師法によれば看護師の業務は「診療の補助」と「療養上の世話」とされており，すなわち医師の補助はもともと看護師の業務であったといえます。しかし，いまや看護師も不足職種であり，医師の支援ができるのは注射など身体侵襲を伴う行為に限られます。例えば役割分担通知にある「診察や検査の予約」などを担うための職種はおらず，医師の間接的業務を担う職種，すなわちイギリスの医療秘書やアメリカのメディカルアシスタントに近い業務を担う職種が，新たに必要であることが浮き彫りになってきました。そして，役割分担通知が発出されてから4カ月が経過した2008年4月に「医師事務作業補助体制加算」が設けられたのです。

よって，この役割分担通知こそが，「今後の我が国の社会にとって，医師事務作業補助者が必要であること」の行政的根拠ともいえるでしょう。このように医師事務作業補助者の必要性は，医療

図表1-3　役割分担通知における医師等の負担軽減策の一例

> **医師，看護師等の医療関係職と事務職員等との役割分担**
> ①書類作成等
> 　1) 診断書，診療録および処方せんの作成
> 　2) 主治医意見書の作成
> 　3) 診察や検査の予約
> ②ベッドメイキング
> ③院内の物品の運搬・補充，患者の検査室等への移送
> ④その他
> 　診療報酬請求書の作成，書類や伝票類の整理，医療上の判断が必要でない電話対応，各種検査の予約等に係る事務や検査結果の伝票，画像診断フィルム等の整理，検査室等への患者の案内，入院時の案内，入院患者に対する食事の配膳，受付や診療録の準備等

[5]　石本良之：医師事務作業補助者の人材養成の立場から，公開シンポジウム「医師事務作業補助者の展望〜その役割と人材養成〜」資料，国際医療福祉総合研究所，2010

[6]　厚生労働省医政局長：「医師及び医療関係職と事務職員等との間等での役割分担の推進について」，2007.12.27

体制を支える社会全体のニーズから導かれたものなのです。前述したように医師事務作業補助者の定義は診療報酬制度に求めることになりますが，だからといって「医師事務作業補助者はあくまで診療報酬制度に基づく職種」と解するのは少し狭いとらえ方といえます。順序としてはまず役割分担通知があって，その実現のための方法論として医師事務作業補助体制加算が設けられているという構造を正しく理解しておくことが重要です。

　役割分担通知が発出されてから，厚生労働省では各職種の代表者などと「チーム医療の推進に関する検討会」を発足させます。ここでの議論を踏まえ，2010 年 4 月には「医療スタッフの協働・連携によるチーム医療の推進について」と題するいわゆる「チーム医療通知」が医政局長から発出されます（図表1-4）。

　このチーム医療通知も，医師事務作業補助者には重要なものです。医師事務作業補助者という言葉は 2008 年に登場したものですが，それ以前から病院では「医療クラーク」という言葉が用いられ，同職種が病院内の事務的な業務を担っていました。しかし，医療クラークには国家資格があるわけではありませんから，その概念や業務などが法令等で整理されることもありませんでした。2010 年のチーム医療通知は，「医療クラーク」という言葉がはじめて行政文書のなかで用いられたもので，その概念定義をしたという大きな意義をもっています。

　同通知によると，医療クラークとは「医療関係事務を処理する事務職員」であるとされています。これは医師事務作業補助者を含んでおり，より大きな概念であるともいえます。すなわち，「医療クラーク」という言葉のなかでは誰の支援をするのかを限定していませんので，例えば薬剤師や看護師の業務を支援する場合や，あるいは受付など本来的に事務職員の業務を処理する場合も想定されます。ですので，そのなかでも「専ら医師の業務を支援することを業としているもの」

図表1-4　チーム医療通知における医療クラーク等の概念

医師等の負担軽減を図る観点から，局長通知において示した事務職員の積極的な活用に関する具体例を参考として，
①書類作成（診断書や主治医意見書等の作成）等の医療関係事務を処理する事務職員（**医療クラーク**）
②看護業務等を補助する看護補助者
③検体や書類・伝票等の運搬業務を行う事務職員（ポーターやメッセンジャー等）
等，様々な事務職員についても，医療スタッフの一員として効果的に活用することが望まれる。

図表1-5　医師事務作業補助者等の概念整理

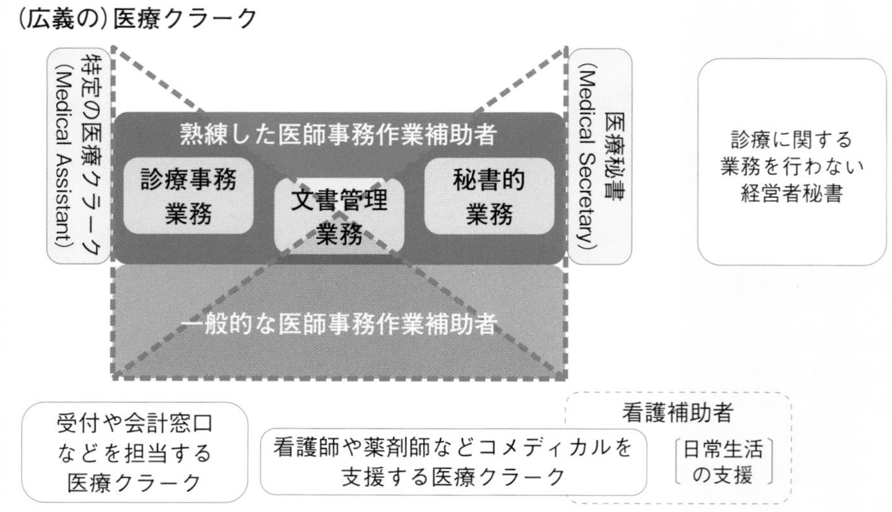

瀬戸僚馬：医師事務作業補助者等の概念と役割，医療秘書全協誌，11（1），2011

が，医師事務作業補助者に相当することになります。ちなみに，「医療秘書」や「メディカルアシスタント」という言葉は今でも行政通知では用いられていませんが，その言葉のもつ意味から支援対象者が医師であることは明らかですので，これは実質的に医師事務作業補助者とほぼ同義といえるでしょう（図表1-5）。

2016年6月には，厚生労働省の医療従事者の需給に関する検討会・医師需給分科会が中間取りまとめを公表しました。このなかで，医学部定員増などはあるものの「地域における医師不足は解消していない」ことが改めて確認され，今後，医師偏在対策として「医療計画による医師確保対策の強化」や「保険医の配置・定数の設定や自由開業・自由標榜の見直しを含めて検討」するなど，より抜本的な対策を講じることとなりました。その一環として，「ICT等の技術革新に対応した医療提供の推進」と併せて，「各医療スタッフの役割分担を見直し，チーム医療を推進する」ことも明記されました。

2018年頃から，役割分担をさらに細分化し，タスクシフティング（業務の委譲）・タスクシェアリング（業務の一部分担）と呼ぶことが多くなりました。より精緻な業務分析に基づき，こうした役割分担が進められています。

4　医師事務作業補助体制加算の概要

医療クラークのうち，専ら医師の事務作業を支援する職員は「医師事務作業補助者」として同加算の対象とすることができます。同加算の金額は，医師事務作業補助者の人数によって定められています。すなわち，一般病床数（精神科の救急診療を行っている病院の場合は，精神病床を含むことがあります）と医師事務作業補助者の人数との割合により，最大となる15：1（入院初日に10,700～9,950円）から，最小となる100：1（同3,200～2,800円）まで，8段階に分かれた加算が設定されています（p.10，図表1-7参照）。

また，同加算の算定を行う病院は，「医師事務作業補助体制加算の施設基準」というルールを守ることが求められます。

身分に関するルール —— 常勤職員であること

まず，医師事務作業補助者の身分に関するルールがあります。医師事務作業補助者は，週4日かつ32時間以上の勤務をする**常勤職員であることが前提**で，これに満たない職員は常勤換算して人数を求めることになります。なお，この常勤とは「正職員」である場合は勿論，契約社員やパートタイマーなど「非正規雇用の職員」であっても構いません。また，派遣会社から派遣されるいわゆる「派遣社員」でも差し支えないことになっていますが，請負委託に基づくいわゆる「委託社員」は認められていません。これは，労働法との関係があります。医師が派遣社員の医師事務作業補助者に業務上の指示を出すことは何ら問題ありませんが，委託社員に指示を出すことはできません。旧労働省の告示である「労働者派遣事業と請負により行われる事業との区分に関する基準」では，「受託業務従事者が病院等の管理者又は病院職員から，その都度業務の遂行方法に関する指示を受けることがないよう」にすることが義務づけられており，指示を出してしまうと偽装派遣になってしまいます[7]。医師が指示を出せないのであれば代行入力などは実施できず，よって「医師

図表1-6　医師事務作業補助者の「32時間研修」に盛り込むべき要素

ア	医師法，医療法，医薬品医療機器等法，健康保険法等の関連法規の概要
イ	個人情報の保護に関する事項
ウ	当該医療機関で提供される一般的な医療内容および各配置部門における医療内容や用語等
エ	診療録等の記載・管理及び代筆，代行入力
オ	電子カルテシステム（オーダーエントリーを含む）

---

[7]　厚生労働省・都道府県労働局：労働者派遣・請負を適正に行うために，P.3

事務作業補助者」としての職責を果たすことは不可能ですので，このような雇用形態は認められていないのです。これらの身分上の条件を満たす医師事務作業補助者の名簿は，同加算の届出時に，地方厚生局に提出することになっています。

教育に関するルール ── 32時間研修を実施すること

次に，医師事務作業補助者の教育に関するルールがあります。医師事務作業補助者として配置されるスタッフには，**最初の6カ月間を研修期間として位置づける**ことが義務づけられています。そしてこの期間内に，**32時間以上の座学の研修**（Off-JT：Off the Job Training）を受けなければなりません。この「32時間研修」[8] には，5つの要素を盛り込むこととされています（図表1-6）。他方，6カ月の研修期間でどのようなOJT（On the Job Training）を行うべきかについては明文化されたルールはありません。しかし，研修では「目標」と「計画」が立案され，その目標をどの程度達成したのか「評価」が行われるのが一般的です。初任時6カ月間を単に業務を行わせていたのではなくOJTを行っていたことを示すには，やはり目標や評価も必須といえるでしょう。

なお，2022年には，「自院における3年以上の勤務経験を有する者の割合が5割以上」との施設基準が設けられました。これを踏まえると，研修計画は6カ月に留めるのではなく，3年間を見据えたものとすることが望ましいでしょう。そして，2024年には「医師事務作業補助者の勤務状況及び補助が可能な業務の内容を定期的に評価することが望ましい」という内容が加えられ，従来の実務者を配置する「量的」評価から，実務者個人のスキルや配置する施設の体制など「質的」な評価へとシフトしていることが考えられます。

業務に関するルール ── 行ってはいけない業務もある

最後に，医師事務作業補助者の業務に関するルールがあります。施設基準では，医師事務作業補助者が**行える5つの業務**と，**行えない6つの業務**を定めています（p.11，図表1-8参照）。4業務については他章で詳説されていますので，ここでは割愛します。医師事務作業補助者が行えない6業務は複雑なルールにも見えますが，「そもそも医師が行う業務ではない」という共通点があります。すなわち，どのような状況であっても医師が外来カウンターで患者の受付を行うことはありませんし，もちろん医事会計システムを操作することもありません。他方，例えば診察や検査の予約などは「看護業務の補助」に見えるかもしれませんが，診察も検査も医師の権限で行うものですし，誰も支援してくれなかった場合は最終的に医師が自ら行う必要のある業務です。このように考えると，医師事務作業補助者が行えない6つの業務は一理あるものばかりです。例えば「診療に関するデータ整理」は行えても，「医療機関の経営，運営のためのデータ収集業務」は行えないというルールは，判断に迷う面もあるかもしれません。しかし，例えばレセプトのデータを分析する場合であっても，抗生剤の使用状況を評価して改善する目的であれば，それは診療目的です。他方，医師に何らフィードバックされないデータ収集であれば「診療に関するデータ整理」とは言えませんから，やはり不適切といえます。このように，あまり表層的に文言を受け取るのではなく，施設基準の趣旨をきちんと押さえることが重要です。また，医師法により医療行為ができないこと，保健師助産師看護師法により「診療の補助」ができないことは，これらの施設基準以前の話です。

これらの業務はまだ定着する段階にありません。しかし，現場では業務を整理していく必要がありますから，その一助として2013年4月にNPO法人日本医師事務作業補助研究会が「医師事務作業補助業務指針試案」を公表しました。本書の巻末に掲載していますので，参考にしていただければ幸いです。

---

[8] 平成21年4月22日 中央社会保険医療協議会診療報酬基本問題小委員会 資料4

5　医師事務作業補助業務の特徴と求められる能力

　医師事務作業補助者の能力として，最も重要なのは「**コミュニケーション力**」であるとよく言われており，これは日本医師事務作業補助者協会が行った 2023 年度アンケート調査結果でも同様の結果であることが示されています[※9]。これは医師事務作業補助者の業務が，かなり多くの職種と接点をもつものだからです。

　病院で提供される医療サービスのほとんどは，医師を発生源としています。ですので，医師はかなり多くの職種との接点をもっており，それを支援する医師事務作業補助者も，当然に各職種との連絡調整が発生します。例えば医師の指示で入院時のオーダ発行をしようとすると，病棟や栄養部などへの電話連絡は当然に発生します。また，診断書の作成であっても，放射線部門や医事課などに確認することは頻繁にあります。ですので，これらの職種と円滑に業務を進めていくためには，コミュニケーション力はきわめて重要です。

　他方，コミュニケーション力は，接遇のような技能的側面にとどまるものではなく，ヒューマン・スキルの最たるものともいえます。そのため，社会人として一定の経験を積んできた人の場合，教育することには，おのずと限界があります。東京医療保健大学の瀬戸僚馬教授が 2015 年度に福島県地域医療課に学術協力して行った調査でも，多くの病院の管理者が，コミュニケーション力は入職後に「育てる」よりは採用時に「見きわめる」性質のスキルだと回答しています。

　他方，医学的な知識も必要ですが，これは一朝一夕に習得できるものではありません。ですから，入職の時点で知識があるというよりは，知らないことを学習する力のほうが重要と言えます。経済産業省が提唱する社会人基礎力でも，基礎知識そのものよりも「学び続けることを学ぶ」ことを重視しています。経験を積みながら医学的な知識を増やしていくと考えることが現実的と言えるでしょう。

　病院組織は職種ごとに縦割りな面もありますが，医師事務作業補助者はその隙間をつなぐような役割をもっています。従来，このような調整を本来業務とするような職種は病院内にはいませんでしたので，これが医師事務作業補助者の最大の特徴ともいえます。

　医師事務作業補助者の役割は，この 15 年である程度整理されてきました。それでも，業務内容などは将来的にまだ変化していく可能性も十分にあります。病床機能分化，連携の施策が進むなかで，病院そのものの役割が変化するためです。しかし，医師事務作業補助者の役割，そして縦割りになりがちな各職種の隙間に生じた医師の事務作業をサポートするという業務の特徴は，今後も続いていく重要な要素といえるでしょう。

[※9]　日本医師事務作業補助者協会「2023 年度医師事務作業補助者実態調査報告−速報版−」

2. 診療報酬・医師事務作業補助 体制加算の要件と算定

久保田 巧, 小林 竜弥

1 医師事務作業補助体制加算ができた背景

医師事務作業補助体制加算は, 2007年12月28日に厚生労働省医政局長通知「医師及び医療関係職と事務職員等との間等での役割分担の推進について」に「医療の専門職種が専門性を必要とする業務に専念することにより効率的な業務運営がなされるよう, 適切な人員配置の在り方や, 医師, 看護師等の医療関係職, 事務職員等の間での役割分担がなされるべきである」と明示されたことを受け, 2008年の診療報酬改定で新設されました。

加算設置の背景には病院勤務医の過酷な労働環境があります。医師事務作業補助者を配置することで, **「医師の負担の軽減及び処遇の改善に資する体制」**を確保することを目的としています。

2 医師事務作業補助体制加算の算定点数

医師事務作業補助体制加算は実際に医師の負担軽減に資する業務に専従している者を配置している場合に, **入院初日に算定**します。算定点数は届出病床数に対する専従者の配置割合と届出病院の施設基準の要件および当該医療機関での医師事務作業補助者としての勤務経験を有する者の配置割合によって分類されています（図表1-7）。

2008年の加算新設時の点数は, 現在と比べると低く設定され, 医師事務作業補助体制加算だけでは配置要員が雇えないとして配置を見送る病院がありました。しかし, 2008年から2024年に至るまで, 医師の業務のタスクシフティング・タスクシェアリングのための評価の充実を図るため,

図表1-7 医師事務作業補助体制加算の8区分

医師事務作業補助体制加算（入院初日）	点数		施設基準
	1	2	
15対1補助体制加算	1070点	995点	三次救急医療機関 小児救急医療拠点病院
20対1補助体制加算	855点	790点	総合周産期母子医療センター 年間の緊急入院患者800名以上の病院
25対1補助体制加算	725点	665点	上記基準を満たした病院のほか 災害拠点病院
30対1補助体制加算	630点	580点	へき地医療拠点病院 地域医療支援病院 厚労大臣が定める地域に所在する保険医療機関
40対1補助体制加算	530点	495点	年間の緊急入院患者200名以上の病院または, 年間の全身麻酔手術800件以上の病院
50対1補助体制加算	450点	415点	上記基準を満たした病院のほか
75対1補助体制加算	370点	335点	年間の緊急入院患者100名以上
100対1補助体制加算	320点	280点	（75対1及び100対1補助体制加算は50名以上）

医師事務作業補助者の配置人数の例
  許可病床数340床 15対1補助体制加算（届出病床数15床ごとに1名以上の配置）
  340÷15＝22.6 → 23名以上（少数点第1位を四捨五入）

医師の働き方改革を推進し質の高い診療を提供する観点から，診療報酬改定のつど，点数のアップが図られています（2008年新設時の最大点数は355点）。

また，算定対象病床の拡大も行われており，新設当時の届出可能病床は一般病床のみでしたが，現在では特別入院基本料を除くすべての病床で届出ができる（病床種別により届出区分の制限あり）ようになりました。その結果，医師事務作業補助体制加算を届出する医療機関は年々増えており，新設時の2008年7月の届出は730医療機関だったものが，2022年7月の届出は3,140医療機関（※厚生労働省公表）と4倍以上になっています。

3　人員基準

1）医師事務作業補助者の雇用形態

派遣職員などの雇用形態は問われていませんが，指揮命令権が医療機関にない請負方式（業務委託）は認められていません。常勤職員（週4日以上常態として勤務し，かつ所定労働時間が週32時間以上の勤務を行っている者[※1]）と同じ時間数以上の勤務を行う職員であることが定められています[※2]。なお，医師事務作業に専従する職員の常勤換算による算定も認められています。

2）医師事務作業補助者の業務範囲

医師事務作業補助者が病院勤務医の負担軽減に直結する業務を行うよう，医師事務作業補助者の業務として実施できる業務と実施できない業務が明示されています。

しかし，明示されている一つひとつの業務の詳細な範囲は明文化されていないため，他の職種と役割分担を行う際に，業務の線引きで戸惑う場面が見られます。線引きは各病院に委ねられるので，業務内容を決めるにあたっては，関連職種との話し合いと役割分担の明文化をきちんと行っていく必要があります。

また，明示されている業務がすべてではありません。"医師の指示のもと"が大前提にあり，図表1-8の実施できない業務に含まれるものや医療行為につながるものでなければ，医師事務作業補

図表1-8　医師事務作業補助者の業務

実施できる業務（医師の指示のもとに行う業務に限る）
・診断書などの文書作成補助（症状詳記を記載する業務含む）
・診療記録への代行入力
・医療の質の向上に資する事務作業 　　診療に関するデータ整理 　　院内がん登録等の統計・調査 　　医師の教育や臨床研修のカンファレンスのための準備作業　　等
・入院時の案内等の病棟における患者対応業務
・行政上の業務 　　救急医療情報システムの入力 　　感染症サーベイランス事業に係る入力　　等
実施できない業務
・医師以外の職種の指示のもとに行う業務
・診療報酬の請求事務（DPCのコーディングに係る業務を含む）
・診療録管理部門の業務
・治験に係る事務作業
・窓口，受付業務
・医療機関の経営，運営のためのデータ収集業務
・看護業務の補助
・物品運搬業務

※1　育児・介護休業法による時短勤務の場合は30時間以上
※2　就業規則に定められた所定労働時間が優先されることもあります。

助者の業務として行うことができます。そういう意味では，医師事務作業補助者の業務というのは，作業の質が高ければ多種多様の業務を請け負うことができる可能性をもっているといえます。

3）医師事務作業補助者の研修

　医師事務作業補助者は6カ月の研修期間内に32時間以上の研修を受けることが条件になっています。医師事務作業補助者としての業務を行いながらの職場内研修も認められており，職場内研修を行う場合には，その実地作業における勤務状況の確認ならびに問題点に対する改善の取組みを行います。

　医師事務作業補助体制加算が設置される前（2008年3月以前）から医師の事務作業を補助する専従者として雇用されている者も当該研修を受けることとされています。

　研修内容については，下記の項目に係る基礎知識を習得できる研修を行うことが定められています。

　　《研修内容》
　　　・医師法，医療法，医薬品医療機器等法，健康保険法等の関連法規の概要
　　　・個人情報の保護に関する事項
　　　・当該医療機関で提供される一般的な医療内容および各配置部門における医療内容や用語等
　　　・診療録等の記載・管理および代筆，代行入力
　　　・電子カルテシステム（オーダリングシステムを含む）　等
　　　※新たに配置される前にすでに上記の研修受けている場合は，再度基礎知識を習得するための研修を受ける必要はありません。

　医師事務作業補助者の業務は専門的な知識が必要なものも多く，実際に業務を遂行するには基礎研修だけでは足りない部分があります。2022年の診療報酬改定にて，医師事務作業補助者の業務を管理・改善するための責任者は，医師事務作業補助者に対する教育システムを作成していることが望ましいと施設基準に明記されました。医療・医学も常に進歩しているため，それに対応できるように継続的な研修を行い，能力の向上や知識の習得を図ることが必要となってきます。そのため最近では，基礎研修を受けた医師事務作業補助者が実際の現場で実務として生かせるよう，実務者による講習や，ラダー研修など，様々な工夫を行っている医療機関が増えてきています。

4）定着推進

　より質の高い医師事務作業補助者を評価することを目的に，2022年の診療報酬改定にて，「当該保険医療機関において3年以上の医師事務作業補助者としての勤務経験を有する医師事務作業補助者が，それぞれの配置区分ごとに5割以上配置されていること」の基準が，さらに2024年の診療報酬改定では，「医師事務作業補助者の勤務状況及び補助が可能な業務の内容を定期的に評価することが望ましい」との基準が明記されました。これは「医師事務作業補助体制加算1」の届出を行った医療機関を対象とするものですが，「加算2」の医療機関も定着推進に向けた取組みは重要です。

4　院内規程の整備

　施設基準では，院内規程を文書で整備することが定められています。下記に挙げられている院内規程を明文化し，院内全体に周知徹底されることで，医師事務作業補助者が業務範囲を超えた業務を強いられることから防ぎ，医師事務作業補助者の役割が明確化され，より効果的な医師の負担軽減に寄与することにつながります。

①医師事務作業補助者の業務範囲
②診療記録の記載
③個人情報の保護
④電子カルテシステム（オーダリングシステムを含む）

　「なりすまし」がないよう，電子カルテシステムの真正性について十分留意している。医師事務作業補助者が電子カルテシステムに入力する場合は代行入力機能を使用し，代行入力機能を有しないシステムの場合は，業務範囲を限定し，医師事務作業補助者が当該システムの入力業務に携わらない――など，詳細は「医療情報システムの安全管理に関するガイドライン」を参照してください。

5　医師の負担軽減および処遇改善に資する体制

　医師事務作業補助体制加算の施設基準に，医師の負担軽減および処遇改善に資する体制がとられていることが定められています。具体的には次に挙げる体制をとることが求められています。

①医師の負担軽減及び処遇改善を行う責任者の配置

　当該医療機関内に，医師の負担の軽減および処遇の改善に対して，当該医療機関に勤務する医師の勤務状況を把握し，その改善の必要性等について提言するための責任者を配置しなければなりません。

②医師の勤務時間，当直を含めた夜間での勤務状況の把握

　特別の関係にある保険医療機関での勤務時間も含めて，医師の勤務時間および当直を含めた夜間での勤務状況の把握が求められています。そのうえで，業務の量や内容を勘案し，勤務体系を策定し，職員に周知徹底をすることとしています。さらに，2020年に新設された地域医療体制確保加算では，「医師労働時間短縮計画ガイドライン」に基づいた「医師労働時間短縮計画」の作成，2024年の診療報酬改定では「手術，処置の休日加算1・時間外加算1・深夜加算1」の基準が厳格化されるなど，勤務時間の把握は，2024年から開始される「医師の働き方改革」に向けた取組みの重要なポイントとなっています。

③多職種からなる役割分担推進のための委員会（会議）の設置と計画の作成

　多職種からなる役割分担推進のための委員会（会議）を設置し，「医師の負担の軽減及び処遇の改善に資する計画」を作成・見直しを行わなければなりません。この委員会には，医療機関の管理者が年1回以上参加しなければならず，計画の達成状況の評価を行う際など，適宜必要に応じて開催することが求められています。

④医師の負担軽減に資する計画

　下記の項目を含めた具体的な計画の策定と職員への周知徹底が必要とされています。
・医師と医療関係職種，医療関係職種と事務職員等における役割分担の具体的な内容
・勤務計画上，連続当直を行わない勤務体制の実施
・前日の終業時刻と翌日の始業時刻の間の一定時間の休息時間の確保（勤務間インターバル）
・予定手術前日の当直や夜勤に対する配慮
・当直翌日の業務内容に対する配慮
・交替勤務制・複数主治医制の実施
・育児・介護休業法第23条第1項，同条第3項又は同法第24条の規定による措置を活用した短時間正規雇用医師の活用

⑤取組み事項の公開

　医師の負担軽減及び処遇の改善に資する取組みは掲示等で公開することとされています。

3. 病院組織と医師事務作業補助者

高木　哲夫

1　病院組織の特徴

　病院とは“個人商店の集まり”であると感じます。病院には個々の状況や場面でのルールや決まりがあまりなく，常に「臨機応変」が求められ，個々の判断で動くことが多いためです。

　つまり，病院はそれほど組織的に動いているところではないのです。これには，病院組織の発展の歴史が関係していると考えられています。病院は，医師はもちろん，薬剤師や看護師など多様な医療専門職がともに働く職場です。そのなかで，「専門職がプロフェッショナル・フリーダムを守り，自分たちが理想とする医療を行おうとする場合，時として，病院という組織全体の効率や有効性に反することが起こり得る」※ことも事実です。したがって病院の組織は，専門性を尊重しつつ他方で全体最適を達するための組織形態を，今も試行錯誤を繰り返しながら発展させています。

　また，病院で行われる業務の多くは，職種ごとに「業務独占」されています。そのため，病院の組織は職種によって専門分化する傾向がみられます（図表1-9）。業務の独占化は，業務拡大の方向には向きやすいですが，効率化には向かないと感じています。また，他部署の業務内容や役割を理解するためのジョブローテーションもむずかしい場合が多いようです。

　医師は，診療科ごとの専門性がきわめて高いことから，例えば眼科医が神経内科に転向するような例は限られます。すなわち，職種ごと，臨床上の専門分野ごとに職場が細分化し，それぞれの組織文化が形成されます。さらに，中小病院では，医師の出身大学病院（いわゆる「医局」）による違いも出てきます。

2　病院組織における医師事務作業補助者の立ち位置

　医師事務作業補助者は，医師の指示のもとで仕事をします。医師がいわゆる上司にあたります。医師の行動を読み，スムーズな診療のために，どう動くべきかを常に頭に入れて行動する必要があります。医師は「医療及び保健指導を掌る（医師法第1条）」のが役割であり，医療チームのリーダーであることが，社会通念のみならず法令上も明記されています。したがって，医師の業務においてチームワークはきわめて重要な要素とされています。チーム医療の中心に位置づけられるのはもちろん患者ですので，多忙な業務のなかでも，医師は患者への影響度を軸に業務の優先順位を判断することになります（図表1-10）。

　また，患者さんの要望のまま，医師に「こうして下さい」といきなり変更をお願いしても，あまりうまくいかないかもしれません。その際は，こうした医療チームワークモデルを念頭に置いて，自分には見えていない多様な側面やパワーバランスを考慮して，対応策を考えていきましょう。

　あるいは，医師事務作業補助者の配置責任者が医師とは別にいる場合もよくあります。この場合，例えば，上司の医事課長と医師で違う指示が出ることもあります。矛盾する指示が出た場合には，両者にその旨を伝えて，調整を図るようにしないと，トラブルの原因となりかねません。

※　高橋淑郎：変革期の病院経営，中央経済社，P.44，1997

　2016 年改定では，2014 年改定の「医師事務作業補助者の業務を行う場所の80％以上（医師事務作業補助体制加算1）の時間は病棟または外来にて行うこと」という事項が改善されて，医師の指示に基づく診断書作成補助・診療録の代行入力は，業務を行う場所が問われなくなりました。病院の勤務医の負担軽減に貢献していると考えた結果だと思います。2018 年改定では，多職種からなる役割分担推進のための委員会で問題点を抽出し，「病院勤務医の負担の軽減及び処遇の改善に資する計画」を作成し，医師と医療関係職種，医療関係職種と事務職員等における役割分担の具体的内容について計画に記載し，職員に周知徹底し，取組状況を評価し見直しを行うことになりました。今後，この計画の取組みの評価方法等を注視していく必要があると思います。

　なお，医師事務作業補助者のなかには，病棟や医事課など必ずしも医師が常駐していない部署で業務を行う場合もあります。こうした場合には，業務に関する指示権者が医師にあっても，看護師長や医事課長など関連する職種に対して業務上の確認や質問といった「ほうれんそう（報告・連絡・相談）」の機会が増えてきます。このため，日本医師事務作業補助研究会が策定した「医師事務作業補助業務指針試案」においても，「医師による指示命令系統を優先するあまり，これら関連職種とのコミュニケーションが薄くならないよう，医師事務作業補助者としても留意することが求められる」と明記されています。この「ほうれんそう」は重要なことです。そのなかで医師事務作業補助者が診療報酬上で算定対象外の業務を依頼されることも想定されます。指示された業務内容に，診療報酬上で医師事務作業補助者の業務に含まれてないもの，院内規定に含まれていないものがないかを確認し，もしあれば，上司に報告しなければいけないと思います。

　2016 年4月改定では対象が拡大され，療養病棟入院基本料および精神病棟入院基本料（加算1，2共通），特定機能病院入院基本料（一般，結核，精神）（加算1）においても算定可能となりました。業務が拡大され，経営層にも医師事務作業補助者の存在が認知されていると考えられます。

　2007 年に「医師及び医療関係職と事務職員等との間での役割分担の推進について」（医政発第1228001 号）が発出され，医師事務作業補助者は医師をサポートする職種として位置づけられました。しかし，医師の業務負担軽減が重要な役割であるにもかかわらず，医師が何をしているかを把握していないために，診察中やOPE 中に内線をかけてしまうことがあります。これでは，かえって医師の業務負担を増やすことになります。病院の業務とその流れを理解すること，その病院がもつ固有な文化を理解すること──これらは基本的なことですが，重視すべきと考えています。私も，医師に2人の患者の医療文書の作成を依頼した際，添付した過去文書のコピーが入れ違っていると指摘されたことがあります。事前に確認したはずでしたが，医師の負担を増やしてしまいました。

図表 1-9　中小規模病院の組織図の一例

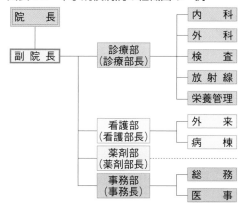

図表 1-10　医療チームワークモデルの一例

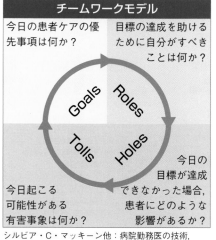

シルビア・C・マッキーン他：病院勤務医の技術，P.61，2009

4. 医師事務作業補助者の関連法規

高橋　新, 瀬戸　僚馬

1　医療関連法規の体系

　医師事務作業補助者の業務に関連する法規には，医師の業務を規定している「医師法」，病院の組織や配置を定めた「医療法」，薬剤や医療機器の取り扱いを定めた「薬事法」など，「医療提供体制」を定めるものがあります。

　これらと並列して，医療サービスは一般に健康保険や後期高齢者医療など公的医療保険を用いることが基本ですので，その保険料の納付や保険給付に関する仕組みを定めた「医療保険制度」を定める法規が存在します（図表1-11）。

　これらの二つの制度体系は，相補的な性質はありながらも，他方で独立して運用されるものともいえます。よって，例えば俗語的に「病院が監査を受ける」といっても，そこには医療法第25条に基づく立ち入り検査（いわゆる「医療監視」）や，健康保険法第73条による厚生労働大臣の指導（いわゆる「個別指導」など）があり，それぞれの法の目的に合った行政的措置が執られることになります。

図表1−11　日本の医療制度の概要

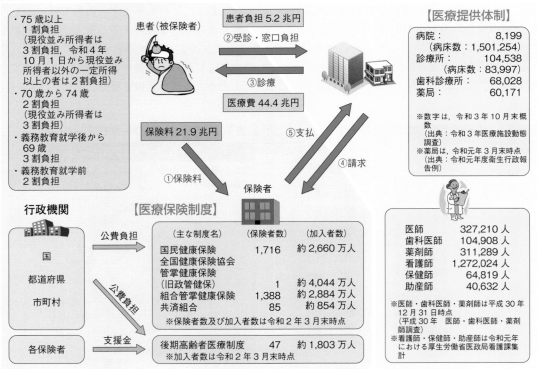

厚生労働省　令和4年9月29日　第154回社会保障審議会医療保険部会　資料1-2
https://www.mhlw.go.jp/content/12400000/000995085.jpg

　医師事務作業補助者の業務には「行政への対応」がありますが，これらの対応の根拠となっている法体系について，本節では整理しておきます。

2　医師の業務：医師法

　医師は，「医療及び保健指導を司ることによって公衆衛生の向上および増進に寄与し，もって国民の健康な生活を確保すること」が役割とされています（法第1条）。すなわち，医療サービスにおいて医師がリーダーであることは，単なる実務的慣習ではなく，同条において明示的に定められていることです。

医行為とそれ以外の間接的業務

　医師の業務に関して重要なのは，「医師でなければ，医業をなしてはならない」（法第17条）という規程です。同条は，医師が医療行為を独占する根拠になっているものです（これを業務独占といいます）。ただし，実際には看護師が注射をするように一部の業務を他の医療職に担ってもらうことができ，このような医行為は「**相対的医行為**」と呼ばれます。もちろん，手術のように医師にしか行えない行為も多く，これを「**絶対的医行為**」といいます。これらの業務は医師が直接的に行わなければなりませんが，逆に言えば，**それ以外の間接的業務は他の職種が支える**こともできます。したがって，間接的業務をいかに支援するかが，医師事務作業補助者の大きな役割ともいえますが，他の職種にもそれぞれ業務独占があることにも注意が必要です。

医師の応召義務

　診療に従事する医師は，診療を求められたら，正当な理由なくこれを拒むことはできません（法第19条）。これを「**応召の義務**」といいます。何が正当な理由になり得るかはむずかしいところですが，例えば心肺蘇生が必要な急患が来ているときに，風邪の患者が来院しても，直ちに診療する必要がないことは当然です。しかし，このような極端な例ばかりでなく，実際には判断がむずかしい事例が多いので，医師はできる限り応じるように努めているのが実務的な状況と言えます。

　医師は，自ら診察しないで治療をしたり，処方せんや診断書を交付したりすることができません（法第20条）。これは，医師事務作業補助者が診断書を作成したときに，医師による確認が必要な大きな理由でもあります。違反すると，医師は50万円以下の罰金に処せられることになります。

診療録（カルテ）の記載

　また，医師は診療をしたときは遅滞なく**診療録（いわゆるカルテ）**に記載しなければなりません（法第24条）。そして，同条の規定により，診療録はその病院の管理者（すなわち病院長）の責任で，5年間保管することも義務づけられています。この「遅滞なく」の解釈にも多様なものがありますが，一般論としては24時間以内に記載することが望まれます。診療録に記載すべき事項は医師法施行規則第23条で定められており，①診療を受けた者の住所，氏名，性別および年齢，②病名及び主要症状，③治療方法（処方及び処置），④診療の年月日──とされています。ただし，これらの情報の具体的な書き方は同法では規定されていません。したがって，いわゆる「SOAP形式」で，「S（Subjective Data）：主観的情報」「O（Objective Data）：客観的情報」「A（Assessment）：査定」「P（Plan）：計画」の順に記載するかどうかは，その病院の院内ルールによることになります。

異状死体の届け出

　さらに，医師が死体を検案して「異状」があると認めたときは（いわゆる「異状死体」），24時間以内に所轄警察署に届け出なければなりません（法第21条）。ここで問題となるのは，診療行為に関連して入院患者が院内で死亡した事例です。これが「異状」に該当するのかは解釈が非常にむずかしく，他方で24時間という時間的制約もあることから，このような事例が発生したときの対応方法は院内のマニュアルなどで定められていることが一般的です。

その他の法規と医師の業務

　なお，医師法に関連する重要な法規には，刑法があります。医師は，手術など治療のために，人の体を傷つける行為（侵襲行為）を行います。これは傷害行為には違いありませんが，もちろん傷害罪に問われることはありません。刑法第35条では，「法令又は正当な業務による行為は，罰しない」と定めており，医師が医師法に基づいて治療のために傷害行為を行ったとしても，同条の規定により罰されることはないのです。しかしながら，刑法第211条では「業務上必要な注意を怠り」もしくは「重大な過失により」人を死傷させた者は，5年以下の懲役・禁固もしくは100万円以下の罰金に処すると定めています。すなわち，医師が医療事故によって直ちに刑事責任が問われることはありませんが，「業務上必要な注意を怠ったか」あるいは「重大な過失があるか」が論点となり，裁判に至った事例はあります。

　その他，医師に関する刑法上の規程としては，守秘義務に関するものが重要です。医師が正当な事由がないのに業務上知り得た人の秘密を漏らした場合（秘密漏示罪，刑法134条）は，6カ月以下の懲役または10万円以下の罰金に処せられます。このような守秘義務の規程は，免許をもつほとんど医療職が，刑法またはその免許の根拠法によって課せられています。一見，この規程は医師事務作業補助者には適用されなさそうに見えますが，刑法第65条は「犯人の身分によって構成すべき犯罪行為に加功したときは，身分のない者であっても共犯とする」と定めており，守秘義務違反の態様によっては，同条の規程により医師事務作業補助者が罪に問われる可能性があることは，十分に認識しておくべきです。

　その他，医師には公務所（行政官庁）に提出すべき診断書などを偽造した場合（虚偽診断書等作成罪，刑法第160条）の刑罰などが定められています。

「診療の補助」と「間接的業務の補助」の違い

　医師以外の医療従事者にも職種ごとに根拠法があり，業務内容が定義されています。例えば看護師は「療養上の世話または診療の補助を行うことを業とする者」と定められています〔保健師助産師看護師法（保助看法）第5条〕。医師事務作業補助者と看護師は業務の動線が重なることも多いですが，その業務の一部が「診療の補助」にあることを踏まえれば，自然なこととともいえます。

　ちなみに，侵襲行為を伴わない**間接的業務の補助**（医師の診療予約の代行など）は，医師事務作業補助者の業務であると同時に，看護師が行う「診療の補助」にもみえます。しかし，保助看法第31条は「看護師でない者は，第5条に規定する業をしてはならない」と業務独占の規定を設けており，この字面を追うのであれば，他の職種が医師の業務を支援することは困難になりかねません。したがって，社会通念上も，役割分担通知の趣旨からしても，「診療予約の代行」のような間接的業務が業務独占の範囲に含まれるとは考えられません。すなわち，「診療の補助」というのは注射や処置などの侵襲行為を指しているのであって，これ以外の間接的業務は，あくまで「**『診療の補助』に附随した業務**」と解釈するのが自然です。このため，このような間接的業務を医師事務作業補助者が行っても何ら法的な問題は生じませんし，医師事務作業補助体制加算で除外されている「看護業務の補助」にも該当しないことになります。

　例えば，問診・診察は「行為そのものは必ずしも人体に危害を与える虞があるとはいえないが，診療の一環として行われ，結果を利用する等により結果として人体に危害を及ぼす虞のある医行為」と解されてしまいます[※1]。よって，問診を補助すること自体は「診療の補助」となり，補助者がこれを行うことは，保健師助産師看護師法に抵触します。昨今，「予診」については，「病状聴取にあっては，診察の円滑化等の視点から定型の問診票等を用いることが一般であり，この問診票等を用いて機械的に事実を聞く行為」[※2]であれば，事務的な範囲と整理されました。この範囲であれ

※1　平成元年度　厚生科学研究「医行為及び医療関係職種に関する法医学的研究」報告書 p.3
※2　平成30年度　厚労省行政推進調査事業費補助金「新しいチーム医療などにおける医療・介護従事者の適切な役割分担についての研究」報告書，分担5，p.5

ば「代行入力」の一部と解されますが，その範囲を超えると違法行為になりますので，十分に気をつけましょう。

3　病院の概念，組織および設備など：医療法

病院の開設に関する法的根拠は，医療法で定められています。また，同法は医療サービスの基本法としての性格も有していますので，医療に関する基本的考え方も述べられています。

このなかで医師事務作業補助者に関するものとしては，入院診療計画書の交付について定めた条項があります。病院の管理者は，患者を入院させたときは，医師により「入院中に行われる主な検査，手術，投薬その他の治療（入院中の看護及び栄養管理を含む）に関する計画」などを記載した書面を作成し，患者または家族に交付して，その適切な説明が行われるようにしなければなりません（法第6条の4）。この書面を診療報酬制度では「入院診療計画書」と呼び，その交付は入院基本料を算定する際の施設基準になっています。しかし，書面の交付は医療法上の「義務」でもある点が特徴的です。なお，退院時の書面の交付は「努力義務」となっています（法第6条の4第3項）。

病院の定義と種類

病院の定義は「20人以上の患者を入院させるための施設を有するもの（第1条の5第1項）」であり，したがって**診療所**は「患者を入院させるための施設を有しないもの又は19床以下の患者を入院させるための施設を有するもの（同第2項）」をいいます。いわゆる「医療センター」，「クリニック」や「医院」などはそれぞれの病院または診療所が独自に名付けたものであり，制度上の根拠はありません。したがって，診療所に「医療センター」と名付けても問題なく，逆に「医院」と名乗る大規模な病院もあります。

病院の種類は，医療法上の区分としては「**特定機能病院**」「**地域医療支援病院**」および，それ以外の「**一般病院**」に分けられます。特定機能病院とは，大学病院の本院や，国立がん研究センター病院などこれと同様の機能をもち，厚生労働大臣が承認した病院をいいます。その役割としては，「高度の医療の提供」「高度の医療技術の開発」「高度の医療に関する研修」があり（法第4条の2），このため大学病院の役割は「診療・研究・教育」にあるとも言われます。大学病院に勤務する医師にとってはそのいずれもが本務になり得ることもあり，特定機能病院においては，医師事務作業補助体制加算の算定には一部制限があります。地域医療支援病院は，「他の病院又は診療所から紹介された患者に対し医療を提供」するほか，救急医療や，地域の医療従事者に対する研修を行う能力を有し，都道府県知事が承認した病院をいいます。紹介患者や救急患者を受け入れることが基本なので，ある程度規模が大きく，急性期医療を中心に行う病院がこれに該当することになります。医師事務作業補助体制加算における「15：1」の基準を満たす病院は，この地域医療支援病院であることも多いようです。そして，特定機能病院と地域医療支援病院のいずれにも該当しない病院は，実務上「一般病院」と呼ばれます。

病院の管理者

病院の管理者は，医師（臨床研修を修了した医師に限られます）に限られます（法第10条）。この管理者とは，「病院長」のことを指します。医療法では，病院の管理について様々な定めがあります。これらの規定を守る義務は，医療法においては，おおむね病院長に課せられています。

病院は，医師や看護師などを配置するほか，診察室，手術室，処置室，臨床検査施設，調剤所などを置かなければなりません。また，これらの設備と同じ扱いで「診療に関する諸記録」を置くことも義務づけられています（法第21条）。この診療に関する諸記録（診療諸記録）には，処方せん，手術記録，看護記録，検査所見記録，エックス線写真や入院診療計画書などが含まれます（医療法施行規則第20条）。特定機能病院と地域医療支援病院では，さらに「紹介状」と「退院した患者に係る入院期間中の診療経過の要約（いわゆる退院サマリー）」も加わります。

「医療監視」

　都道府県知事や保健所設置市の市長は，病院に立ち入り，「人員，構造設備，診療録や帳簿書類」などを検査する権限をもっています（法第25条）。この検査を行う職員を「医療監視員」と呼ぶため，医療法上の立入検査は，実務上「**医療監視**」と呼ばれています。特定機能病院については，都道府県や市の職員に加えて，地方厚生局の医療監視員も立入検査を行います。医療監視の際には，人員や施設が基準に適合しているか確認するほか，診療録の点検なども行います。この際，例えば「医師事務作業補助者が代行で作成した書類に，医師のサインがない」などの問題があれば，それは医療監視員から指摘あるいは指導の対象にもなり得ます。

その他の医療機関の義務

　病院をより適切に運営していくためには，人員，施設，書類などを法令に則して揃えていくだけではなく，運営管理の妥当性も問われます。医療サービスにおいて最も重要な品質である「**医療安全**」に関しては医療法でも重視されており，病院は「医療の安全を確保するための措置」を講ずることが義務づけられています（法第6条の10）。このため，病院は院内感染対策，医薬品に係る安全管理，医療機器に係る安全管理などのテーマで定期的に研修を行っており，医師事務作業補助者もその対象になることが一般的です。

　その他，医療法では広告できる事項が制限されていたり（第6条の5），例えば給食業務を委託する場合に，「治療食に関し知識及び技能を有する栄養士」の配置が義務づけられていたりするなど（医療法施行規則第9条の10），病院運営に関してかなり細かい規定が設けられています。

　さらに，医療法では，都道府県に「**医療計画**」を定めることも義務づけています（30条の第4）。医療計画では，都道府県の県域をいくつかに分け，そのエリアごとに，がん，脳卒中，急性心筋梗塞，糖尿病および精神疾患の「5疾病」と，救急医療，災害医療，へき地医療，周産期医療，小児医療のいわゆる「5事業」に関する医療提供体制を整えることになっています。

　2015年には「地域医療構想」の策定も法制化され，構想区域ごとに「必要病床数」を定め，これに基づく病床数の適正化も進めていくことになりました（法第30条の13，14，16など）。

　さらに，医療法人の設立や運営に関する根拠法も医療法で定められています。医療法人の理事長は，病院長と同様に，医師や歯科医師をもって充てることが原則とされています（法第46条の3）。

4　医薬品医療機器等法

　従来の薬事法が改正され，医薬品，医療機器等の品質，有効性及び安全性の確保等に関する法律（医薬品医療機器等法）になりました。この医療機器には，輸液ポンプなど電力を要する機器もありますが，注射針のような細かい医療材料も含まれます。

　医師事務作業補助者と関係が深いところでは，処方せんに関する規定があります。薬局は，医師から処方せんの交付を受けていない者に，「厚生労働大臣の指定する医薬品」を授与することができません（法第49条）。この処方せんがなければ買えない指定医薬品のことを，一般に「**医療用医薬品**」といいます。これに対し，自由に購入できる医薬品を「**一般用医薬品**」と呼んでいます。

　医薬品に対する指定は，この区別だけではありません。抗がん剤など毒性が強い医薬品は「毒薬」として指定され，黒地に白枠，白地で薬品名を記載するほか，鍵のかかる場所に保管することが義務づけられています。また，呼吸や循環に影響を与えやすい薬剤の一部などは「劇薬」に指定され，施錠しないまでも，他の薬品と区別して保管しなければなりません（法第44条，第48条）。

　このため，院内で使用させる処方せんにも「（毒）シスプラチン」のように，毒薬や劇薬である旨が印字される場合もあります。これは法令に基づくものではありませんが，各病院が行う安全管理の一環であり，当該医薬品の取扱いに注意を促すことが目的です。

　その他，薬事法には「**特定生物由来製剤**」の取扱いについても定めています。特定生物由来製剤とは，例えば血液を用いて作られたアルブミン製剤のような医薬品をいいます。さらに，特定生物

由来製剤を用いる場合，医師等はその有効性や安全性について適切な説明を行い，理解を得るよう努めなければなりません。特に輸血製剤を用いる場合は，厚生労働省医薬食品局血液対策課の「血液療法の実施に関する指針」に基づき，同意書を診療録に保管しておくことも義務づけられています。この説明書は，輸血を管理する部署（病院によって，薬剤部が管理する場合と，検査部が管理する場合があります）などで定型的な書式を作成していることが多いのですが，医師事務作業補助者としても，同意書が確実に記載され，診療録に綴り込まれていることを確認することは必要です。なお，特定生物由来製剤を使用した病院は，その時点では未知の感染症の対応などのため，その製剤を使用した記録を20年間保管することも義務づけられています（法68条の9）。

5　保険診療のしくみ：健康保険法など

　保険診療のしくみは，**健康保険法**などの法律で定められています。ただし，保険の種類は被保険者の年齢や職業によって変わりますので，それぞれの保険制度に応じた法律が設けられることになります。大きく分けると，75歳以上の者は基本的に**後期高齢者医療制度**に入ることになり，それ以外のものは企業などに雇用されているのか（健康保険組合もしくは全国健康保険協会が管掌する**「健康保険」**），自営や無職か（市町村などが運営する**「国民健康保険」**），公務員や私立学校の教職員か（**共済**），船員か（**船員保険**）などに分類されます（図表1-12）。ただし，生活保護を受けている人は，そのなかに医療扶助が含まれているため，これらの制度には加入しません。国民健康保険法など公的医療保険に関する法規では健康保険法を準用しているものが多いため，本書では，健康保険法を軸に医師事務作業補助者の業務に関連のある規定をみていきます。

　医師事務作業補助者にとって関係が深いのは，同法の「保険給付」に関する規定です。まず，保険診療は誰でも行えるものではなく，健康保険を用いた診療に従事する医師は，地方厚生局長による登録を受けなければならず，その登録を受けた医師を**「保険医」**といいます（法第64条）。同様に，病院そのものも，医療法による届出や許可に加えて**「保険医療機関」**としての指定を受けます

図表1-12　医療保険制度の体系

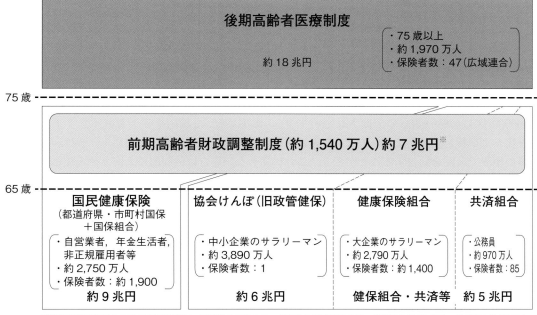

※前期高齢者数（約1,540万人）の内訳は，国保約1,100万人，協会けんぽ約320万人，健保組合約90万人，共済組合約20万人。

厚生労働省　https://www.mhlw.go.jp/stf/seisakunitsuite/bunya/kenkou_iryou/iryouhoken/iryouhoken01/index.html

（法第65条）。保険医療機関は，保険医や保険薬剤師に厚生労働省令の定めるところにより保険診療を行わせることが義務づけられており（法第70条），これは保険医など自らの義務でもあります。この厚生労働省令のことを「保険医及び保険医療機関療養担当規則」といい，略して「療養担当規則」あるいは「療担規則」と呼ばれています。この療養担当規則や関連する行政通知に従って適正な保険診療が行われるよう，地方厚生局による保険医は「指導」を受けなければなりません（法第72条）。この指導の名称は，対象範囲によって「集団指導」や「個別指導」などの名称で呼ばれたり，あるいは指導を行う行政官庁によって「共同指導」などと呼ばれたりするなど様々な表現方法があり，きわめて複雑なのでここでは割愛します。また，この「指導」で特に不正が疑われる場合は，その摘発を目的とした「監査」が行われ（第78条），その結果によっては保険医の登録や保険医療機関の指定が取り消される事例もあります。

　保険診療の細かいルールは，前述の療養担当規則で定められています。例えば，「処方せんの交付に際し，患者に特定の保険薬局で調剤を受けるべき旨の指示等を行ってはならない（規則第2条の5）」ことや，保険診療に関する診療録は他の診療録（労災や，予防接種などの自費をいいます）と区別して保管すること（規則第8条）などが定められており，医師に対しても同様の義務が課せられています。また，医師事務作業補助者に関するところでは，診療情報提供書を作成する背景として「自己の専門外にわたるとき」などは「他の保険医療機関に転医させるか，他の保険医の対診を求める」ことが義務づけられていること（規則第16条），処方せんの作成に際して「投薬を行うときは後発医薬品の使用を考慮するとともに患者が後発医薬品を選択しやすくするための対応に努めなければならない（規則第20条第2項ニ）」などの規定があります。

6　感染症法（感染症の予防及び感染症の患者に対する医療に関する法律）

　感染症法は，感染症に関する情報収集，感染症患者に対する就業制限や入院の措置，結核に係る定期健康診断などを定めた法律です。

　特に全数把握の対象となっている感染症を診断した際には，すべての医師に，最寄りの保健所への届出が義務付けられています。これによって，感染症の発生や流行を探知し，まん延を防ぐための対策等に活かされることになっています。対象となる疾患は，1〜4類感染症と，5類感染症の一部，および指定感染症です。新型コロナウイルス感染症は，2020年に指定感染症に指定されました（2023年5月8日より「5類感染症」へ移行）。5類感染症の一部には，指定した医療機関が，患者の発生について一定の期間ごとにまとめて届出を行うもの（定点把握）もあります。

　1類感染症にはエボラ出血熱など致死率が高いものが多く，2類感染症にも結核やSARSなど，感染力が高いものや重篤になりやすいものが含まれています。対象となる感染症のリストと届出の要否，届出方法などは，厚生労働省のホームページ（https://www.mhlw.go.jp/content/10900000/001149889.pdf）で公開されています。1類感染症，2類感染症，新型インフルエンザ等感染症および特定感染症については，まん延を防止するため必要があると認めるときは，都道府県知事の権限で入院を勧告することができ，これに従わない場合は強制的に入院させることができます。なお，これらの患者を入院させる病床は，基本的には感染症病床です。感染症病床を持たない病院でこれらの診断を行った場合には，指定医療機関に移送することになります。これは知事が行う搬送（知事搬送）となり，消防機関が行う搬送（消防搬送）とは異なる扱いになります。

　なお，感染症の種類により，就業制限がかかることがあります。これは，保健所長が行う行政処分に当たります。また，感染症を広げるおそれのある者を労働させることは，労働安全衛生法でも禁止されています。

7　福祉に関するしくみ：介護保険法，身体障害者福祉法，精神保健福祉法

1）介護保険法

　介護サービスは保険医療と福祉の中間的な存在であり，その根拠法である「介護保険法」でも双方の推進を図ることを明記しています（法第1条）。

　介護保険は市町村が運営する制度です。この介護保険が公的医療保険と最も異なるのは，あくまで市町村による「要介護認定」や「要支援認定」を受け，この認定に基づいてサービスを利用しなければならないことです（法第19条）。

　介護保険制度に加入するのは，市町村の区域内に住所を有する65歳以上の者（第1号被保険者）と，40歳以上65歳未満の医療保険加入者（第2号被保険者）です。市町村は，被保険者から介護認定申請があったときは，その市町村の職員による「介護認定調査」を行うともに，主治医に対し，「身体上又は精神上の障害の原因である疾病又は負傷の状況等につき意見を求める」ことになっています（法第27条第2項および第3項，第32条第2項および第3項）。これがいわゆる「主治医の意見書」ですが，詳細は別節が設けられていますので，ここでは割愛します。医師事務作業補助者が代行することも多い「主治医の意見書」は実務的には患者や家族，あるいはケアマネジャーから依頼を受けることが大多数ですが，同法上の条文では，あくまで市町村による依頼で作成する書類と位置づけられます。

　その他，介護保険法は「介護支援専門員（いわゆるケアマネジャー）」の試験や登録について定めたり，「介護老人保健施設」の開設許可について定めたりするなど，介護サービスの提供に必要な幅広い分野の根拠法になっています。

2）身体障害者福祉法

　身体障害者に係る医療費の公的負担は「障害者自立支援法」で定められています。しかし，その対象となる障害者の定義は，身体障害者福祉法にあります。同法では，身体障害者を「別表に掲げる身体上の障害がある18歳以上の者であって，都道府県知事から身体障害者手帳の交付を受けたもの（法第4条）」と定義しており，別表では障害の種類を「視力障害で，永続するもの」「聴覚又は平衡機能の障害で，永続するもの」「音声機能，言語機能又はそしゃく（咀嚼）機能の障害で，永続するもの」「肢体不自由」および「心臓，じん臓又は呼吸器の機能の障害その他政令で定める障害で，永続し，かつ，日常生活が著しい制限を受ける程度であると認められるもの」の5つを定めています。

　同法に基づく手帳の申請に必要な診断書も，医師事務作業補助者の業務の一つです。身体に障害のある者は「都道府県知事の定める医師の診断書を添えて」，その居住地の都道府県知事に身体障害者手帳の交付を申請できることになっています（法第15条）。この規定に基づいて知事が定めているのが「身体障害者福祉法指定医」であり，同法に基づく診断書は，指定医しか作成できないことになっています。診断書作成の実務も別節に詳述されていますので，ここでは割愛します。

　この他，同法は「身体障害者福祉センター」などの福祉施設の根拠法にもなっています。

3）精神保健福祉法

　精神保健福祉法の正式名称は，「精神保健及び精神障害者福祉に関する法律」といいます。この法律は，精神科の医療に直結する規定を数多く有しています。したがって，精神病床を有する病院では，同法に基づく手続きに医師事務作業補助者も深く関わることになります。

　同法に基づく精神科の病床への入院形態には，「任意入院」「医療保護入院」および「措置入院」等があります。任意入院はその名のとおり自らの意志で入院するものですが，その疾患の性質上，病識が乏しいなどの理由で任意入院が困難な場合があります。この場合，保護者の同意と，精神保健指定医の判断により，本人の同意がなくても患者を入院させることができ，これを「医療保護入

院」といいます（法第 33 条）。さらに，入院させなければ「自身を傷つけ又は他人に害を及ぼすおそれ（「自傷他害のおそれ」といいます）」がある場合は，精神保健指定医 2 名の判断により，本人や保護者の同意がなくても，都道府県知事の権限で患者を入院させることもでき，これを「措置入院」といいます。

さらに，精神科に入院している患者には，「医療又は保護に欠くことのできない限度において，その行動について必要な制限」もできます（第 36 条）。この規定に基づいて，治療の目的で身体拘束などが行われることもあります。

措置入院や医療保護入院を行うときは，同法に基づいて知事への届け出も必要です。これらの書類の作成を，医師事務作業補助者が支援することもあります。また，これらの判断をしたときは，医師法に定める診療録記載義務に加えて，精神保健福祉法においても，判断理由などを診療録に記載することが義務づけられています（法第 19 条の 4 の 2）。

このように，精神保健福祉法は，患者の生活にかなりの影響を及ぼす法律です。同法の適用には精神保健の専門家である医師の判断が重要であることから，厚生労働大臣は，精神保健に関する経験を有する医師を「精神保健指定医」として指定することになっています（法第 18 条）。

ところで，精神保健福祉に関連する法律には「心神喪失等の状態で重大な他害行為を行った者の医療及び観察等に関する法律（心神喪失者等医療観察法）」というものもあります。これは，重大な他害行為を行い，心神喪失と判断されて不起訴処分や無罪になった人を，裁判所の判断で専門の病院に入院させる等の仕組みであり，措置入院とは別の枠組みで運用されています。

その他，精神障害者が福祉サービスなどを受ける際には「精神保健福祉手帳」が必要になりますので，その交付に関する手続きも同法に定められています。

また，精神科病院の職員は，措置入院をはじめ法に基づく業務を行うため，職種にかかわらず，公務員に準じた守秘義務が課せられています。秘密漏示すると，1 年以下の懲役または 100 万円以下の罰金に処せられることがありますので，注意が必要です（法 53 条 2 項）。

第 2 章
医療文書の作成

1. 保険会社の診断書

越後　加代子

1　保険会社の診断書とは

　石川県内の医師事務作業補助者に，「保険会社の診断書」の代行作成を業務としているかどうかを聞くと，大多数の医療機関から「業務としている」との回答があります。多くの医療機関で業務とされている理由は，①医師が医師事務作業補助者に要望する業務の一つであること，②医師事務作業補助者が取りかかりやすい業務であること――が挙げられるのではないかと思われます。医師が抱える診療上必要な多種多様な書類にはそれぞれ法的に重要な役割があり，その目的は様々です。それらの書類を医師事務作業補助者が作成するためには，その**書類の目的を理解する**ことが必要かつ重要といえるでしょう。それでは，保険会社の診断書の目的は何でしょうか。以下に一つの例を挙げますので，そこから考えてみましょう。

（例） Aさんは，人生において突然に起こりうるケガ，病気，死亡など，万が一の事態が起こったときにお金の面で困ることのないように，B保険会社と一定の条件のもとに契約を交わしました。契約を交わしたことにより，AさんはB保険会社に保険料を支払い，Aさんに万が一の事態が起こったときには，B保険会社から保険金が支払われることとなります。

　あるとき，Aさんは病気で入院し，手術を受けました。AさんはB保険会社に保険金を請求する手続きを行いました。その際，その事実を証明するための，医師が記載する保険会社の診断書が必要となりました。Aさんは入院した病院に，保険会社の診断書の発行を申込みました。後日，Aさんは医師が記載した保険会社の診断書を受け取り，B保険会社に提出しました。その診断書が，AさんはB保険会社の契約内容に該当したと判断される基準の一つとなり，B保険会社から保険金を受け取りました。

　保険会社の診断書とは，保険金等の支払いが適切に行われるための重要な書類といえます。病院がかかわるのは，例文の下線部分になります。保険会社の診断書の完成までの時間が長くなれば，その分だけ患者に保険金が支払われずにいる期間が長くなります。それでは患者が困ってしまうことが考えられます。それは病院に対する苦情や不信感にもつながるでしょう。病院においては，患者に保険会社の診断書を受け渡すまでの迅速な対応に努めることが必要だといえます。

　また，診断書は，診察した医師が事実に基づき記載しなければならず，虚偽の記載があった場合には，虚偽診断書等作成罪（刑法第160条）などの罪で医師が訴えられる可能性もあります。

2　業務の流れ

　医師事務作業補助者が保険会社の診断書の代行作成をスムーズに行ううえでは，病院内での業務の流れについて関連部署とよく話し合い，ルールを決定し，周知することが重要です。病院には多職種があり，多くの人が働いています。病院内でのルールを決めて，業務上の責任の所在を明確に

して，それぞれが安心して業務を行う環境の土台を作ることが重要といえます。また，医師事務作業補助者は医師の指示のもとで作成する立場であり，一方，作成された診断書は医師の責任のもとに発行されます。したがって，これらの作業は実務者のみならず，医師の理解のもとで業務を行うことが重要です。

　保険会社の診断書が完成するまでの流れは，筆者の勤める芳珠記念病院では図表2-1のようになっています。各病院のシステム運用や人員によって手段や役割に違いがあるにしろ，代行作成業務の内容や流れは同じではないかと思いますので，参考にしてください。また，当院のシステム運用は，現在，電子カルテシステムです。各病院のシステム等に照らし合わせてお読みください。

3　医師事務作業補助者の実践

　まず実践に当たっては，医師事務作業補助者は医師の指示のもとに行うことを認識し，業務に就くことが重要です。具体的には，書類は医師の責任のもとに発行されること，虚偽の記載がないこと，なりすましのないこと，業務上知りえた情報を流出させないこと —— といった医師事務作業補助者・医療人としてのモラルをもつことを意味します。この意識がなくては医師事務作業補助者としての存在は成り立ちません。

1）テンプレートの活用
　各保険会社の診断書に直接記載する業務のやり方は，作成に関わる者や，確認・訂正を行う医師にとって，効率が良い業務とはいえません。当院では，電子カルテ上に登録されたテンプレート（図表2-4）を利用し，ほとんどの保険会社の診断書を作成しています。統一した様式を利用することで，記載すべき内容がわかりやすくなります。病院のシステム運用が電子カルテやオーダリングシステムである場合には，基本情報などが診断書の様式に反映されることがあり，記載に関する間違いが少なくなります。システム面の見直しにより，すぐに改善されることもありますので，うまく取り入れたいものです。図表2-4, 2-5に，代行作成の例を示します。

2）診断書の質の向上のために
ダブルチェック
　保険会社と患者の契約に強くかかわるものの一つに，初診日，入院期間，診断日などの日付に関するものが挙げられます。医師事務作業補助者は集中して代行作成を行うのですが，やはり間違いはどうしても起こるものです。また，同じ診断書の代行作成を行っても，担当者が違えば，当然，個人の知識・文章作成力などによる違いが出ます。ある程度はよいのですが，あまりにも違うと医師は混乱するでしょう。自分以外の人がどのような文章を作成しているのかを知り，代行作成の質に統一性をもたせるためにも，ダブルチェックは有効と考えています。
ミーティング
　あらかじめ控えておいた診断書の内容から，訂正された箇所を確認します。週の初めには医師事務作業補助者のミーティングが開催され，その内容を共有します。わからないことがあれば医師や関係部署に直接確認を行います。共有した情報は，まとめてファイリングし，次の代行作成につなげることで，代行作成の質の向上に努めています。

図表 2-1　業務の流れ

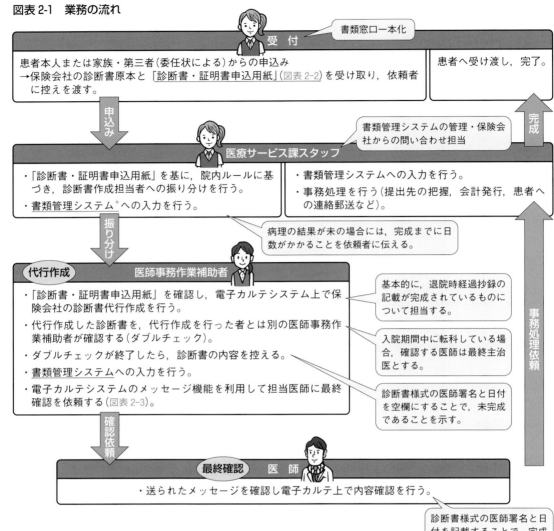

＊書類管理システム
　病院が預かる診断書は，本項目の診断書以外にも多くの書類が存在します。これらの膨大な書類を把握することは，病院としてとても重要なことです。そこで，書類管理システムを利用することはとても有効なことだと考えます。書類の進捗状況や，遅滞理由を把握することで，書類に関する外部からの問い合わせに対して，臨機応変に対応することができます。また，クレームを未然に防ぐ効果が生まれるでしょう。関係する部署間での情報共有のツールとしてもとても有効だと感じています。

医療に関する知識

　保険会社の診断書は，各項目に必要に応じた内容を事実に基づき記載することが求められます。そのためには，医療に関する知識が必要です。内容が事実と異なれば，医師による大幅な訂正が必要となりますし，医師からの信頼も薄れてしまいます。また，医師事務作業補助者が症状・診断・治療が結びつく知識をもち，医学用語を正しく理解することで，診断書の代行作成をより早く行うことができます。そこで，病院内の勉強会に積極的に参加するなどの努力が必要でしょう。

　当院では消化器外科カンファレンスで，翌週の手術患者の症例検討を行っています。医師事務作

図表 2-2　診断書申込用紙

診断書申込書

ID 9950789　消化器科　　能美 Dr　申込日　2024 年　4月　8日

氏名	フリガナ　ホウジュ タロウ　芳珠 太郎	生年月日 1明治 2大正 3昭和 4平成　33 1 0 1 年 月 日
電話連絡希望（する・しない）・留守電 OK　TEL 1234 - 56 - 7890		書類記入依頼　1 通　申込者　芳珠 太郎　本人・家族・その他（　　）

郵送希望（する・しない）切手代（済・未）
〒
住所
氏名

文書料　1 通　会計入力日　年 月 日
4400 円
（未納・支払済）

医師申込日　年 月 日
カルテ記入日　年 月 日
連絡 O. K. 日
不在日

引渡日　年 月 日
受領印
本人・家族・その他（　　）

証明期間
入院【通院】証明① 2024 年 4月 1日 ～ 2024 年 4月 1日
入院【通院】証明② 年 月 日 ～ 年 月 日
労務不能期間 年 月 日 ～ 年 月 日
（傷病手当金）

通院記載が 必要・不要
年 月 日～ 年 月 日
年 月 日～ 年 月 日

留意事項

（種類）	コード	金額（点数）	（種類）	コード	金額（点数）
診断書	029313	¥2,200	就労可能証明書（ハローワーク用）		¥2,200
診断書（警察提出用）	029314	¥3,300	小児慢性特定疾患診断書		¥4,400
入院証明書・通院証明書（複雑なもの）	029315	¥4,400	特定疾患診断書		¥4,400
通院証明書（簡単なもの）		¥2,200	後遺障害診断書	029320	¥7,700
傷病手当金請求書	880060	100 点	身体障害者診断書・意見書		¥6,600
死亡診断書（死体検案書）		¥6,600	自動車使用目的証明書（ハガキ）	029310	¥550
各種医師証明書		¥2,200	自動車使用目的証明書（診断書）		¥2,200
出産手当金	029311	¥1,100	装具証明書		¥0
分娩費請求書		¥1,100	療養費同意書交付料（針灸マッサージ）	880336	100 点
障害年金診断書	029317	¥11,000	安全会		¥0
おむつ使用証明書		¥2,200	労災・自賠責保険関係		¥
主治医意見書		¥0	その他（　　）		¥

取扱者（窓口対応者）　石川

診断書申込書控え

ID 9950789　消化器科　　能美 Dr　申込日　2024 年　4月　8日

氏名	フリガナ　ホウジュ タロウ　芳珠 太郎	生年月日 1明治 2大正 3昭和 4平成　33 1 0 1 年 月 日
電話連絡希望（する・しない）・留守電 OK　TEL 1234 - 56 - 7890		書類記入依頼　1 通　申込者　芳珠 太郎　本人・家族・その他（　　）

郵送希望（する・しない）切手代（済・未）
〒
住所
氏名

文書料　1 通　会計入力日　年 月 日
円
（未納・支払済）

1. 太枠の中を記入して下さい。
2. 書類が出来上がり次第，上記連絡先にご連絡を入れさせていただきます
3. この申込書控えと引換えに書類をお渡しいたします。控えは書類受取まで大切に保管して下さい
4. 書類の料金はお受取になるときにお支払下さい（ご郵送希望の場合は事前にお支払も可能です）
5. 書類が出来上がるまでに，2 週間ほど御時間がかかります。ご了承ください

能美市緑が丘 11 丁目 71 番地
医療法人社団和楽仁
芳珠記念病院
0761 - 51 - 5551（代）

一部複写になっており，上半分が患者控えとして渡されます。完成された診断書を受け渡す際には，患者は患者控えを提示します。

図表 2-3　医師宛のメッセージ

診断書を代行作成しました。
内容を確認のうえ『医師名』欄にサインを記入し，『保存後終了』としてください。

期日：●月●日　　担当医師事務作業補助者：●●

※注）医師名欄サイン記入・保存後終了をされた時点で処理可能と判断されます。

業補助者がそのカンファレンスに同席し，議事録を作成しています。作成した議事録を医師が確認し，解説を受けるといったことを行うことで，医療に関する知識の習得に努めています。

コミュニケーション力

日頃から医師や多職種との良好な関係を構築していれば，わからないことについて教えてもらうことができますし，相談をしやすくなります。当院では初め，医師事務作業補助者は誰とも顔を合わせることのない場所で業務を行っていました。そのことに疑問を感じ，現在では医局での業務が可能となりました。場所を変えただけで，医師や多職種とのコミュニケーションが取りやすくなり，業務も改善されました。

医療機関一般において，聞きにくい雰囲気や言いにくい環境があることで多くのリスクが発生しています。たとえ良いシステムがあったとしても，そのような環境ではリスクが発生します。

文章作成力

医療の知識があっても，代行作成を行った診断書の内容が相手に伝わらない文章では意味がありません。相手に伝わる文章を作成する力が必要です。

正確性

保険会社から診断書の日付に関する問合せが入ると，日常業務に支障をきたします。このような基本的な箇所での間違いはできるだけ避けるべきです。

パソコンに関する技能

業務にパソコンを利用している場合には，パソコンに関する技能があることで，より多くの業務ができます。入力が速いことはとても有利なことです。

以上をまとめますと，保険会社の診断書の代行作成業務について，医師事務作業補助者に求められる要素としては，①コミュニケーション力，②パソコンに関する技能，③文章能力，④正確性，⑤医療に関する知識，⑥医療人・医師事務作業補助者としてのモラル —— 等が挙げられます。

4　業務の効率化のために～クリニカルパスを利用する～

平均在院日数の短縮が求められている背景から，保険会社の診断書の依頼件数が減少することは考えにくいと思います。そこで着目したのがクリニカルパスです。クリニカルパスの目的の一つには，医療の標準化があり，バリアンス（計画どおりに進まない状態）が発生しない限り，一定の工程を辿ります。各病院においては，入院件数の多い疾患に利用されていることでしょう。

それらの特性を保険会社の診断書作成に採り入れることで，業務の効率化が可能です。クリニカルパスのなかから，保険会社の診断書の依頼件数が多いものを選択し，医師の指示のもと，クリニカルパスに沿った保険会社の診断書の雛形を作成します。そうすることで，診断書の内容が標準化され，作成時間が短縮するうえ，医師と医師事務作業補助者は安心して業務を遂行することができます（例：図表 2-4，2-5）。

図表 2-4　保険会社の診断書テンプレート様式

2
医療文書
の作成

保険
会社

入院・通院証明書（診断書）

0
フリガナ 氏名	ホウジュ　タロウ 芳珠　太郎	カルテ番号 （　　9950789　　）	性別 男	生年 月日	1958 年 10 月 10 日

1		傷　　病　　名	傷病発生年月日

1
ア	入院の原因となった 傷病名	大腸腺腫	不詳	医師推定 ・ 本人申告
イ	アの原因	不詳	年　月　日	医師推定 ・ 本人申告
ウ	合併症		年　月　日	医師推定 ・ 本人申告

2
2 治療 期間	初　診	2024 年 3 月 27 日〜	2024 年 4 月 8 日	（ 現在加療中 ・ 終診 ）
	入院 期間	1 回目	2024 年 4 月 1 日〜	2024 年 4 月 1 日	（ 退院 ・ 現在入院中 ）
		2 回目	年　月　日〜	年　月　日	（ 退院 ・ 現在入院中 ）

3
3	前 医 紹介医	有 無	医師名　○△　先生	医療機関 所在地	C クリニック 能美市辰口 12345	期 間	2024 年 3 月頃

4	発病から初診までの経過（いつごろからどのような症状があったか記入してください）

　　　3 日前より下血が出現し，前医を受診した。
　　　下部内視鏡検査にて大腸ポリープを指摘され，当科を紹介され，受診した。

4

　　初診時の所見および経過（検査内容・結果，治療内容，結果，前回入院との因果関係，原発・転移・再発の別等）

　　　全大腸内視鏡検査および内視鏡的治療目的に入院した。
　　　全大腸内視鏡検査を施行した。
　　　大腸ポリープを計 1 個認め，下記手術を施行した。
　　　術後の経過は良好であり，退院した。

5
5	今回の傷病に関 して実施した手術 （該当する項目に ○印）	手術の 種類	1　開頭術　　2　開胸術　　3　胸腔鏡下術　　4　開腹術　　5　腹腔鏡下術 6　カテーテル・ファイバースコープによる手術　　7　その他（　　　　　）

・骨・関節・筋・腱・靱帯に対する手術　　　　　　　　　　　　　　　　（ 観血 ・ 非観血 ）
・手指・足指の手術の場合，手術部位が MP 関節又は MP 関節より中枢側に　（ 及ぶ ・ 及ばない ）
・植皮術の場合，植皮面積（ 25 cm² 以上 ・ 25 cm² 未満 ）　・骨移植術の場合〔 自家骨 ・ 人工骨（採骨部位　　　）〕

手術名	内視鏡的大腸ポリープ切除術	（K-721-1）	手術日	2024 年 4 月 1 日
		（K-　）		年　月　日

6
6	急性心筋梗塞の場合	初診日から 60 日時点で軽労働・座業以上の労働の制限をひき続き必要としますか	要 ・ 不要

7
7	脳卒中の場合	初診日から 60 日時点で言語障害・運動失調・麻痺等の 他覚的な神経学的後遺症が存続していますか	有 無	有りの場合後遺症の詳細

8
8	放射線照射	部位	期 間	開始日	年　月　日	総線量	Gy
				終了日	年　月　日		

9
9	病理組織診断結果 （悪性新生物の場合）	病理組織診断　有・無	※切除標本（生検を含む）・血液・骨髄・リンパ節の病理組織診断名を記入してください

			生　検 上皮内癌	切除標本 浸潤性	その他 非浸潤性

		TNM 分類　（c・s・p・f）　T（　）　N（　）　M（　）　診断確定日	年　月　日

10
10	病名を告げた 時期	本人には 2024 年 4 月 8 日 頃に病名を（ 大腸腺腫 ）と告げた ・ 本人には病名を告げていない
		家族には 2024 年 4 月 8 日 頃に病名を（ 大腸腺腫 ）と告げた ・ 本人には病名を告げていない

11
11	既往症　持病	有 ・ 無	（有の場合，病名・医療機関名・治療期間などおわかりになれば記入してください）

12
12	意思能力	現在患者には請求意思能力が（ 有 ・ 無 ・ 不明 ）　←どれかひとつに○をして下さい。

　上記のとおり証明します。　　　　　　　　　　　　　　　　　　　　　　　　　年　月　日

　所在地　　〒923-1226　石川県能美市緑が丘 11-71　　**13**
　名　称　　医療法人社団　和楽仁　芳珠記念病院
　Ｔ Ｅ Ｌ　　（0761）51-5551（代）

	診療科	消化器科
	医師氏名	印

医師事務作業補助者が作成した状態

※1　原本の複写又はコピーの場合はそれぞれに捺印してください
　2　訂正の場合，必ず証明印による訂正印を捺印お願いします

医師が作成した状態

2024 年 4 月 12 日

診療科	消化器科
医師氏名	能美　一郎 印

右側注記欄：

0 楷書で正確に記載します。

1 診療録から，読み取ります。事実に基づき記載します。

2 西暦，元号どちらかに統一して記載します。外国人の場合は西暦を利用します。

3 医療機関名・担当医師名・受療期間などを記載します。

4 発病から初診までの経過と，初診時からの経過を記載します。

5 診療報酬点数表に記載されている手術名を記載します。
　診療報酬点数表において，一連の手術が包括される場合であっても，実際に行われた一連の項目を記載します。
　ドレナージによる治療等は，診療報酬点数表で処置に該当しますが，ここでは手術欄に記載します。

6 7 8 該当する場合，記載します。

9 悪性新生物の場合，記載します。

10 病名を告げたことを記載します。悪性新生物の場合，告知されているか否かは非常に重要になります。

11 既往症を記載します。

12 意思能力があるかを記載します。

13 日付と医師署名欄は，医師が記載することで，完成と判断しています。

◎近年，経過の記載を必要としない保険会社が多くなってきました。
　診断書様式に合わせたテンプレートを作成し，活用することで，さらなる業務の効率化を図ることができます。

（図表 2-4 つづき・2 枚目）

通院治療	年　　　月　　　日〜　　　年　　　月　　　日（治療実日数　　　日）		日
通院年月	通院日（該当する日に○印をつけてください。）		通院日数
年　　月	1　2　3　4　5　6　7　8　9　10　11　12　13　14　15 16　17　18　19　20　21　22　23　24　25　26　27　28　29　30　31		日
年　　月	1　2　3　4　5　6　7　8　9　10　11　12　13　14　15 16　17　18　19　20　21　22　23　24　25　26　27　28　29　30　31		日
年　　月	1　2　3　4　5　6　7　8　9　10　11　12　13　14　15 16　17　18　19　20　21　22　23　24　25　26　27　28　29　30　31		日
年　　月	1　2　3　4　5　6　7　8　9　10　11　12　13　14　15 16　17　18　19　20　21　22　23　24　25　26　27　28　29　30　31		日
年　　月	1　2　3　4　5　6　7　8　9　10　11　12　13　14　15 16　17　18　19　20　21　22　23　24　25　26　27　28　29　30　31		日
年　　月	1　2　3　4　5　6　7　8　9　10　11　12　13　14　15 16　17　18　19　20　21　22　23　24　25　26　27　28　29　30　31		日
年　　月	1　2　3　4　5　6　7　8　9　10　11　12　13　14　15 16　17　18　19　20　21　22　23　24　25　26　27　28　29　30　31		日

固定具使用の場合
ギプス固定　：　固定部位　　　　　　　　　　から　　　　　　　　　　まで
　　　　　：　使用期間　　　　月　　　日　から　　　月　　　日
シーネ，ポリネック，コルセット，その他（　　　　　　　　　　）の固定
　　　　　：　固定部位　　　　　　　　　　から　　　　　　　　　　まで
　　　　　：　使用期間　　　　月　　　日　から　　　月　　　日

患者による着脱　：　可　・　不可

就業が全く不可能な期間
　　　　　年　　　月　　　日〜　　　年　　　月　　　日

後遺障害残存見込
　　無　・　有　（内容：　　　　　　　　　　　　　　　　　　　）

※訂正の場合，必ず証明印による訂正印を捺印お願いします

※本事例は「通院」に関する記載が不要であるため，2 枚目に記述がない。

　本項の業務を医師事務作業補助者が行うようになり，当院の医師からは，「以前は診療が多忙であったため，診断書の作成が業務負担になっていた。現在は医師事務作業補助者が作成した診断書を確認する業務になったため，かなりの業務負担の軽減になったという実感がある」「とても助かっている」「いつもありがとうございます」—— という言葉が多く聞かれました。「この業務をしないと言われると困る」という声も挙がっています。医師たちは日頃，なかなか感謝の言葉を口に出すことはありませんが，それらの言葉を聞いたとき，これまでやっていてよかったと思いました。

　また，保険会社の診断書代行作成業務は，作成された枚数や完成までの日数が確認できるので，評価しやすい業務だと考えられます。医師事務作業補助者の業務効果を具体的に院内外に示すことができ，実務者のモチベーションアップも期待できます。医師事務作業補助者という歴史の浅い職種にとって，かかわる医師からの信頼を得ることはとても重要なことです。

　当初は不安のなか，1 人の医師から開始したこの業務は，現在，当院に勤務する医師全員の代行作成を行うまでになりました。保険会社の診断書代行作成業務を着実にこなすことを日々積み重ねることで，医師から信頼を得ることが可能なのではないかと感じています。それが，なんらかのかたちで医師事務作業補助者の発展につながることと信じ，これからも日々の業務に真摯に向き合っていきたいと思います。

図表 2-5　退院時経過抄録（サマリー）

退院時経過抄録

			管理番号	A-13/0001	
0 9950789		フリガナ **ホウジュ タロウ**	電話番号	0761-51-5551	
生年月日 **昭和 33 年 10 月 10 日**		氏名 **芳珠 太郎**	性別 **男**		年齢 **65 歳 5 カ月**
住所　**石川県能美市緑が丘 11 丁目 7 111 番地**			前回退院日		入院目的
診療科 **消化器科**	**2**	入院日 **2024/04/01**	入院経路 31		検査　教育
主治医 **能美 一郎**		退院日 **2024/04/01**	退院経路 02		計画 **加療**
紹介元 **C クリニック**		転入日	病室 **401**	死因病名	

初診・現在加療中，終診，紹介に関する項目は，外来カルテの経過記録から判断します。

紹介先　　　　　　　　　　　　　　　　　　　　　　　　　　死因コード

入院：31.予定入院　32.緊急入院　33.救急車　　　　　　　　　　　　　　　　　　　　　　　　　　　出生　21.転科　22.一般病棟より　23.介護　99.その他
　　　01.通院不要　02.自宅外来　03.療養病　　　　　　　　　　　　　　　　　　　　　　　　　　　15.介護　99.その他

1 〈診断名〉		転帰	コード
1. （主病名）**大腸腺腫**	2024 年 4 月 1 日	02	D-126
2.	年　　月　　日		

5 01 治癒・02 軽快・03 不変・04 増悪・05 検査入院・07 その他・08 転科・16 寛解・17 最傷病による死亡・18 最傷病以外による死亡

1. 手術名 **内視鏡的大腸ポリープ切除術**			手術日 **2024 年 4 月 1 日**	術者 **能美**
麻酔	回数	側数	ICD-9CM	**K-コード　721-**
2. 手術名			手術日　　年　　月　　日	術者
麻酔	回数	側数	ICD-9CM	K-コード

9 的治療的処置

病理診断	Colon EMR：Low grade tubular adenoma. 切除部位(S/C)　切除日 2024.4.1　報告日 2024.4.6	病理番号 130012
		コード M　8211/0

CF EMR

・DM 教育・栄養指導・服薬指導・医療相談・石川県がん登録　PT・OT・ST
・褥瘡・抑制・48 時間以内死亡・予定無し再入院 15 日・　　　・CP（　　）

既往症や経過記録，外来カルテの診療記録を基に記載します。

特記事項

芳珠記念病院　　処理年月日（　年　　月　　日）

〈経過要約〉

〈主訴〉**下血，S 状結腸ポリープ**

〈既往歴〉**なし**　**11**

〈家族歴〉**母：高血圧**　〈アレルギー〉**なし**

〈嗜好〉**喫煙（−），飲酒（−）**

現病歴の記録・外来カルテの経過記録を基に記載します。

〈現病歴〉　**4**

3 日前より下血が出現し，C クリニックを受診した。
下部内視鏡検査にて，S 状結腸ポリープを指摘された。
今回，全大腸内視鏡検査および内視鏡的の治療目的に当科を紹介され，受診した。

〈身体所見〉**体温 36.5℃，脈拍 75/分，血圧 125/80**

〈検査結果〉**PT11.2 秒，出血時間 1 分 30 秒**

〈入院後経過〉　**4**

2024 年 4 月 1 日，全大腸内視鏡検査施行。
上行結腸に，大腸ポリープを 1 個認め，内視鏡的に切除した。
S 状結腸に，大腸ポリープを 1 個認め，内視鏡的に切除した。
特に著変なく，検査後，退院。

現病歴の欄・外来カルテの経過記録を基に，記載します。

〈退院処方〉**退院処方なし**

〈コメント〉**4 月 8 日，外来で　ポリープの病理組織所見を説明した。**　**10**

〈記載者〉　**能美 一郎**

〈記載日〉　**2024 年 4 月 8 日**　　　　　　　　　　　　　　記載中・完了

※退院時経過抄録（サマリー）から内容をよみとり，診断書（図表 2-4）を作成する。

2. 病院書式の診断書

高橋　新，松井　幸子，植中　勇人

　診断書とは，医師が患者について証明書として書面に記すものを指します。診断書の書式については特に法律で定められておりませんので，各医療機関によって書式は若干異なりますが，以下のような項目が診断書の記載には必要です。

患者属性	症状経過
既往歴	手術名および手術日
診断名と発症日	処方内容
主訴および初診時の所見	入院期間
医師の署名	施設名

　また，医業の範囲内における診断書の作成は，医師と歯科医師のみに認められたものになります。医師法第19条2項，歯科医師法第19条2項により，医師，歯科医師は「患者から依頼があった場合には正当な事由がない限り診断書の作成を拒否できない」と規定されており，医師事務作業補助者の皆様にはこの点をご理解いただきたいと思います。

　さらにプライバシーや守秘義務の問題で，患者の家族や知人・友人からの依頼では診断書を作成することができませんので，書類申し込みの際は「誰からの申し込みであるか」も把握します。

　まず何よりも大切なことは，「患者さんが何のために，どのような診断書を希望されているのか」を把握することです。そのためには，患者さんとの情報共有を十分に図る必要があります。したがって適切な診断書の作成には，医師事務作業補助者の力が大いに必要になりますので，診断書について正しく理解しましょう。

　診断書作成に当たっては，下記の点に留意してください。

1. 情報収集
・提出先（勤務先，学校，警察，保険会社等）
・目的（欠勤，欠席等）
・治療期間の目安（疾病による安静や加療が必要と医師が認めた期間等）

2. 個人情報の確認
・診断書を発行する患者さんの氏名（敬称はつけない）
・住所（診療録との住所と相違がないかを確認する）
・生年月日（西暦，和暦の記載については医療機関のルールに従う）

3. 病名の確認
　診断書を発行した時点では，まだ確定診断ではない場合もありますので，診断名が確定していない場合は疑診での記載となります。患者によっては，確定診断を希望される場合もありますので，医師から患者に対して現病状をしっかりとインフォームド・コンセントしていただくことも大切です。

　また，一度診察を行ったあと，治癒後および症状が緩和してからの診断書の申し込みも多く見られますので，患者の現状を十分に把握したうえで，医師に記載依頼を行うようにしましょう。

4. 医師の署名

　　署名は直筆で医師に記入していただきます。

5. 書式の不備のチェック

　　発行日，誤字脱字の有無，患者属性などを確認します。

6. 病院の公印および医師の印鑑の捺印

　　病院が発行する公的文書となるので，医療機関の公印を捺印し（病院によっては公印は省略します），併せて医師が承認した文書であることがわかるよう医師名の印鑑も捺印します。

　　医師事務作業補助者が，各種診断書をはじめとした多くの書類に精通することにより，患者さんと医師との橋渡し的な役割を担うことができると思います。

　　また昨今では，書類の下書きに医師事務作業補助者が主体的に関与する医療機関も増加しています。

　　書類（診断書）の作成期間短縮や記載不備等をなくし，患者の満足度を向上させるには，医師事務作業補助者の業務とサービスの質向上が重要となります。

図表 2-6　診断書記載例と注意事項

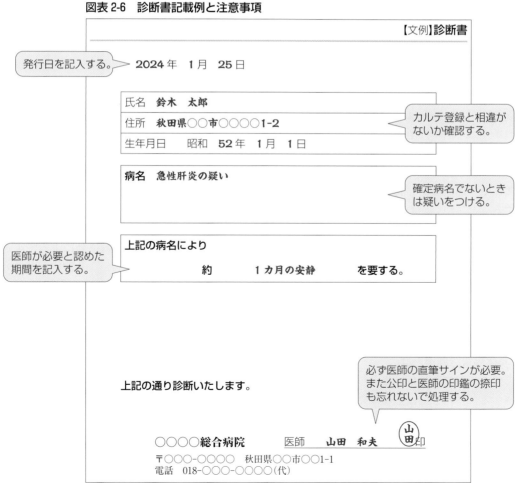

3. 公費医療の診断書

高橋　新，瀬戸　僚馬

1　労災後遺障害診断書（労災様式第10号）

1）労災後遺障害診断書とは

　労災保険における障害（補償）給付は，労働者の業務上または通勤による負傷や疾患が治ったとき，身体に障害が存する場合に，その障害の程度に応じて支払われます。また，障害の程度は障害等級表で定められています。

2）認定の時期

　障害認定は，負傷または疾患が「治ったとき」，障害（補償）給付請求書の提出を受けた労働基準監督署によって行われます。「治ったとき」とは，原則として，傷病の状態が安定し，医学上一般的に認められた治療を行ってもその医療効果が期待できなくなった状態[※1]です。

3）労災様式第10号記載時の留意事項（図表 2-7）

①被災労働者の氏名，生年月日，性別を記載する。
②傷病名，負傷（または発病）年月日を記載する。
③障害の残存部位を記載し，医療機関への初診日を記載する。
④既往歴がない場合は「なし」と記載する。残存障害がある場合は，その既往歴を記載する。治ゆの場合は，治ゆに至った年月日を記載する。
⑤療養の内容及び治ゆに至るまでの経過を簡潔に記載する。
⑥傷病が治ったときに残存する障害について，残存する障害と業務または通勤による傷病との因果関係や，疼痛ないし異常感覚がある場合は疼痛等の程度，部位・範囲，本人自訴，疼痛等が残存することについての医学的な所見 —— 等すべて記載する。
⑦障害の残存部位に関節の可動域制限が認められる場合は，当該関節の主要運動，参考運動のすべての関節可動域角度の測定値を記入する（図表 2-8）。関節可動域角度は他動運動によって測定するのが原則であるが，他動運動による測定が適切でない場合は，自動運動による測定値も併せて記載すること。

2　身体障害者診断書

1）身体障害診断書とは

　日常生活用具の給付・貸与，各種福祉サービスなどは手帳の交付が必要です。身体障害者手帳を発行するに当たっては，身体障害福祉法に掲げる障害を有するものに対して，申請に基づいて障害程度を認定し，法に定める身体障害者であることの証票として都道府県知事または政令指定都市の

※1　厚生労働省「労災保険 障害（補償）等給付の請求手続」

図表 2-7　労災後遺障害診断書

診　断　書

①	氏　　　名	**テスト○○○○**		生年月日	明治 大正 昭和 平成 令和	年　月　日	性別	男・女
②	傷　病　名	左小指基節骨開放骨折，左小指不全切断，左中指環指外傷性切断			負傷発病年月日	令和○年　○月　○日		
③	障害の部位	**左小指**			初診年月日	令和○年　○月　○日		
④	既　往　症	**なし**	既存障害	**なし**	治ゆ年月日	令和○年　○月　○日		

⑤	療養の内容及び経過	**左小指不全切断に対し，断端形成術施行。** **皮膚欠損部の創傷処置，リハビリテーションを行った。**
⑥	障害の状態の詳細	（図で示すことができるものは図解であること） **左中指，環指欠損 MP 関節レベルで切断欠損状態。** **左小指の変形萎縮，可動域制限あり。** **左示指可動域制限あり。**

⑦ 関節運動範囲	部位	種類範囲		MCP		PIP		DIP			
				屈曲	伸展	屈曲	伸展	屈曲	伸展		
	示　指	右		84°	0°	92°	0°	68°	0°		
		左		85°	0°	100°	−25°	3.5°	−5°		
	小　指	右		84°	0°	92°	0°	68°	0°		
		左		70°	0°	90°	−90°	52°	−45°		
		右									
		左									

上記のとおり診断します。

令和○年　　○月　　○日

郵便番号　　　　　　電話番号
所在地　　　○○**市**○○**町**○**丁目**○－○
名　称　　　　　　　○○**病院**
診断担当者
氏　名　　　　○　　　○　　　○　　　○　　　㊞
（記名押印又は署名）

社会保険労務士記載欄	作成年月日・提出代行者・事務代理者の表示	氏　　　名	電話番号
		㊞	

図表 2-8　関節の主要運動・参考運動

[部位]	〈主要運動〉	(参考運動)
脊柱（頚部）	屈曲・伸展・回施	側屈
脊柱（胸腰部）	屈曲・伸展	回旋，側屈
肩関節	屈曲・外転・内転	伸展，外旋・内旋
ひじ関節	屈曲・伸展	
手関節	屈曲・伸展	橈屈，尺屈

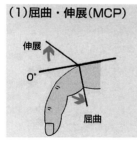

(1)屈曲・伸展（MCP）

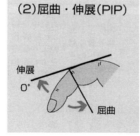

(2)屈曲・伸展（PIP）

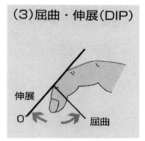

(3)屈曲・伸展（DIP）

イラスト：『労災保険　後遺障害診断書　作成手引　vol.1〔整形外科領域〕』より

市長が交付します。

　また，すでに身体障害者手帳を所有している方の等級のみを変更する場合は，（等級変更）と記載します。障害名と等級を変更するときは，（障害名・等級変更）と記載します。通常は書類審査で行われ，約1カ月で交付されます。

　身体障害には視覚障害や聴覚障害，内部障害などの多くの専門分野があります。障害区分は，視覚障害，聴覚障害，平衡機能障害，音声・言語機能障害，そしゃく機能障害，脳原性運動機能障害，肢体不自由，心臓機能障害，じん臓機能障害，呼吸器機能障害，膀胱または直腸機能障害，小腸機能障害，ヒト免疫不全ウイルス（HIV）による免疫機能障害，肝臓機能障害があります。

2) 身体障害者診断書・意見書（肢体不自由用）(図表 2-9)
①障害名
　あることにより生じた結果としての四肢体幹の障害を指すものについて，機能欠損の状態あるいは目的動作能力の障害を記載します。例えば変形性関節症の場合「上肢機能障害」と「下肢機能障害」から選択します。（　）内に部位を記入します。

図表 2-9　身体障害者診断書・意見書（肢体不自由用）

〔総 括 表〕

氏　名　○○○○	明治 大正 昭和 平成 令和	年　月　日生	男　女

住　所　　　○○県○○市○○町○-○-○

① 障害名(部位を明記)　　**両下肢機能障害**

② 原因となった　　**両変形性膝関節症**　　外傷・自然災害（疾病）
　 疾病・外傷名　　　　　　　　　　　　　　先天性・その他（　　　　）

③ 疾病・外傷発生年月日　　**2020** 年 ○ 月 ○ 日

④ 参考となる経過・現症(画像診断及び検査所見を含む)
　2020 年頃より両膝痛増悪，可動域制限，歩行障害がみられた。
　2024 年 11 月 25 日左膝人工関節置換術，2024 年 2 月 3 日右膝人工関節置換術施行した。
　　　　　　　　　障害固定又は障害確定(推定)　　**2024 年 2 月 3 日**

⑤ 総合所見(再認定の欄も記入)
　両膝人工関節置換術後で，両膝関節機能の全廃を認める。

　　　　　　　　〔将来再認定　要(軽度化・重度化)・（不要）〕
　　　　　　　　　　(再認定の時期　1 年後・3 年後・5 年後)

⑥ その他参考となる合併症状

上記のとおり診断する。併せて以下の意見を付す。
　　2024 年 **2** 月 **10** 日
病院又は診療所の名称　　○○**病院**　　電話○○○○-○○-○○○○
所　在　地　　　　　　○○**県**○○**市**○○**町**○-○-○
診療担当科名　　**整形外科**　　医師氏名　　○○○○ 印

身体障害者福祉法第 15 条第 3 項の意見

障害の程度は，身体障害者福祉法別表に掲げる障害に　・該当する・該当しない。	障害程度等級についての参考意見　**3** 級相当

内訳	等級
上肢	級
下肢	級
体幹	級

※下肢と体幹の障害が重複する場合，その総合等級は，原則として指数合算を行わないこと

②原因となった疾病・外傷名

　　病名がわかっているものについては，できるだけ明確に記載することが望ましいです。さらに疾病・外傷の原因については，右に列挙してある項目のなかで該当するものを○印で囲み，該当するものがない場合にはその他の欄に直接記載します。

③疾病・外傷発生年月日

　　発生年月日を記載します。

④参考となる経過・現症

　　初発症状から症状固定に至るまでの治療の内容を簡略に記載します。関節置換や関節固定は，人工関節置換術や関節固定術の手術日を記載します。障害固定または障害確定（推定）の年月日は，疾病により異なるので注意が必要です。認定時期は人工関節・人工骨頭などは手術後6カ月となります。

⑤総合所見

　　関節可動域と筋力，動揺性など，等級認定の根拠について書かれるのが望ましいです。将来の再認定の理由は，将来明らかに障害が変化し，再度診断が必要であると予想されるときに記載します。

⑥その他参考となる合併症状

　　障害認定上，他に参考となる症状がある場合に記載します。

3) 等級

　　等級は数字で表され，数字が小さいほど重度となります（最高度は1級）。障害を複数もつ場合は，各部位に対して個別に等級がつき，その合計で手帳等級が決定されます。1，2級は重度（特別障害者），3級以下は中度・軽度（一般障害）に区分されます。

　　また，肢体不自由には等級上「7級」が存在します。7級単独の障害では身体障害者手帳は交付されません。7級の障害が重複して6級以上となる場合は手帳が交付されます。

4) 肢体不自由の状況および所見

　　関節に関係する上肢または下肢の長さや周経を測定し，記載します（図表2-10）。歩行能力及び起立位の状況については，該当するものを○で囲みます。

5) 関節可動域と筋力テスト

　　関節可動域や筋力は該当関節の記入だけを行います（図表2-11）。

3　指定に係る臨床調査個人票

1) 臨床調査個人票の意義

　　難病の患者に対する医療等に関する法律（難病法）の指定難病に罹患して医療を受けており，保険診療の際に自己負担がある方が，特定医療費（指定難病）受給者証の申請を行う際に添付する文書です。これは機械で読み取るため，必ずパソコンで入力し印字することになっています。

　　申請する時点でその疾患を治療している指定医療機関の指定医が，傷病の状態や程度および指定番号を記載します。申請の結果，受給者証が交付されると，その方の医療費負担額が少なくなります。

　　難病医療費助成制度の指定難病は2024年4月から341疾患に拡大され，それぞれの疾患に対して個別に書式が規定されています。

2) 難病医療費助成制度

　　日本では，難病のなかでも特に治療がきわめて困難であり，かつ，医療費も高額である疾患につ

図表 2-10　肢体不自由の状況および所見

身体障害者診断書　　　　　　　　　　**肢体不自由の状況および所見**

神経学的所見その他の機能障害(形態異常)の所見(該当するものを○で囲み, 下記空欄に追加所見記入)

1. 感覚障害(下記図示)　(なし)　感覚脱失・感覚鈍麻・異常感覚
2. 運動障害(下記図示):なし・弛緩性麻痺・痙性麻痺・固縮・不随意運動・しんせん・運動失調・(その他)
3. 起因部位　　　　　:脳・脊髄・末梢神経・筋肉・(骨関節)・その他
4. 排尿・排便機能障害　(なし)　あり
5. 形態異常　　　　　　(なし)　あり

参考図示

正面　　　　　背面

×変形　　■切離断　　▨感覚障害　　▤運動障害
(注)関係ない部分は記入不要

右　　　　　　　　　　　　　　　右　　左

右		左
	上　肢　長　　cm	
80.0	下　肢　長　　cm	80.0
	上 腕 周 径　　cm	
	前 腕 周 径　　cm	
36.0	大 腿 周 径　　cm	37.0
27.5	下 腿 周 径　　cm	28.0
22.0	握　　　力　　kg	21.0

動作・活動　自立-○, 半介助-△, 全介助又は不能-×　( )の中のものを使う時はそれに○
・左右の別がないものは, 共働での評価とする。

寝返りをする		○	〔はしで〕食事をする	右	○
座る	足を投げ出して	○	(スプーン, 自助具)	左	○
(背もたれ, 支え)	正座, あぐら, 横座り	○	コップで水を飲む	右	○
				左	○
いすに腰掛ける		○	シャツを着て脱ぐ〔かぶりシャツ〕		○
座位又は臥位より立ち上がる		△	ズボンをはいて脱ぐ(自助具)〔どのような姿勢でもよい〕		△
(手すり) 壁, つえ, 松葉づえ, 義肢, 装具)			ブラシで歯を磨く(自助具)	右	○
家の中の移動		○		左	○
(壁, (つえ) 松葉づえ, 義肢, 装具, 車いす)			顔を洗いタオルでふく		○
二階まで階段を上って下りる		△	タオルを絞る		○
(手すり) つえ, 松葉づえ)			背中を洗う		○
屋外を移動する		△	排泄の後始末をする		○
(つえ) 松葉づえ, 車いす)			公共の乗物を利用する		△

注 : 身体障害者福祉法の等級は機能障害(impairment)のレベルで設定されますので( )の中に○がついている場合, 原則として自立
していないという解釈になります。

歩行能力及び起立位の状況(該当するものを○で囲む)
(1)歩行能力(補助具なしで)　:正常に可能
　　　　　　　　　　　　　　　(2km, 1km, 100m・ベッド周辺)以上歩行不能
　　　　　　　　　　　　　　　不能
(2)起立位保持(補助具なしで):正常に可能
　　　　　　　　　　　　　　　(1時間・30分・10分)以上困難
　　　　　　　　　　　　　　　不能

計測法
　上 肢 長 : 肩峰→橈骨茎状突起　　　　前腕周径 : 最大周径
　下 肢 長 : 上前腸骨棘→(脛骨)内果　　大腿周径 : 膝蓋骨上縁上10cmの周径(小児等の場合は別記)
　上腕周径 : 最大周径　　　　　　　　　下腿周径 : 最大周径

いて, 医療の確立, 普及を図るとともに, 患者の医療費負担軽減を図る目的で, 難病医療費助成制
度が設けられています。

　特定疾患治療研究事業から難病医療費助成制度への移行により, 月額自己負担上限額の金額・算
定方法の変更, 指定医療機関・指定医制度, 対象疾患等が大きく変わりました。なお, 2018年4
月から申請窓口が, 政令指定都市については, 従来の都道府県から市に変わりました。

図表 2-11　関節可動域と筋力テスト

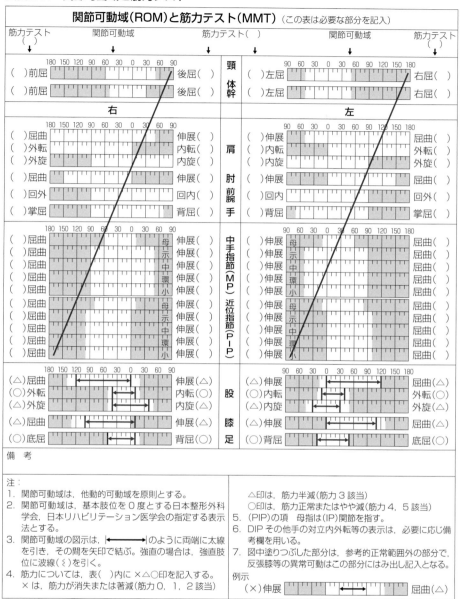

3）記載項目と記載上の注意事項（作成事例）

　図表 2-12 は，指定難病（69　後縦靱帯骨化症）の臨床調査個人票作成事例です。後縦靱帯骨化症（OPLL）とは，後縦靱帯が骨化する疾患です。脊椎椎体後面を上下に走る後縦靱帯の骨化により，脊髄の通り道である脊柱管が狭くなり，神経が圧迫されて知覚障害や運動障害が症状として現れます。中年以降，特に 50 歳前後で発症することが多く，男女比は 2：1 と，男性に多い疾患です[※2]。

※2　難病情報センター「後縦靱帯骨化症（OPLL）（指定難病 69）」http://www.nanbyou.or.jp/entry/98

図表 2-12　後縦靱帯骨化症の臨床調査個人票

（注）余白への患者 ID・氏名等の印字は禁止

臨床調査個人票

☑ 新規　　□ 更新

069　後縦靱帯骨化症

■ 患者情報

①
保険情報	保険者番号		被保険者記号	
	被保険者番号		被保険者 個人単位枝番	
	資格取得年月日	西暦　　　　年　　月　　日		*以降、数字は右詰めで記入

氏名	セイ	○○○	メイ	○○○
	姓	**テスト**	名	**テスト**

以前の 登録氏名	セイ		メイ	
	姓		名	

住所	郵便番号	□□□-□□□□
	都道府県	**A 県**
	市区町村	**●●市●●町**
	丁目番地等	

生年月日	西暦 1 9 5 0 年　 1 月　 1 日

性別	☑ 男性　　　　□ 女性

出生地	都道府県	**●●県**
	市区町村	**●●市●●町**

■ 基本情報

② 家族歴
□ 1. あり　　　　☑ 2. なし　　　　□ 3. 不明
発症者続柄
□ 1. 父　　　□ 2. 母　　　□ 3. 子　　　□ 4. 同胞（男性）　　　□ 5. 同胞（女性） □ 6. 祖母（父方）　　　□ 7. 祖母（父方）　　　□ 8. 祖父（母方）　　　□ 9. 祖母（母方） □ 10. いとこ　　　　□ 11. その他　*11 を選択の場合、以下に記入
続柄　　　　**本人**

③ 発症年月　　西暦 2 0 2 4 年　 5 月

④ 社会保障
介護認定	☑ 1. 要介護　　　□ 2. 要支援　　　　□ 3. なし
要介護度	☑ 1　　　　□ 2　　　　□ 3　　　　□ 4　　　　□ 5

⑤ 生活状況
移動の程度	□ 1. 歩き回るのに問題はない　☑ 2. いくらか問題がある　□ 3. 寝たきりである
身の回りの管理	□ 1. 洗面や着替えに問題はない　□ 2. いくらか問題がある　☑ 3. 自分でできない
ふだんの活動	□ 1. 問題はない　　　　☑ 2. いくらか問題がある　　□ 3. 行うことができない
痛み／不快感	☑ 1. ない　　　　　□ 2. 中程度ある　　　　□ 3. ひどい
不安／ふさぎ込み	□ 1. 問題はない　　　☑ 2. 中程度　　　　□ 3. ひどく不安あるいはふさぎ込んでいる

手帳取得状況
身体障害者手帳	□ 1. なし □ 2. あり（等級　□ 1 級　　□ 2 級　　□ 3 級　　□ 4 級　　□ 5 級　　□ 6 級）
療育手帳	□ 1. なし　　　　□ 2. あり
精神障害者保健福祉手帳 （障害者手帳）	□ 1. なし □ 2. あり（等級　□ 1 級　　□ 2 級　　□ 3 級）

人工呼吸器等装着者認定基準に該当
□ 1. する　　　　□ 2. しない　　　　□ 3. 不明

■ 診断基準に関する事項
〈診断のカテゴリー〉

⑥ Definite：B-①に加え、A-①の所見が認められ、それが靱帯骨化と因果関係がある　☑ 1. 該当　　□ 2. 非該当

A. 臨床所見

⑦ ① 自覚症状・身体所見
1. 四肢・躯幹のしびれ、痛み、感覚障害	☑ 1. あり	□ 2. なし	□ 3. 不明
2. 四肢・躯幹の運動障害	☑ 1. あり	□ 2. なし	□ 3. 不明
3. 膀胱直腸障害	☑ 1. あり	□ 2. なし	□ 3. 不明
4. 脊柱の可動域制限	☑ 1. あり	□ 2. なし	□ 3. 不明

ものを用いても差し支えない（ただし，当該疾病の経過を示す臨床症状等であって，確認可能なものに限る）。
2. 治療開始後における重症度分類については，適切な医学的管理の下で治療が行われている状態で，直近6ヵ月間で最も悪い状態を医師が判断することとする。
3. なお，症状の程度が上記の重症度分類等で一定以上に該当しない者であるが，高額な医療を継続することが必要な者については，医療費助成の対象とする。

①**氏名，住所，生年月日，性別，出生市町村，出生時氏名等**／診療録等の記載に基づいて記入
②**家族歴**／該当する項目□にレ点を記入
③**発症年月**／届出傷病の発病年月を記入
④**社会保障**／該当する項目□にレ点を記入
⑤**生活状況**／該当する項目□にレ点を記入
⑥**診断カテゴリー**／該当する項目□にレ点を記入
⑦**診断基準に関する事項**
　　A．臨床所見
　　　①自覚症状・身体所見／該当する項目□にレ点を記入
　　　②生活機能障害度／該当する項目□にレ点を記入
⑧**診断基準に関する事項**
　　B．検査所見
　　　部位の単純X線写真，CT，MRI検査を行い，検査年月日を記入
　　　後縦靱帯，黄色靱帯（あり，なし，未撮影），□にレ点を記入
⑨**鑑別診断**／1～16までの疾病を鑑別し，除外できた疾病□にレ点を記入
⑩**重症度分類に関する事項**／日本整形外科学会頸部脊椎症性脊髄症治療成果判定基準をもとに，対象者の重症度判定を記入
　●靱帯骨化による運動機能障害／該当する項目□にレ点を記入
　●機能評価／評価年月日を記入
　●Ⅰ．上肢運動機能，Ⅱ．下肢運動機能，知覚，膀胱／該当する項目□にレ点を記入
⑪**治療その他──今後手術予定の部位**／今後手術予定の部位，年月（西暦）を記入
⑫**症状の概要，経過，特記すべき事項（250文字以内かつ7行以内）**／届出傷病の発症からの経過を，診療録等の記録に基づいて具体的に記入
⑬**治療その他──今まで手術した部位**／今まで手術した部位，年月（西暦）を記入
⑭**人工呼吸器（使用者のみ詳細記入）**／「あり」の場合は，該当する内容を記載
⑮**医療機関名，医療機関住所，医師の氏名，指定医番号，電話番号**／医療機関の名称，住所，電話番号を記入。医師の氏名欄は，医師が証明内容を最終確認する際に直筆で署名・捺印を行う

参考文献

・㈱ソラスト，ドクターズオフィスワーク総合講座，医師事務作業補助者養成研修テキストⅠ
・金原出版株式会社，日本整形外科学会編，『整形外科・身障福祉関連診断書作成マニュアル』
・財団法人労災保険情報センター，『改訂　労災保険　後遺障害診断書手引き　Vol.1〔整形外科領域〕』
・厚生労働省HP：指定難病（http://www.mhlw.go.jp/stf/seisakunitsuite/bunya/0000084783.html）
・厚生労働省HP：「身体障害認定基準等の取扱いに関する疑義について」の一部改正について（http://www.mhlw.go.jp/file/06-Seisakujouhou-12200000-Shakaiengokyokushougaihokenfukushibu/0000113175.pdf）
・https://www.mhlw.go.jp/file/06-Seisakujouhou-10900000-Kenkoukyoku/0000089896.pdf
・難病情報センター「後縦靱帯骨化症（OPLL）（指定難病69）」https://www.nanbyou.or.jp/entry/98

4. 介護保険「主治医の意見書」

高橋　新，松井　幸子，植中　勇人

　高齢化や核家族化の進展等により，要介護者を社会全体で支える新たな仕組みとして2000年4月より介護保険制度が導入されました。制度の目的の1つとして社会的入院の解消があり，在宅介護（居宅介護）を促す意図がありました。

　介護保険制度には，要介護認定と介護サービス計画（ケアプラン）作成の2つの重要な作業があり，どちらも医師の役割は重要です。利用者（患者）やその家族と十分なコミュニケーションをとり，今までの「診断書」や「診療情報提供書」以上に，介護に関連する生活機能の情報や医療情報をわかりやすく表現し，「主治医意見書」を作成することが求められています。また，予防給付（対象：要支援1，要支援2）もしくは介護給付のいずれになった場合でも，利用者（患者）にとって適切なマネジメントが行われ，必要なサービスが提供されるように「主治医意見書」を記載することが求められています。

1　主治医意見書の位置付け

　厚生労働省の「主治医意見書記入の手引き」では，主治医意見書の位置付けを，次のように説明しています。

・介護保険の被保険者が保険によるサービスを利用するためには，介護の必要性の有無やその程度等についての要介護認定を市町村等（保険者）から受ける必要があります。この要介護認定は，市町村職員等による認定調査情報と「主治医」の意見に基づき，市町村等に置かれる介護認定審査会において，全国一律の基準に基づき公平，公正に行われます。
・介護保険法では，被保険者から要介護認定の申請を受けた市町村は，当該被保険者の「身体上又は精神上の障害の原因である疾病又は負傷の状況等」について，申請者に「主治医」がいる場合には，全国一律の様式を用いた「主治医意見書」を作成し「主治医」より意見を求めることとされています（図表 2-13）。
・要介護認定の結果により，申請を行った利用者（患者）は介護保険によるサービスを利用できるかどうか，また利用できる場合には在宅サービスの上限や施設に支払われる報酬が決定されることになるので，審査判定に用いられる「主治医意見書」の役割はきわめて大きいものです。
・介護認定審査会では，医療関係者以外の委員もその内容を理解したうえで審査判定を行うことになり

図表 2-13　主治医意見書作成件数の推移

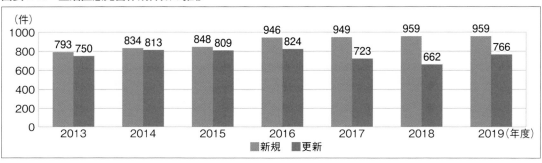

ますので，なるべく難解な専門用語を用いることは避け，平易にわかりやすく記入してください。

厚生労働省「主治医意見書記入の手引き」より，一部簡略化して掲載

2　主治医意見書の具体的な利用方法

「主治医意見書」は，主として介護認定審査会において，介護の手間の程度の確認，状態の維持・改善の可能性の評価，認定調査による調査結果の確認・修正および介護サービス計画（ケアプラン）作成（申請者本人等の同意必要）のために使われ，具体的には次のとおりとなります。

1.「特定疾病」に該当するかの判断

申請者本人が40歳以上65歳未満の場合は，要介護状態の原因である身体及び精神上の障害が政令で定められた特定疾病（16疾病）によることが認定の要件となっています。介護認定審査会は，「主治医意見書」に記載された診断名やその診断の根拠として記載されている内容に基づき，申請者本人の障害の原因となっている疾病が，この特定疾病に該当していることを確認します。そのうえで，介護の必要度等について65歳以上の方と同様に審査判定を行います。よって特定疾病に該当している場合の診断根拠については，「主治医意見書」内への記載が必要となります（特定疾病の診断基準については，平成21年9月30日老老発0930第2号厚生労働省老健局老人保健課長通知を参照してください）。

2.　一次・二次判定

介護認定審査会では心身の状況に関する74項目の調査結果と「主治医意見書」に基づき，「要支援1」「要支援2」および「要介護1」～「要介護5」の一次判定結果の確定を行います。その後二次判定にあたり，「認定調査票」における特記事項や「主治医意見書」に記載された医学的観点からの意見等を加味して，介護の手間の程度や状況等を総合的に勘案して審査判定を行います。よって「主治医意見書」の記載にあたっては，介護の手間の程度や状況等について具体的な状況を記載する必要があります。

3.　状態の維持・改善の可能性に係る審査

介護認定審査会の審査の過程において，「要支援2」「要介護1」もしくは「要介護認定等基準時間が32分以上50分未満に相当すると認められる状態」と判定された者に対しては，次に状態の維持・改善の可能性に係る審査判定を行い，「要支援2」「要介護1」のどちらに該当するか判定を行います。審査判定にあたり，認定調査項目や「認定調査票」における特記事項，「主治医意見書」に記載された医学的観点からの意見を加味して，心身の状態が安定していない者や認知症等により予防給付の利用に係る適切な理解が困難な者を除いた者を「要支援2」と致します。

4.　認定調査員の調査結果の見直し

認定調査員による認定調査は，通常は1回の申請に対して1回行うこととされており，また認定調査員の専門分野も医療分野に限らず様々であります。よって申請者本人に対して長期間にわたり医学的管理を行っている「主治医」の意見がより申請者の状況について正確に把握していることが明らかな場合には，介護認定審査会は認定調査員の調査結果を修正し，改めて一次判定から行うこととなります。

5.　サービス提供者への情報提供

介護サービス計画（ケアプラン）の作成に際し，介護サービスを提供するにあたっての医学的観点からの意見や留意点等についての情報を，申請者本人等の同意を得てサービス提供者に提供することになります。よって介護サービス計画（ケアプラン）作成上有用となる留意点を具体的に記載する必要があります。

3　主治医意見書は主治医の責務

　介護保険制度では，認定調査とは別に「主治医」の意見を意見書として求め，より適正な要介護認定を目指しています。利用者（患者）は申請の際に自分が「主治医」と考えている医師を申し出ることになっており，その医師に対して市町村等より「主治医意見書」の依頼書が届きます。

　「主治医意見書」に記載される事項には，病状のほか日常生活の「介護の必要性」や「介護の手間」に関するものもあり，利用者（患者）の日常生活を実際に観察しなければ，記述は困難です。病院内で急性期治療のみを行う「専門医」には，この「介護の手間」を把握することは困難ですから，日常生活まで知る「かかりつけ医」が利用者（患者）にとって適切な主治医と考えられます。

　「主治医意見書」の記載は「主治医」の責務です。利用者（患者）は自分のことを一番よく知っている「主治医」に「主治医意見書」を書いてほしいと考えていますから，その気持ちに応えて「主治医意見書」を作成する必要があります。また，利用者の状態が医療関係者ではない介護認定審査会委員にも理解できるような「主治医意見書」の作成が求められています。

　必要に応じて家族や他の医師に問い合わせるなどの方法で利用者（患者）の情報を集約する必要があるケースもあるでしょう。とくに，風邪などの軽症時しか受診歴のない患者や，長期間受診のない患者についても「主治医意見書」を求められることがありますが，このような場合にはできれば一度受診してもらうなどの対応が望ましいと思います。

4　記載できない場合には地元医師会に相談を

　「主治医意見書」の依頼状には，提出期日が記載されています。これは介護保険制度において，「申請日から30日以内に要介護認定を行う」と規定されているためです。30日以内に認定が完了しない場合には利用者（患者）にその理由が示されますが，その原因が「主治医意見書の提出遅れ」では利用者（患者）の信頼を大きく損ねることになります。

　何らかの理由で記入できない場合は，地元医師会（または市区町村の介護保険担当）への相談が望まれます。多くの医師会ではそのような場合には，「指定医」として「主治医意見書」を作成する医師紹介システムを設けています。具体的には，紹介された医師を利用者（患者）が受診するか，医師が訪問して診察し，「主治医意見書」を作成することになります。

5　記入に際しての留意事項

1. 記載内容を読みやすく

　「主治医意見書」の記載は申請書の主治医が行い，誰が見ても判読できる文字で記入する必要があります。「主治医意見書」は複写して各介護認定審査会委員に配布されるため，たとえきれいに書いたとしても読みにくくなります。乱雑な文字や略語，外国語および難解な医学専門用語の使用を避けて，わかりやすく記載することが必要となります。

2. パソコンや主治医意見書作成ソフトの使用

　手書きの場合はインクまたはボールペンを使用し，記入欄に必要な文字または数値を記入し，□にはチェック（レ点）を付けます。なお，自筆による「主治医意見書」と比較すると，パソコンで作成されたものは判読しやすいので，可能であればパソコンで作成されることを推奨します。

3. 介護サービス計画（ケアプラン）作成利用に対する同意

　「主治医意見書」が介護サービス計画（ケアプラン）作成に利用されることに「同意しない」とすることも可能ですが，この「主治医意見書」の本来の趣旨より，格段の理由がなければ「同意する」にチェックします。

4. 情報不足のないように

　主治医意見書は，その医師の専門外の診療科に関する情報が不十分なケースが多いと言われています。利用者（患者）が他の医療機関を受診している場合には，他院の担当医の診断，症状，治療内容，介護に対する意見も「特記すべき事項」に転記します。診療内容はできるだけ介護に関連した内容を記載し，必要な情報については複写を添付します。

5. 「前回と同じ」は使用しない

　前回の「主治医意見書」は介護認定審査会へは提出されませんので，「前回と同じ」では二次判定ができません。面倒でも，今回記載する「主治医意見書」の各事項について記載します。

6. 人権への配慮を

　「主治医意見書」は公文書であり，介護サービス計画（ケアプラン）作成等の目的で情報提供する書類ですので，高齢者・利用者の尊厳に特段に配慮する必要があり，広く基本的人権に関して正しい認識と理解が必要です。

6　主治医意見書の作成例

　ここでは，大阪府堺市にあるベルランド総合病院における主治医意見書の作成方法を例としてご紹介いたします。ベルランド総合病院では，主治医意見書の作成に専従担当者1名（常勤換算値0.4）を配置し，①保険者からの各種問合せ窓口，②医師への意見書作成依頼・督促，③電子カルテへの代行入力および④主治医意見書作成料の「請求書」「明細書」の作成を行っています。主治医意見書の作成には電子カルテの文書作成機能を使用し，効率的に作成できるように実施しています（図表2-14）。

　専従担当者1名で業務遂行することにより情報が集約されるメリットはありますが，担当者不在時に，他のスタッフが問合せに対して回答できない等のデメリットもあります。

　また，当院での経験から，主治医意見書の作成を担当する医師事務作業補助者は，次のような問題を抱えているのではないかと思います。

●電子カルテ内の文書作成機能で主治医意見書の作成が可能であるが，医師によっては手書きで作成しているケースがあり，判読しにくく代行入力に時間を要する。

●治療内容については可能な限り詳細に記載することが望ましいが，「外来通院中」や「投薬加療中」など簡略された記載が見受けられる。

●作成期限は約10〜14日あるが，主治医意見書の作成が遅れたため認定結果が出ない場合がある（本来は申請から30日以内に結果を通知しなければならない）。

●定期通院していても，「介護の必要なし」「申請しても非該当になるだろう」といった医師の判断によって，なかなか記述してもらえないケースがある。

●特に中・大規模病院においては，そもそもの紹介元医療機関（かかりつけ医療機関）があるはずなので，一時的な入院・通院で「主治医」とされることに納得できないケースがある。

　介護保険の主治医意見書作成業務は，医師の負担を軽減するための補助業務としては比較的取り組みやすい業務ではないでしょうか。当然医師の負担を軽減する目的もありますが，医師事務作業補助者の活動や業務内容が，患者の適切な介護サービスの受給へとつながると考えると，非常にやりがいのある業務です。

　当院においても上記のような問題が少なからずありますが，制度を正しく理解し，医師とのコミュニケーションの醸成を図り（我慢強く医師に説明しなければなりません），医師と補助者との明確な役割を構築することが重要であると考えます。

52

図表 2-14　介護保険「主治医意見書」記載例

○○市介護保険主治医意見書	記入日 令和　　年　　月　　日

| 保険者番号 | 1 2 3 4 5 6 | | 被保険者番号 | 0 0 0 0 0 0 0 0 0 0 |

| 申請者 | （フリガナ）　テス カンジヤ1
テス カンジヤ1
昭和 20 年 01 月 06 日　（ 75 歳 0 ヶ月 ） | 男
女 | 〒　－
連絡先 |

上記の申請者に関する意見は以下の通りです。
主治医として、本意見書が介護サービス計画作成に利用されることに　☒ 同意する。　☐ 同意しない。

医師の自署が必要

- 医師氏名　　○○　○○　←
- 医療機関名　**ベルランド総合病院**　　電話 072-(234)-2001
- 医療機関所在地　大阪府堺市中区東山 500 番地 3　　FAX 072-(234)-2008

| （1）最終診察日 | 令和　　年　　月　　日 | （2）意見書作成回数　☐ 初回　☐ 2回目以上 |

（3）他科受診の有無　☐ 有　☐ 無
（有の場合）→ ☐内科 ☐精神科 ☐外科 ☐整形外科 ☐脳神経外科 ☐皮膚科 ☐泌尿器科
☐婦人科 ☐眼科 ☐耳鼻咽喉科 ☐リハビリテーション科 ☐歯科 ☐その他（　　）

1. 傷病に関する意見
（1）診断名（特定疾病または生活機能低下の直接の原因となっている傷病名については 1.に記入）及び発症年月日

1.	発症年月日（☐昭和・☐平成・☐令和　　年　　月　　日頃）
2.	発症年月日（☐昭和・☐平成・☐令和　　年　　月　　日頃）
3.	発症年月日（☐昭和・☐平成・☐令和　　年　　月　　日頃）

（2）症状としての安定性　☐ 安定　☐ 不安定　☐ 不明

（「不安定」とした場合、具体的な状況を記入）

（3）生活機能低下の直接の原因となっている傷病または特定疾病の経過及び投薬内容を含む治療内容
[最近（概ね 6 ヶ月以内）介護に影響のあったもの　及び　特定疾病についてはその診断の根拠等について記入]

2. 特別な医療（過去 14 日間以内に受けた医療のすべてにチェック）
処置内容　☐点滴の管理　☐中心静脈栄養　☐透析　☐ストーマ処置　☐酸素療法
☐レスピレーター　☐気管切開の処置　☐疼痛の看護　☐経管栄養
特別な対応　☐モニター測定（血圧、心拍、酸素飽和度等）　☐褥瘡の処置
失禁への対応　☐カテーテル（コンドームカテーテル、留置カテーテル 等）

3. 心身の状態に関する意見
（1）日常生活の自立度について
・障害高齢者の日常生活自立度（寝たきり度）　☐自立 ☐J1 ☐J2 ☐A1 ☐A2 ☐B1 ☐B2 ☐C1 ☐C2
・認知症高齢者の日常生活自立度　☐自立 ☐I ☐IIa ☐IIb ☐IIIa ☐IIIb ☐IV ☐M

（2）認知症の中核症状（認知症以外の疾患で同様の症状を認める場合を含む）
・短期記憶　☐問題なし　☐問題あり
・日常の意思決定を行うための認知能力　☐自立 ☐いくらか困難 ☐見守りが必要 ☐判断できない
・自分の意思の伝達能力　☐伝えられる ☐いくらか困難 ☐具体的要求に限られる ☐伝えられない

（3）認知症の行動・心理症状（BPSD）（該当する項目全てにチェック:認知症以外の疾患で同様の症状を認める場合を含む）
☐無 ☐有{ ☐幻視・幻聴 ☐妄想 ☐昼夜逆転 ☐暴言 ☐暴行 ☐介護への抵抗 ☐徘徊
☐火の不始末 ☐不潔行為 ☐異食行動 ☐性的問題行動 ☐その他（　　）

（4）その他の精神・神経症状　☐無 ☐有 [症状名:　　専門医受診の有無 ☐有（　　）　☐無]

（図表 2-14 つづき）

保険者番号	1 1 1 1 1 1		被保険者番号	0 0 0 0 0 0 0 0 0 0 0

(5)身体の状態 利き腕（ □右 □左）　身長＝ ___ ㎝ 体重＝ ___ ㎏（過去6カ月の体重の変化 □増加 □維持 □減少）

- □ 四肢欠損　（部位： ）
- □ 麻痺　□右上肢（程度： □軽 □中 □重）　□左上肢（程度： □軽 □中 □重）
  - □右下肢（程度： □軽 □中 □重）　□左下肢（程度： □軽 □中 □重）
  - □その他（部位： ）　程度： □軽 □中 □重
- □ 筋力の低下　（部位： ）　程度： □軽 □中 □重
- □ 関節の拘縮　（部位： ）　程度： □軽 □中 □重
- □ 関節の痛み　（部位： ）　程度： □軽 □中 □重
- □ 失調・不随意運動　・上肢 □右 □左　・下肢 □右 □左　・体幹 □右 □左
- □ 褥瘡　（部位： ）　程度： □軽 □中 □重
- □ その他の皮膚疾患　（部位： ）　程度： □軽 □中 □重

4. 生活機能とサービスに関する意見

(1)移動

屋外歩行	□自立	□介助があればしている	□していない
車いすの使用	□用いていない	□主に自分で操作している	□主に他人が操作している
歩行補助具・装具の使用（複数選択可）	□用いていない	□屋外で使用	□屋内で使用

(2)栄養・食生活　食事行為 □自立ないし何とか自分で食べられる □全面介助　**現在の栄養状態** □良好 □不良

→ 栄養・食生活上の留意点（ ）

(3)現在あるかまたは今後発生の可能性の高い状態とその対処方針

- □尿失禁 □転倒・骨折 □移動能力の低下 □褥瘡 □心肺機能の低下 □閉じこもり □意欲低下 □徘徊
- □低栄養 □摂食・嚥下機能低下 □脱水 □易感染症 □がん等による疼痛 □その他（ ）

→ 対処方針（ ）

(4)サービス利用による生活機能の維持・改善の見通し □期待できる □期待できない □不明

(5)医学的管理の必要性（特に必要性の高いものには下線を引いてください。予防給付により提供されるサービスを含みます。）

- □訪問診療 □訪問看護 □訪問歯科診療 □訪問薬剤管理指導
- □訪問リハビリテーション □短期入所療養介護 □訪問歯科衛生指導 □訪問栄養食事指導
- □通所リハビリテーション □老人保健施設 □介護医療院 □その他の医療系サービス（ ） □特記すべき項目なし

(6)サービス提供時における医学的観点からの留意事項 （該当するものを選択するとともに、具体的に記載）

- □血圧（ ） □摂食（ ） □嚥下（ ）
- □移動（ ） □運動（ ） □その他（ ）
- □特記すべき項目なし（ ）

(7)感染症の有無（有の場合は具体的に記入して下さい）

□無 □有（ ） □不明

5. 特記すべき事項 要介護認定及び介護サービス計画作成時に必要な医学的なご意見等を見守りに影響を及ぼす疾病の状況等の留意点を含め記載して下さい。特に、介護に要する手間に影響を及ぼす事項について記載して下さい。なお、専門医等に別途意見を求めた場合はその内容、結果も記載して下さい。（情報提供書や障害者手帳の申請に用いる診断書等の写しを添付して頂いても結構です。）

どちらかに○をつけて下さい。
認定結果通知の送付　　　要・不要　（未記載の場合は「不要」とします）
居宅サービス計画書の交付　要・不要　（未記載の場合は「不要」とします）

5. 診療情報提供書・返書

高橋　新，瀬戸　僚馬，伊藤　千恵

　医師事務作業補助者の業務の中心は，やはり医療文書の作成にあります。ここでその代表的な文書である診療情報提供書・返書の作成について，概要を述べたいと思います。

1　診療情報提供書・返書作成補助の意義

　医師事務作業補助者の導入当初は，患者さんから申込みのあった保険会社の診断書の補助から始める病院が多いようです。各施設で行われるアンケートでは，多くの医師が，診療情報提供書（返書含）を負担に感じていることがわかっています。電子カルテやオーダエントリシステムを導入している病院では，診療情報提供書と返書は電子カルテ内のテンプレートまたは専用の文書作成ソフトを使用している例が多いものの，それでもやはり文書の作成というものは，医師にとって非常に大きな負担となっている業務です。

　診療情報提供書は診療経過の詳細を記載する必要があるため，初心者のスキルでは作成補助は困難です。しかし，返書であれば簡単なものなら初心者であっても比較的容易に受けもつことができると思われます。

　入院の受けもち患者もいる医師が，紹介対象となった外来患者さんの診療情報提供書を作成するのは，かなりの負担です。そこで，医師事務作業補助者が治療経過の記載が必要な返書の作成も行えば，医師は下書きされたものを確認・加筆・訂正すればよいのですから，診療情報提供書の作成にかける時間は大幅に短縮されます。

　また，看護師やMSW（医療ソーシャルワーカー）から診療情報提供書の作成を依頼されても，多忙な医師が"忘れてしまう"ということも珍しくありません。診療情報提供書作成の遅れが転院調整の遅れにつながったり，転院当日になっても診療情報提供書が作成されていなかったりと，連携に支障をきたすトラブルの原因になることもあります。

2　書式の種類と特徴

　診療情報提供書と返書は「患者さんの経過と紹介目的を記載する」という面では同じですから，診療情報提供書（往信）と返書（返信）の書式を統一している施設も多いです。ただし，施設によっては診療情報提供書と返書は異なった書式を使用する場合もあります。ここでは，通常往信として使用している診療情報提供書を紹介します。

　図表 2-15 は，訪問診療依頼のために地域の診療所に宛てたものです。この他に地域によって，介護老人保健施設用の共通書式という，直近の検査データや ADL などを記入する欄が設けてあるものもあります。このような書式は，MSW が関与した転院調整の場合に使用します。

　返書は紹介元への治療経過報告に使用することがほとんどですが，紹介元がかかりつけ医の場合，継続加療依頼として，図表 2-15 の診療情報提供書と同様の役割をもつこともあります。診療情報提供書には 250 点の算定ができますが，返書の場合は算定できません。

　なお，2016 年の診療報酬改定により，電子署名することを条件に，診療情報提供書を電子的に

作成することも可能となりました。また，国が進める医療DXの工程表を参考にすると，今後は情報共有基盤の整備が進められ，2025年度をめどに2文書（診療情報提供書・退院サマリー）6情報（傷病名，アレルギー情報，感染症情報，薬剤禁忌情報，検査情報，処方情報）については，各医療機関で標準化された電子カルテ情報の交換が可能となることが見込まれます[※1]。

3　医師事務作業補助者関与の利点

1) 医師，看護師およびMSWの負担軽減

　医師が多忙であることは周知のとおりですが，診療情報提供書が作成されないと連携業務が先に進まないのも事実です。書類作成の進捗を医師に確認・催促しなくてよいことは，医師にとどまらずMSW（Medical Social Worker）と看護師にとっても負担が減ることになります。

　また，作成後は医師事務作業補助者が依頼元の看護師やMSWへ連絡するため，依頼元は自分たちで進捗状況をチェックする必要がなくなり，その時間を他の業務に充てられるようになります。このように，医師の負担軽減のために始めた業務でも，間接的に他の職種の負担も軽減され，全体最適につながります。

2) 作成時間の短縮

　多忙な医師は，書類作成の着手を後回しにしてしまうこともよくあります。医師事務作業補助者が一貫して責任をもってかかわるので，仕上がりまでの時間も大幅に短縮されます。書類の作成が遅延することで患者さんからのクレームにもつながり，その対応には多大な時間と精神的負担を要しますから，それを減らせる意義が大きいです。

3) 転院調整の進行，クレーム減少

　1) と2) のために転院調整はスムーズに進むようになり，患者さんからのクレームも大幅に減ります。

4　依頼・確認のフロー

　運用方法の一例を図表2-16 のフローチャートでご紹介します。返書は医療連携室，診療情報提供書は看護師やMSWなど作成依頼元は複数あります。従来は各々が医師へ直接依頼していましたが，文書作成の進捗管理が不十分になりがちで，トラブルになることもありました。窓口を医師事務作業補助者に一本化すると，医師の確認が終わるまで，医師事務作業補助者が責任をもって行うことができます。逆に，医師事務作業補助者，地域医療連携室，MSW，看護師など担当者が分散する場合，他部署が作成・管理していると思い込み，実際は誰も作成していなかったというミスが生じがちです。このような場合は，フローを作成して明確に責任分界点を定めておくことが重要です。

5　診療情報提供書作成代行のポイント

　診療情報提供書の作成については，病院や診療科・医師の方針によって文書のボリュームや書きぶりにかなりのバリエーションがあります。よって，図表2-15 は一例にすぎませんので，様々な文例に触れることが大切です。ここでは，多くの病院に共通するポイントを挙げてみます。

※1　内閣官房「医療DXの推進に関する工程表」https://www.cas.go.jp/jp/seisaku/iryou_dx_suishin/index.html

図表 2-15　診療情報提供書（通常様式）

診 療 情 報 提 供 書

2024 年 01 月 10 日

紹介先医療機関名
　　○○クリニック

　　　　　　　　　○田　○明　　　　先生

〒×××-××××
東京都××区××町 1-2-3

　　　○○病院
　　　03（××××）××××（代）

　　医師名
　　内科
　　△山　△郎

ID	123456
フリガナ	○
患者氏名	△井　△代　　　性別　女
生年月日	××××年×月×日　　77歳　×ヶ月
住　　所	東京都△△区○○1-×-×
電話番号	03-1234-5678

傷病名	2 型糖尿病 認知症
紹介目的	訪問診療のご依頼
既往歴 家族歴	右乳癌（2017 年 4 月　乳房全摘術） 両側硬膜下血腫（2019 年 5 月　血腫除去術）
薬物アレルギー	特になし
症状経過・検査結果・治療経過	平素より大変お世話になっております。 2005 年頃発症の 2 型糖尿病でインスリン療法を継続している 77 歳女性です。 以前から血糖コントロールは不安定な状態でしたが，ここ数年で認知症が著しく進行し，自己管理が困難となりました。徘徊もみられ，その間に間食している様子で，HbA1c 9.0%前後で推移しています。夫との 2 人暮らしで，夫がインスリンや食事の管理をしていますが，夫が目を離している間に徘徊し，間食してしまうようです。ケアマネと施設入所も検討しましたが，血糖コントロールが困難なため，施設側の受け入れが困難な状況です。 夫の体力的にも当院への通院が困難になってきており，訪問診療の利用を希望されています。今後の御加療につき何卒宜しくお願い申し上げます。

処方

ヒューマログ mix50：25-0-25 単位
スターシス 90 mg　1 T　分 1　朝食後
メデット 250 mg　3 T　分 3　朝昼夕食後
アクトス 15 mg　1 T　分 1
ネシーナ 12.5 mg　0.5 T　分 1
バイアスピリン 100 mg　1 T　分 1 朝食後

添付資料	検査結果	備考	

※多くの病院では，施設基準で定められた様式を使いやすく改変して使っています。この書式もその一例であり，病院ごとに若干の違いがあります。

1）目的を理解する

　より専門性の高い医療施設への精査加療の依頼，病態が安定している患者さんの診療所での継続治療依頼，自宅退院困難な患者さんの療養継続依頼など，目的によって記載内容や文言が変わりま

図表 2-16　退院先・紹介先に応じた診療情報提供書の流れの例

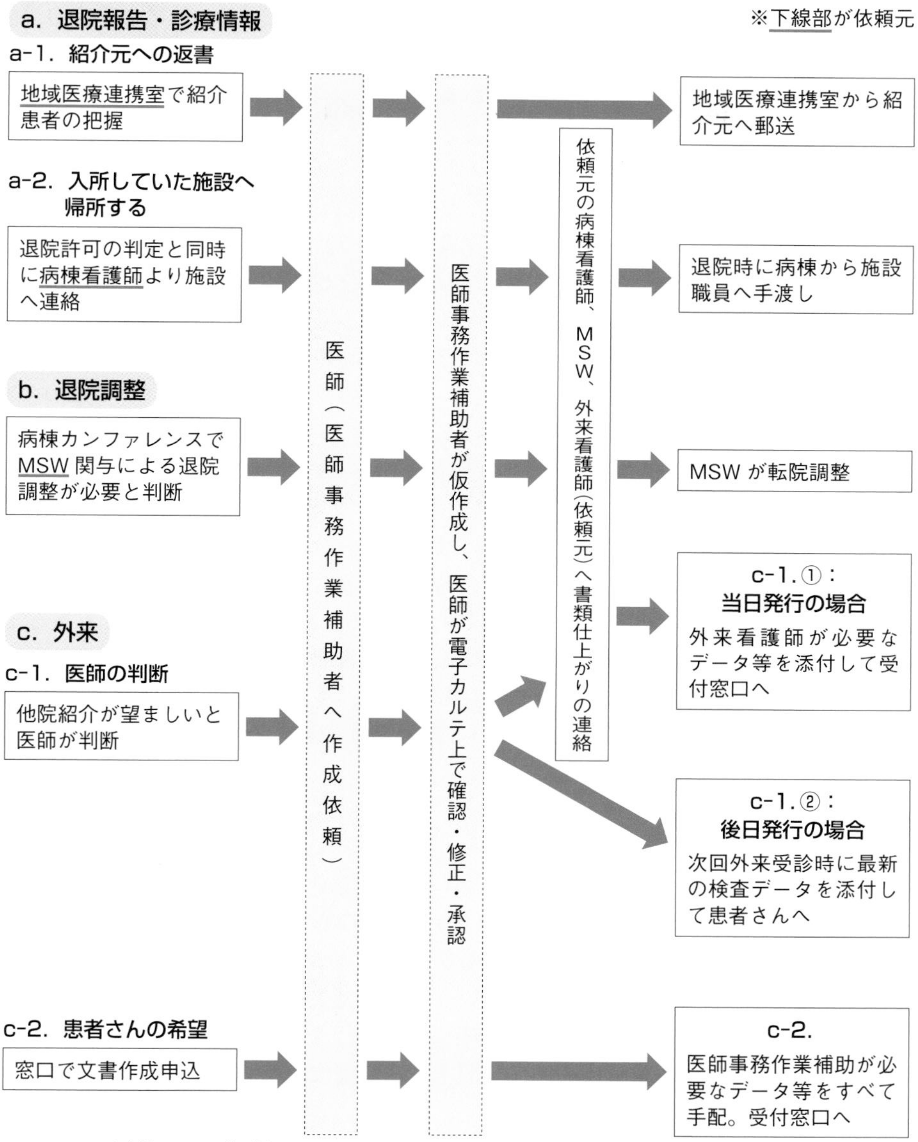

a. 退院報告・診療情報　　　　　　　　　　　　　　　　　※下線部が依頼元

a-1. 紹介元への返書

| 地域医療連携室で紹介患者の把握 | → | | → | 地域医療連携室から紹介元へ郵送 |

a-2. 入所していた施設へ帰所する

退院許可の判定と同時に病棟看護師より施設へ連絡

→ 退院時に病棟から施設職員へ手渡し

b. 退院調整

病棟カンファレンスでMSW関与による退院調整が必要と判断

→ MSW が転院調整

縦列：医師（医師事務作業補助者へ作成依頼）

縦列：医師事務作業補助者が仮作成し、医師が電子カルテ上で確認・修正・承認

縦列：依頼元の病棟看護師、MSW、外来看護師（依頼元）へ書類仕上がりの連絡

c. 外来

c-1. 医師の判断

他院紹介が望ましいと医師が判断

→ **c-1.①：当日発行の場合**
外来看護師が必要なデータ等を添付して受付窓口へ

→ **c-1.②：後日発行の場合**
次回外来受診時に最新の検査データを添付して患者さんへ

c-2. 患者さんの希望

窓口で文書作成申込

→ **c-2.**
医師事務作業補助が必要なデータ等をすべて手配。受付窓口へ

※このフローは病院によって若干異なります。電子的方法はまだ一般的ではないので省略しています。

す。

　返書なら，紹介元の診療情報提供書を確認して，どのような目的で当院に紹介されたのかを確認することが重要です。転居や患者さんの希望で当院での継続治療希望，精査依頼，入院依頼など，紹介された目的により，やはり記載内容が変わります。

2) 簡潔明瞭に記載する

　病院によって，医師事務作業補助者の席が外来などの現場の場合も，医局に席を設けていることもあります。患者さんと接することなく，医師の診療記録を見ながら作成すると，経過をすべて記載して冗長な文章になり，要点がわからなくなることもあります。特に内科系は，診断がつかずに様々な検査をすることがあり，そのなかで書く必要がある検査内容と結果，治療内容と効果を見分けるのは容易ではありません。そのためには，診療プロセスの概要を把握できるよう，幅広い医学

知識が必要です。また，患者さんの生活環境や家族背景なども必要な情報であれば記載します。それらも，どの情報をどこまで記載するのかという見極めが必要です。その他にも作成中，診療記録に不明な点があれば，診療録のすべてを見直して，不明な点を解決してから作成に取りかからないと，かえって医師の手を煩わせることになりかねません。

3) 医師の「こだわり」に合わせた作成をする

　診療情報提供書を作成するうえで，「ビジネス文書の書き方」のような本を参考にすることもあると思います。しかし医師の確認後，自分が仮作成したものと比較してみると，医師にも"こだわり"があることがわかりました。これは保険会社の診断書などでもありますが，診療情報提供書では特にその傾向が強くなります。そこで，担当医師がそれまでに自身で書いた診療情報提供書をすべて見直し，傷病名の書き方から文言まで，それぞれの医師の"こだわり"に合わせるという手法もあります。これは，診療情報提供書が本質的に，医師間のコミュニケーションのための文書であり，コミュニケーションとは個人間の信頼関係に基づくものである以上，ある程度は必然と言えるでしょう。

　なお，傷病名・検査名・薬剤名などの略語は使用しないのが原則です（日本診療情報管理学会「診療情報の記載指針」を参照）。実際に「文書には略語はいっさい使用しないこと」と厳格な医師もいますが，ほとんどの医師は，抗菌剤名や検査名など一般的に使用されている略語は診療情報提供書に使用しています。むしろ略語を使用したほうが，先方にもわかりやすい場合もあるでしょう。

　新入職の医師に対しては，オリエンテーション後に「文書記載のこだわり」について，コミュニケーションも兼ねて聞いてみる方法もあります。もっとも，多くの医師は「ない」と返答されますので，前述のとおり，これまでの文例を見ながら自分なりの書き方で作成し，最終確認の時点で"こだわり"を見つけることが可能です。

4) 仮作成後は見直し作業を必ず行う

　医師事務作業補助者の業務では，どの業務においても確認作業が最も重要です。誤字・脱字，文言の言い回しや構成を見直します。誤字・脱字はあってはならないものですが，長時間作業を続けていると，気付かぬうちに誤変換していることもあります。また，診療経過を追って記載しているうちに，本来伝えるべきことが何だったのかということを見失ってしまうこともあります。最終確認の責任者は医師ですが，医師も疲れた状態で確認作業を行うことがほとんどですから，医師事務作業補助者の仮作成の時点で，最低限の誤字・脱字や文章構成は確認しておくべきです。

5) 医師の確認後，最終的な見直しをする

　医師に確認していただいたあと，最終確認をします。
●日付
●宛先の医院名と医師名（前回文書が間違っていることもあるため，できるだけ元データで確認）
●誤字，脱字
●処方内容
●添付する検査データ
●自分が仮作成した内容と医師による修正点の相違（≒医師が赤ペンを入れた箇所）

　最後の医師による修正点は特に重要です。それ以外の点は医師の確認前にもチェックを行っていますし，添付データなどは医師もしっかり確認しているからです。

　しかし，スキルアップのためには最後の点が欠かせません。ここで医師の"こだわり"や，診療について医師事務作業補助者の理解不足であった点がわかります。それを次へ活かすことが大切です。電子媒体での作成は，医師によって上書きで修正される可能性も考えられますので，教育とい

う点では，医師に依頼する前の状態をプリントアウトするなどして，修正前後を比較できるような方法が良いかもしれません。

　診療情報提供書は，医学・医療知識に加え，他者に何かを依頼するために書くものですから，ビジネスコミュニケーションとしての文章力も必要です。こう言うと，ハードルが高いもののように感じるかもしれませんが，その患者さんの疾患（症状）は何なのか，そのために行っている検査と治療は何なのか，治療のためどうしたいのか——それらの点を診療録から読み取り概括する経験を積み重ねることで，他の書類や代行入力など，あらゆる業務が取り組みやすくなるのではないかと思います。

6　今後の課題

1）医師事務作業補助者以外の事務職員との連携

　退院報告は退院時に作成するので問題ありませんが，例えば外来における精査依頼に対する返書の場合，複数の検査が行われるためどのタイミングで返書を作成（依頼）したらよいかということを地域医療連携室が把握している必要があります。返書が作成される前に患者さんが紹介元を受診してしまうと，紹介元から「まだ報告を受けていない」とクレームになることもあります。返書作成を依頼するタイミングを理解するためには，依頼する職員との連携が重要です。

2）至急の依頼に対応するための医師事務作業補助者のスキルアップ

　退院許可から施設の受け入れが急に決定したり，看護師から医師事務作業補助者への連絡が遅れたりすると，至急必要書類を作成しなくてはなりません。ときには「当日中に」ということもあります。依頼があって初めてその患者さんの診療録を見ることがほとんどですから，入院中の治療経過報告を短時間で把握・文書作成し，医師に確認してもらうためには，医師事務作業補助者に高い文書作成スキルと，医師への確認後に看護師と調整を行うための行動力が要求されます。

　また，フローチャート（図表2-16）c-2 の例は，患者さんのニーズを把握して医師の了解を取りつけたうえで，必要な添付データなどをすべて医師事務作業補助者が手配する必要があります。院内の業務の流れや情報システムの操作手順などに精通していないと，画像データなどの依頼方法がわかりません。ここでもやはり医師事務作業補助者のスキルと行動力が必要となってきます。

3）医師事務作業補助の業務範囲

　医師事務作業補助者が診療情報提供書の作成補助に関与することになると，特に外来からの依頼の場合には「誰がどこまでかかわるか」という点が課題になります。例えば，フローチャート（図表2-16）の c-1 の場合では，医師の確認後，医事課の外来部門や地域連携室，外来看護師などが添付データなどを手配して患者さんへお渡しできる状態にするのか（c-1 ①），c-2 と同様に医師事務作業補助者がすべて行うのかという点が論点になります。

　特に，看護師が本来の業務に専念するという観点からは，できる限り医師事務作業補助者が行うことが望ましいと考えます。しかしながら，限られた人員のなかでは，すべての診療情報提供書に対してその対応をするのが困難な場合も多いです。そこで，医師があらかじめ患者さんに対して，次回受診時に紹介状を発行するとの説明をしておき，次回受診前までに診療情報提供書を準備しておくという方法も有効です（c-1 ②）。

　フローチャート（図表2-16）の c-2 の例は保険会社診断書など他の医療文書の流れと同様ですから医師事務作業補助者が患者さんへお渡しできるように準備できます。

　医師事務作業補助者の関与によって，医師はもちろん，MSW や看護師の負担も軽減されることは明らかですから，適正な役割分担と人員配置が必要です。

6. 入院診療計画書／クリニカルパス

今田　光一

1　入院診療計画書

　病院（保険医療機関）においては，患者入院の際に医師・看護師などが共同で入院中の診療計画を策定し，その内容を文書で7日以内に交付，説明するよう求められています。

　基本診療料の施設基準にかかる通知（令6保医発0305・5）では，「入院の際に，医師，看護師，その他必要に応じ関係職種が共同して総合的な診療計画を策定し，患者に対し，別添6の別紙2（図表2-17）または別紙2の3を参考として，文書により病名，症状，治療計画，検査内容及び日程，手術内容及び日程，推定される入院期間等について，入院後7日以内に説明を行うこと」とされています。

　また，高齢者医療確保法の規定による療養の給付を提供する場合の療養病棟における入院診療計

図表 2-17　入院診療計画書

入　院　診　療　計　画　書

（患者氏名）　　　　　　　殿

年　　月　　日

病　棟（病　室）	
主治医以外の担当者名	
在宅復帰支援担当者名　＊	
病　　　　　　　名 （他に考え得る病名）	
症　　　　　　状	
治　療　計　画	
検査内容及び日程	
手術内容及び日程	
推定される入院期間	
特別な栄養管理の必要性	有　・　無　（どちらかに○）
そ　の　他 ・看　護　計　画 ・リハビリテーション等の計画	
在宅復帰支援計画　＊	
総合的な機能評価　◇	

注1)　病名等は，現時点で考えられるものであり，今後検査等を進めていくにしたがって変わり得るものである。
注2)　入院期間については，現時点で予想されるものである。
注3)　＊印は，地域包括ケア病棟入院料（入院医療管理料）を算定する患者にあっては必ず記入すること。
注4)　◇印は，総合的な機能評価を行った患者について，評価結果を記載すること。
注5)　特別な栄養管理の必要性については，電子カルテ等，様式の変更が直ちにできない場合，その他欄に記載してもよい。

（主治医氏名）　　　　　　　印

（本人・家族）

図表 2-18　療養病棟における入院診療計画書

入 院 診 療 計 画 書

（患者氏名）　　　　　　殿

年　　月　　日

病　　棟（病　室）	
主治医以外の担当者名	
病　　　　　　名 （他に考え得る病名）	
症　　　　状 　治療により改善 　すべき点等	
全身状態の評価 （ADLの評価を含む）	
治　療　計　画 （定期的検査，日常生活 機能の保持・回復，入 院治療の目標等を含む）	
リハビリテーションの 計　　　　　画 （目　標　を　含　む）	
栄養摂取に関する計画	（特別な栄養管理の必要性：　有　・　無　）
感染症，皮膚潰瘍等の 皮膚疾患に関する対策 （予防対策を含む）	
そ　　の　　他 ・看護計画 ・退院に向けた支援 　計画 ・入院期間の見込み等	

注）　上記内容は，現時点で考えられるものであり，今後，状態の変化等に応じて変わり得るものである。

（主治医氏名）　　　　　　　印

（本人・家族）

画については，図表 2-18 を参考にすることとされています。計画書には，特別な栄養管理の必要性の有無について記載する必要がある旨が，2012 年の診療報酬改定から定められています。

　また，入院時には褥瘡対策のために日常生活自立度と危険因子の評価を行うことが入院基本料の必須項目として義務付けられています。必要な患者には「褥瘡対策に関する診療計画書」の作成が必要です。この「日常生活自立度と褥創危険因子の評価」の記載について，「入院診療計画書」に欄を設けている医療施設もあります。

　なお，これらの項目は診療報酬改定時に変更追加される可能性が高いので，改定時には院内の書式をしっかりと検討しなければなりません。

2　クリニカルパスと医師事務作業補助者

　クリニカルパス（＝医療用クリティカルパス）は，入院期間中の治療，投薬，食事，安静度，看護ケアの流れを日にちごとにわかりやすく示した表形式のものです。日本の医療機関では 1990 年代後半から使われるようになり，医療者間のコミュニケーションおよび患者家族とのインフォームド・コンセントのツールとして，広く使用されるようになりました（図表 2-19）。

　クリニカルパスは，大きく患者用パスと医療者用パスの 2 つに分けられ，2 つをセットで作成するのが基本となっています。

　患者用パスは治療の流れを経時的に示した表で，縦軸に項目（主な予定，薬，点滴，食事，安静度など），横軸を時間軸として記します。患者自身に入院生活や治療計画の一連を理解してもらうための，わかりやすいインフォームド・コンセントのツールとして用いられます。

図表 2-19 肘関節鏡手術のクリニカルパス

肘関節鏡手術 右・左
入院診療計画書
病棟（病室）

疾患名	肘関節離断性骨軟骨炎	肘関節内遊離体
診断群分類	160620 肘,膝の外傷（スポーツ障害等を含む）	070250 関節内障,関節内遊離体

主治医　　　　薬剤師
看護師
リハビリ療法士　　ID
栄養士　　　　患者氏名

	1月1日	1月2日		1月3日	1月4日	1月7日
	入院日	手術前日	手術当日（前）　手術当日（後）	1日目	2日目	5日目（退院）
目標	□入院・手術の説明がわかる　□不安なく手術が受けられる			□術後合併症の兆候がない　□痛みのコントロールができる		□退院の準備が整う
治療処置注射	現在内服中の薬については指示に従って下さい	指示のある時は手術前に飲む薬があります／点滴開始	痛みが強い時は指示の痛み止めを使います	痛み止めの内服が開始となります／点滴終了		
		必要な場合は手術部位の除毛をします		手術創部の確認,処置を行います		外来での抜糸となります
検査						4〜5日目に採血があります
食事	必要に応じて栄養士の訪問があります	指定時間まで飲水できます		状態により飲食開始します		
清潔	入浴かシャワー浴ができます　手足の爪を切りましょう			体を拭きますが,透明テープの場合は傷を保護してシャワーも可能です	手術創部の状態が良ければシャワー浴ができます	
排泄			手術後2時間は安静とし,その後,状態にあわせて,歩行器,車いすなど介助のもとでの移動で,排泄可能となります　トイレ歩行可能となります			
安静リハビリ	リハビリスタッフが訪問します（術後に訪問する場合もあります）		ベッド上で安静です（トイレのみ介助にて移動可能です）	痛みの程度に合わせて歩行して下さい　痛みに応じて三角布または添え木を当てます　患部外の運動を始めます		退院後の生活についての指導があります
説明指導	入院・手術について説明があります	麻酔科医の診察があります	手術室看護師の訪問があります　医師から家族に説明があります	麻酔科医の診察があります　総合評価 □あり □なし		退院指導・服薬指導があります

症状			特別な栄養管理の必要性 □あり □なし	日常生活能力 □問題なし □介助が必要な状態です
本人・家族の要望				認知機能 □問題なし □不安定な部分があります
看護計画				気分・心理状態 □問題なし □不安定な部分があります

本人氏名
親族または代理人氏名　　　続柄:
説明日時 西暦　年　月　日
説明者氏名

　医療者用パスは，各職種が治療の流れにどのようにかかわっているかを相互に知り，いつからどのような点滴が入るか，この時期にはどのようなことを気をつけて看護すればよいか——といった各職種の介入すべき内容，注意すべきポイントをチェックするためのタスクチェック表として用いられます。医療者用パスはオーダ表として用いられる場合もあり，近年多く用いられている電子カルテでは，パスを患者に適用することで，そのなかに組み入れられている薬剤，検査，食事などのオーダを一括入力する機能が搭載されています。そこに組み入れられる薬剤や検査の予定は各種エビデンスに基づき設定されるため，臨床学会で推奨するクリニカルパスを公表している疾患治療も増えつつあります。質の良い，過不足のない治療検査を提供する「医療の標準化」が政策的にも進められているため，クリニカルパスを用いた医療が今後も推進されていくでしょう。

　クリニカルパスにはおおむね以下の4つの役割があり，かかわる医師事務作業補助者はこのことをしっかりと理解しておかなければなりません。

1）入院診療計画書としての患者用クリニカルパス

　2012年度の診療報酬改定以降，「当該様式（前述の図表2-17, 2-18）にかかわらず，入院中から退院後の生活がイメージできるような内容であり，年月日，経過，達成目標，日ごとの治療，処置，検査，活動・安静度，リハビリ，食事，清潔，排泄，特別な栄養管理の必要性の有無，教育・指導（栄養・服薬）・説明，退院後の治療計画，退院後の療養上の留意点が電子カルテなどに組み込まれ，これらを活用し，患者に対し，文書により説明が行われている場合には，各保険医療機関が使用している様式で差し支えない」として，クリニカルパスを入院診療計画書として用いてもよいことになりました。これにより，クリニカルパスと入院診療計画書の2枚を交付していた施設もクリニカルパスのみの交付でよくなりました。

　ただし，通常様式の入院診療計画書と同様，「説明年月日」「主治医およびその他の担当医および担当看護師の氏名」「患者本人および親族の署名欄」「栄養管理の必要性の有無」「総合的な機能評

価」に関する記載項目をつけること，そしてそれらの複写が患者に渡され，病院でも保管できるようにする必要があると思われます（図表2-19）。また近年は，標準計画のみならず「個別性への対応」が求められるようになっており，看護計画やリハビリテーション計画などについては，個別性に応じて記載すること，医師や看護師以外の職種の担当スタッフ名を明記することなどが，個別指導などで指摘されるようになっています。各病院において，「患者家族の要望」といったフリー記載欄等を設けるなど，独自の工夫も見られるようになっています。

2）医師の指示票としての医療者用クリニカルパス

　「この患者はクリニカルパスどおり（あるいは一部変更）でいく」という医師の指示があった場合，そこに記載された投薬，検査，看護師への各種指示を有効とする手続きが取られます。

　紙のクリニカルパス（図表2-20）とオーダリングシステムを併用している施設では，記載された投薬，注射，検査のオーダを入力する必要があり，この代行入力を医師事務作業補助者が行うことになります。オーダをいちいち入力するのは手間がかかるため，多くのオーダリングシステムでは，複数日分の複数種類のオーダをセット化して一括入力できる機能（図表2-21）があります。

　一方，電子カルテシステムに搭載されているクリニカルパス機能（図表2-22）では，パスの基本的なオーダ内容を患者ごとに少しアレンジしてから，パス発行ボタンを押すことで，すべての指示内容が発効されるようになっています。その際，パスの全期間分を発行する場合と，パスの期間をいくつかのフェーズに区切ってフェーズごとに発行する場合があります。

　通常は医師が行いますが，医師事務作業補助者が行う施設もあり，後者の場合には医師が承認したという認証確定が必要となります。ただし，電子カルテのクリニカルパス機能には多くの場合「看護計画」も組み入れられているため，パスの患者への適用操作は「医師事務」の範囲を逸脱することになるのではないかという意見もあり，院内での意思統一が重要になります。

3）アウトカムチェック表としての医療者用クリニカルパス

　クリニカルパスは単なる予定表やオーダ表ではありません。日本クリニカルパス学会のパスの公式定義は，「患者状態と診療行為の目標，および評価・記録を含む標準診療計画であり，標準からの偏位を分析することで医療の質を改善する手法」となっています。治療計画予定を変更する必要がないかを常に意識しながら進めなければならないのです。そのため，患者が順調に経過しているかというチェック項目を確認しながら進めています。このチェック項目を「アウトカム」といい，「これが達成されていなければ治療成績や治療日数に影響してしまうかもしれない項目」が，連日チェックすべき項目あるいはフェーズごとにチェックすべき項目として設定されています。

　このアウトカムは，従来各医療施設で独自に考えて設定されていましたが，電子カルテでのパス機能の普及を機に，標準的なアウトカムの文言をマスター化した「患者状態アウトカム用語集 Basic Outcome Master®（ベーシックアウトカムマスター®）」が開発され，これを使用する施設が増えてきています。

　また，アウトカムのチェックを行うことが，看護観察行為，介入行為を行った，あるいは医師が回診などで必要な診察を行ったという証拠になることから，これをもって看護記録や医師記録に代える施設も増えてきています。電子カルテを導入している病院ではアウトカムのチェック入力がどのような記録画面にリンクしているのかを確認しておく必要があります。

4）自院の診療の質の分析ツールとしてのクリニカルパス

　クリニカルパスは，この計画がその疾患治療に対するベストと「仮定した」ものです。また，アウトカムの項目設定も「この時期にはこれが達成されていないと後に影響する」と仮定して設定されたものです。したがって，この「仮定」が正しいかどうかは，クリニカルパスを使用した症例を集めたり，他院のものと比較したりして検討しなければなりません。例えばパス設定した入院期間

図表 2-20　紙ベースのクリニカルパス（肩腱板損傷手術）

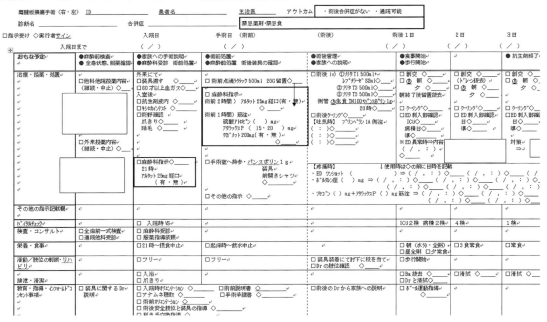

図表 2-21　パス医療に有用なオーダリングシステムの一括オーダ機能

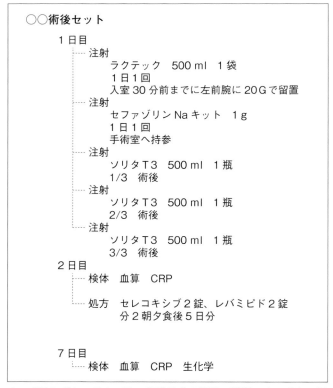

○○術後セット

　1日目
　　──注射
　　　　ラクテック　500 ml　1袋
　　　　1日1回
　　　　入室30分前までに左前腕に20Gで留置
　　──注射
　　　　セファゾリンNaキット　1g
　　　　1日1回
　　　　手術室へ持参
　　──注射
　　　　ソリタT3　500 ml　1瓶
　　　　1/3　術後
　　──注射
　　　　ソリタT3　500 ml　1瓶
　　　　2/3　術後
　　──注射
　　　　ソリタT3　500 ml　1瓶
　　　　3/3　術後
　2日目
　　──検体　血算　CRP
　　──処方　セレコキシブ2錠、レバミピド2錠
　　　　分2朝夕食後5日分

　7日目
　　──検体　血算　CRP　生化学

オーダリングシステムでは，複数日分の複数の種類のオーダを一括でセット入力できる機能があり，現場でのパス医療の実施に有用である。電子カルテのクリニカルパス＝「電子パス」。

図表 2-22　電子カルテシステム搭載のクリニカルパス機能

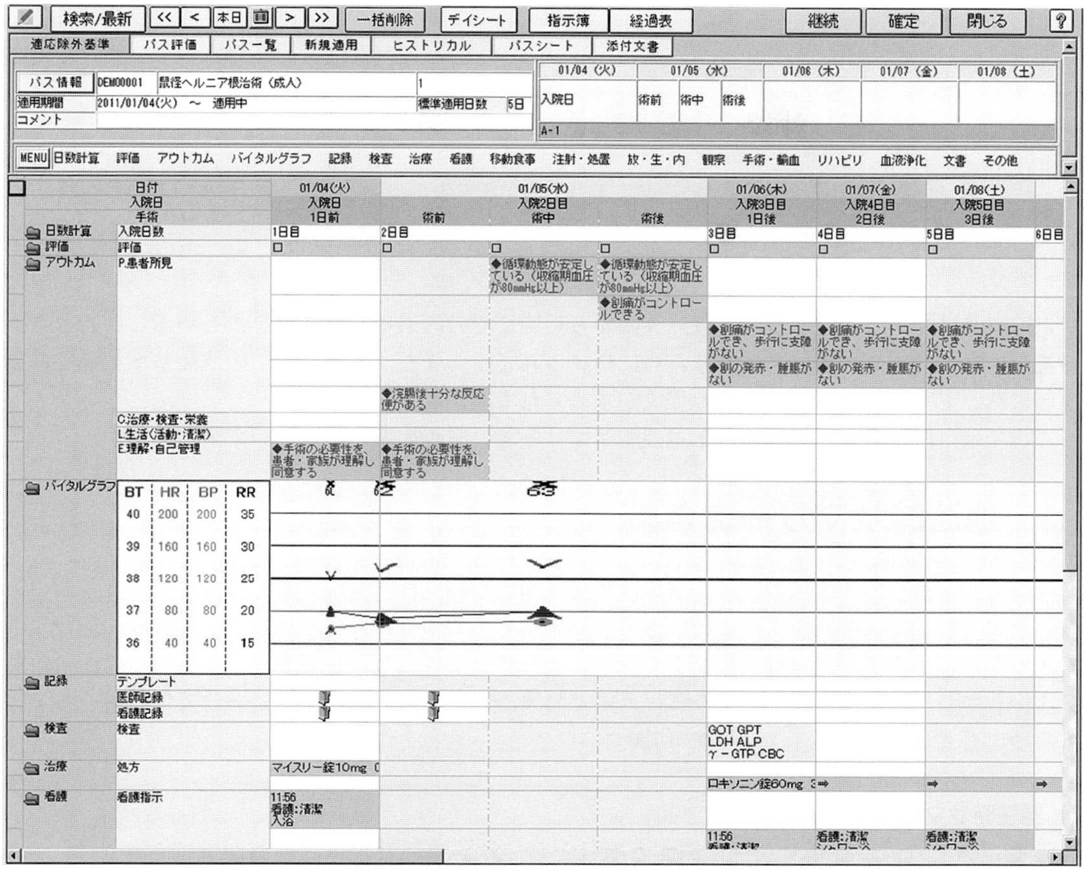

富士通 EG-MAIN／GX のクリニカルパス画面（All Rights Reserved Copyright (c) FUJITSU LIMITED）

電子パスの「パス画面」は，日程表形式に組み込まれたオーダのセットに加え，看護介入項目の設定と実施登録・表示，毎日のアウトカムの設定と達成度の登録・表示が可能になっている。

が適切だったのか，設定したアウトカム項目が本当に必要なものだったのか，設定した検査や投薬に過不足がないか —— などの検討が定期的に行われる必要があります。

この具体的な検討分析方法や目的，コンセプトは各医療施設により異なっています。医科診療報酬点数表には医師事務作業補助者の業務として「医療の質の向上に資する事務作業（診療に関するデータ整理，がん登録などの統計調査，医師教育や臨床研修のカンファレンスのための準備作業）」が明示されており，クリニカルパスの分析では，その方法論，目的とする指標などについて医師はもちろん質評価分析にかかわるスタッフとの十分なコミュニケーションが必要です。クリニカルパス医療においては単に入力や記録の代行だけでなく，このような質向上のためのシンクタンクとして医師事務作業者補助者は重要な役割を果たすことになるでしょう。

なお，日本クリニカルパス学会は，2020 年に「電子クリニカルパス操作における事務職の代行操作に関する指針」を策定しましたので，こちらも参考にしてください。

なお，日本クリニカルパス学会は，2020 年に「電子クリニカルパス操作における事務職の代行操作に関する指針」を策定し事務職が電子パス関連の入力操作を行う場合の注意点や業務範囲のガイドラインを発表しています〔電子クリニカルパス操作における事務職（医師事務作業補助者・クラーク）の代行操作に関する指針—第 1 版—. 日本クリニカルパス学会誌. 2021；23（1）：22-29）〕。

7. 退院時サマリー

前多　亜佐子，山崎　茂弥

　退院時サマリー（退院時要約）は，入院から退院までの経過や治療内容をまとめることにより，退院後の外来診療をスムーズに行うために作成されます。また，診療報酬上の施設基準や病院機能評価においても，全患者についての作成が求められています。
　ここでは，医師事務作業補助者と退院時サマリーとの業務の関わりについて説明します。

1　退院時サマリーの意義

　退院時サマリーの作成について，地域医療支援病院や特定機能病院に対しては「過去2年間の退院した患者に係る入院期間中の診療経過の要約を備えておかなければならない」と医療法施行規則で決められていますが，一般病院でもサマリーの作成を前提とした加算を届出しているのが一般的です。しかし，冒頭でも示したように，入院と外来，スタッフ間，施設間において情報の共有を図るために有意義なデータとなります（図表2-23）。

1）退院時サマリーと診療報酬
　診療報酬上，退院時サマリーに関する項目としては診療録管理体制加算が上げられます。図表2-24 に示すように，施設基準として「入院患者について疾病統計及び退院時サマリーが作成されていること」が挙げられ，全診療科で全患者の退院時サマリーを作成することが要件となっています。

図表 2-23　退院時サマリーの意義

> 　病院の診療活動を把握するには，診療に関する包括的かつ客観的な情報が必要である。この観点から入院診療の概要をコンパクトに集約した「退院時要約」は，単なる退院時初回の連絡メモではなく，医療の質評価のため，病院管理のため，医学研究のため，学術統計のためなど，その活用範囲は非常に広い。一方，「退院時要約」は診療録体制加算や病院機能評価の必須条件であり，重要な位置付けにある。

（日本診療情報管理士協会誌　メディカルレコード第 28 巻特集号　診療情報管理基準〔第 2 版〕より）

図表 2-24　診療録管理体制加算

> ◇**診療録管理体制加算（入院初日）**「1」140 点，「2」100 点，「3」30 点
> 　1 人以上の専任の診療記録管理者の配置その他の診療録管理体制を整え，現に患者に対し診療情報を提供している保険医療機関において，入院初日に限り算定する。
> ◇**診療録管理体制加算 1 に関する施設基準（通知）**
> （1）〜（7）省略
> （8）全診療科において退院時要約が全患者について作成されている。また，前月に退院した患者のうち，退院日の翌日から起算して 14 日以内に退院時要約が作成されて中央病歴管理室に提出された者の割合が毎月 9 割以上である。なお，退院時要約については，全患者について退院後 30 日以内に作成されていることが望ましい。
> （9）省略

（診療報酬点数表より抜粋）

図表 2-31　転帰について

2024 年度「DPC の評価・検証等に係る調査」実施説明資料より

Q：転帰の判定に迷う場合はどのようにしたらよいのか。

A：転帰とは，あくまで今回の入院時と比較したものであり，必ずしも原疾患そのものに対してのものではない。したがって，今回の入院において，入院時と退院時と比較した結果によって転帰を判断するものである。さらに退院時の判断によるものであるから，以後の転帰を保証するまたは考慮したものではない。例えば，医師が退院時に転帰を判断した後，それ以降，患者の状況が変化したとしても退院時の転帰を覆すものではない。判定は，以下の定義を参照の上判断すること。

転帰	定　　義
治癒・軽快	疾患に対して治療行為を行い，改善，快復がみられたもの。
寛解	血液疾患などで，根治療法を試みたが，再発のおそれがあり，あくまでも一時的な改善をみたもの。
不変	当該疾患に対して改善を目的として治療行為を施したが，それ以上の改善が見られず不変と判断されたもの。ただし，検査のみを目的とした場合の転帰としては適用しない。
増悪	当該疾患に対して改善を目的として治療行為を施したが，改善が見られず悪化という転帰を辿ったもの。

（2024 年度「DPC の評価・検証等に係る調査」実施説明資料／ 2024 年 3 月 29 日現在／厚生労働省保険局医療課）

図表 2-32　退院時サマリーへの手術名等の記載

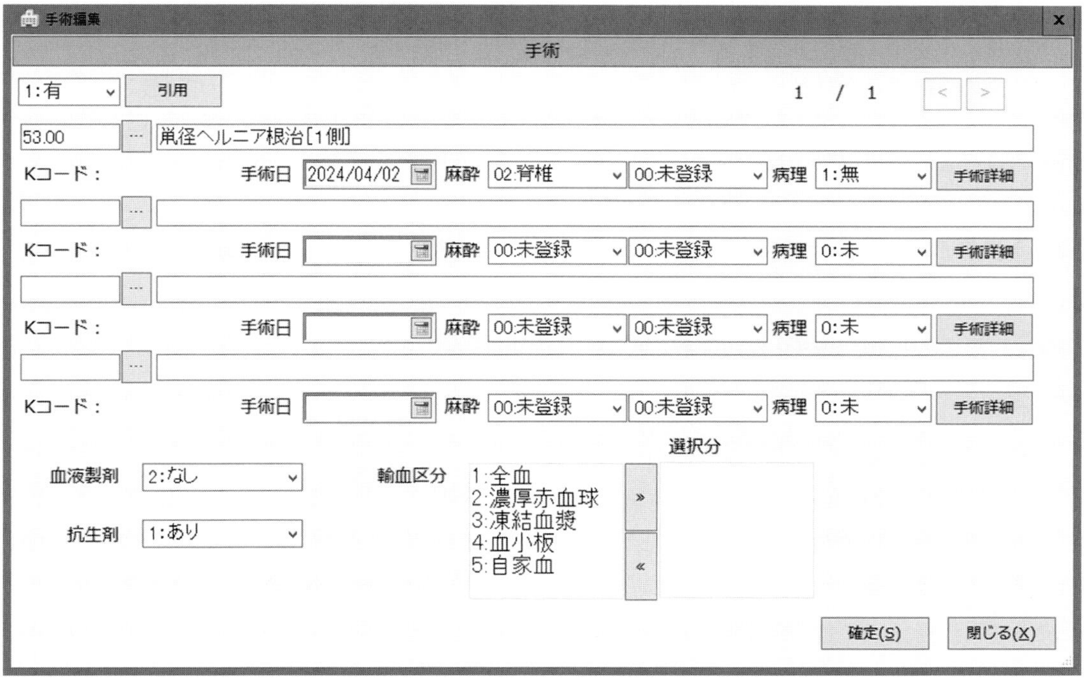

業補助者として多くの経験や知識を積極的に習得して業務に当たることが，質の高い退院時サマリーにつながるものと考えます。

8. 「説明と同意」に関する書類

柳澤　泰江

1　インフォームド・コンセントの理念とは

　インフォームド・コンセントとは，「情報が十分に伝えられたうえでの同意」という意味で，一般に「説明と同意」と訳されています。患者が病気の内容，治療方法や問題点，治療の可能性等について詳しい説明を受け，納得したうえで治療を受けることです。医療法では 1997 年の改正で，「医師，歯科医師，薬剤師，看護師その他の医療の担い手は，医療を提供するに当たり，適切な説明を行い，医療を受ける者の理解を得るように努めなければならない」と，インフォームド・コンセントの理念に基づく医療を提供することを示しました。

　医療の担い手は，「成年に達し正常な判断能力を有するものは誰でも，自己身体に何がなされるべきかを決定をする権限を有する」という考えに基づき，医療行為の内容とそれによってもたらされる結果の予測や危険性等について説明し，患者の納得を得るべきです。医師の説明に基づき，患者が自己の病状について十分に理解して治療に協力することは，相互の信頼関係に立脚した適切な医療の遂行と治療効果の達成のために重要です。

　看護者の倫理綱領（日本看護協会）には，「人々の知る権利及び自己決定の権利を尊重し，その権利を擁護する」と明記されていますが，同様の倫理綱領は医師にも診療情報管理士にもあります。インフォームド・コンセントは患者の権利において最も重要な原理なのです。

2　患者の諸権利を定める法律要綱案

　インフォームド・コンセントが必要になってきた背景の一つには，1984 年に医療問題に取り組む弁護士，医療従事者，市民や患者団体など広範囲な人々から結成された「患者の権利法をつくる会」が，「患者の諸権利を定める法律要綱案」を発表したことが挙げられます。これにより，患者と医師の関係性，医療の在り方が変化してきました。図表 2-33 は法律要綱案のなかの「医療における基本権」です。また，患者に対する「医療機関および医療従事者の義務」として図表 2-34 が示されています。

3　インフォームド・コンセントの困難な場合

1. 未成年の患者
　幼児に対する治療で注射や検査が必要なときなど，インフォームド・コンセントが困難な未成年者に対しては，保護者の同意があれば治療を行えます。

2. 救急患者
　患者が生命の危機にあり，患者への説明より治療が優先する場合は，家族に事前に説明を行い，治療を優先させます。

3. がん
　がんの告知については，外来問診時にがんの告知を希望するか否かの確認をすることもあり，そ

図表 2-33　医療における基本権

	内容
a　医療に対する参加権	すべて人は，医療政策の立案から医療提供の現場に至るまであらゆるレベルにおいて，医療に対し参加する権利を有する。
b　知る権利と学習権	すべて人は，自らの生命，身体，健康などに関わる状況を正しく理解し，最善の選択をなしうるために，必要なすべての医療情報を知り，かつ学習する権利を有する。
c　最善の医療を受ける権利	すべての人は，経済的負担能力にかかわりなく，その必要に応じて，最善の医療を受けることができる。
d　安全な医療を受ける権利	すべて人は，安全な医療を受けることができる。
e　平等な医療を受ける権利	すべて人は，政治的，社会的，経済的地位や人種，国籍，宗教，信条，年齢，性別，疾病の種類などにかかわりなく，等しく最善の医療を受けることができる。
f　医療における自己決定権	すべて人は，十分な情報提供とわかりやすい説明を受け，自らの納得と自由な意思にもとづき自分の受ける医療行為に同意し，選択し，あるいは拒否する権利を有する。
g　病気および障害による差別を受けない権利	すべて人は，病気または障害を理由として差別されない。

（患者の権利法をつくる会「患者の諸権利を定める法律案要綱」より）

図表 2-34　医療機関および医療従事者の義務

	内容
a　誠実に医療を提供する義務	医療機関および医療従事者は，患者の人格の尊厳と健康に生きる権利を尊重し，患者との信頼関係を確立保持し，誠実に最善かつ安全な医療を提供しなければならない。
b　患者の権利を擁護する義務	医療機関および医療従事者は，常に患者が有する精神的，肉体的負担等に配慮しつつ，率先して患者の自律権と正義を保証し，もしくは回復するために適切な手段を講じて，常に患者の権利を尊重し，これを擁護しなければならない。
c　医療従事者としての研鑽義務	医師，歯科医師，薬剤師等すべての医療従事者は，それぞれに付与された法律上の資格と倫理基準に相応しい能力と品性を保持し，その向上のために絶えず研鑽しなければならない。
d　医療事故における誠実対応義務	医療機関および医療従事者は，医療行為によって患者に被害が生じた場合，患者本人・家族・遺族に対して誠実に対応しなければならない。前項の場合，医療機関および医療従事者は，医療被害の原因の究明に努め，患者，家族，遺族に対し，責任の有無を明らかにして十分な説明を行うとともに，再発防止の措置を講じなければならない。

（患者の権利法をつくる会「患者の諸権利を定める法律案要綱」より）

の際に本人や家族が希望しない場合もあります。また，家族への病状説明，本人への病状説明を別々に行う配慮も必要です。患者の意思，家族の意見を確認し，十分な説明と理解，合意形成が求められます。

4　確認手順

当院での説明と同意に関する手順は次のような流れになります。

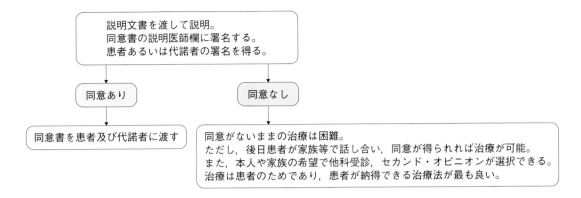

5　説明と同意が必要な文書例

当院では，「説明と同意」が必要な場合，以下のような事項について同意書をいただきます。

1) 個人情報に関する同意書の内容

(1) ベッドネームへの名前の表示

(2) ルームネームへの名前の表示

(3) 検査，与薬，注射等の際の本人確認を目的とした名前での呼びかけ

(4) ベッドサイドでの検査予定，検査方法の説明，検査結果の説明

(5) 面会者と思われる人から，病室の場所を尋ねられた場合の回答

(6) 外部から電話があった場合の取次ぎ

上記の内容確認を患者本人（家族）に説明し，同意を得ます。また，同意内容の徹底として，院内メール等を使用した周知が必要です。

2) 入院診療計画書の内容

「患者氏名，ID，病棟（病室），主治医以外の担当者名，病名（他に考えられる病名），症状，全身状態の評価（ADL の評価を含む），治療計画，検査内容および日程，手術内容および日程，栄養摂取に関する計画，推定される入院期間，その他（看護，リハビリテーションの計画）」を入力し，日付・患者サインを記入していただきます。

3) 検査，治療，手術の説明と同意書の内容

(1) 病名（疑われる病名）

(2) 病状説明

(3) 検査・治療の内容

(4) 検査・治療の目的，必要事項

(5) 検査・治療の実施日（予定日）

(6) 検査・治療に伴う副作用，危険性および予後

(7) 他の選択（代替え可能な行為）について

(8) セカンドオピニオン

(9) 患者の自己決定権

上記に加え，説明を行った日，説明医師，立会看護師も記入します。同意を得た患者本人より，日付・患者サインを記入していただきます。

4) 治療方針確認書の内容

治療方針確認書（※）は，がんの末期の患者などに今後の方針を確認する際，使用します。

(1) 病名（疑われる病名）

(2) 病状説明

（※）この書類は，病院によって名称が異なりますが，医師が治療方針を説明し，患者家族から同意を得るという目的の文書は，必ず各病院で作成します。

(3) 当院で可能な治療説明

(4) セカンドオピニオン
(5) 患者の自己決定権

　上記に加え，説明を行った日，説明医師，立会看護師も記入します。同意を得た患者本人より，
日付・患者サインを記入していただきます。

5）抑制（行動制限）の同意書（※）の内容

　抑制（行動制限）の適応と方法は，下記のとおりです。

適応

(1) 転倒・転落の危険性がある場合
(2) 点滴等の医療器具を触ったり，抜いたりしようとする場合
(3) 必要な治療・医療ケアを拒否される場合
(4) 体動によって患者さん自身の安静，または創部の安静が保てない場合
(5) 患者さんの汚染予防のための場合
(6) 認知症が重度もしくは見当識レベルが低い場合
(7) 危険な徘徊がみられる場合
(8) 他の患者さんに対し，悪影響を及ぼす行動がある場合
(9) 手術中のため体を抑制する場合

方法

(1) 抑制帯を用います。
(2) ベッド4点柵または代用品（ベッドを壁側に当てる）を用います。
(3) 薬剤を用います。
(4) 病衣を変更（チャック式）します。
(5) 車椅子を使うときはベルトを使います。

抑制（行動制限）の種類　（①～⑥のいずれかにチェックを入れます）

□①両上肢抑制（両手に抑制帯を装着）
□②両手おにぎり君装着（両手にグローブ装着），センサーマット・うーご君装着
□③両下肢抑制（両下肢に抑制帯装着）
□④両上下肢抑制（両手，両足に抑制帯装着）
□⑤体幹抑制（肩から抑制帯装着）
□⑥抑制着使用（衣類の中に手が入らないようにする）

　上記内容を説明し，同意を得たら他の同意書同様に日付・患者サインをいただきます。抑制，解
除の際にも，説明と同意が望ましいと考えます。
（※）精神病床の場合，精神保健福祉法による書式があります。

6）輸血に関する説明と同意書の内容

(1) 輸血の必要性
(2) 起こりうる副作用
(3) 輸血方法
(4) 使用する血液製剤
(5) 輸血に関する検査
(6) 自己決定権

　上記内容を説明し，同意を得たら他の同意書同様に日付・患者サインをいただきます。

参考引用文献／・『基礎看護学（1）：看護学概論』川村佐和子，志自岐康子，松尾ミヨ子編，メディカ出版
　　　　　　　　・『看護者の倫理綱領』日本看護協会

9. 医療文書に対する医師の確認手順

山本　信孝

　死亡診断書や出生証明書のように戸籍にかかわる重要な書類から，生命保険の診断書のように金銭にかかわる診断書，あるいは休養のために会社等に提出する診断書等，医療文書には様々な種類があるのはご存知のとおりです。「診断書」を書くことができるのは，法的に医師か歯科医師に限られており，それ以外の人が作成すると医師法違反で罰せられます。また医師法第19条2項には，診断書の作成を求められた場合には正当な理由がないと拒否できないとされています。

　診断書は本来，医師あるいは歯科医師しか作成できないものですが，それを弾力的に運用し，医師事務作業補助者がおおむね記載して，それを医師が確認することで合法としています。

　本稿では，医療文書記載における医師の立場での注意点について述べます。

1　すべての診断書に共通すること

　診断書の基本は病名の記載です。診断が確定しない場合には症状のみや疑い病名での記載もあり得ます。例えば「心不全」は症状名ですが，原因が特定できない場合には病名欄に用いることがあります。この点は医師が最も重視して確認する事項です。脳腫瘍か脳梗塞かがわからない場合には「脳腫瘍疑い」とすることもあり得ますが，これは診断書の種類によります。

　カルテ内から必ず得なければならない情報としては，症状の始まった発症日，病院に初めてきた初診日，入院があれば入退院日等があり，これらの確認はほぼ必須です。

　症状の記載については，診断書の種類によって内容が大きく変わってきます。ほとんどの場合はそれほど詳細に書く必要はありませんが，書き方はそれぞれの医師によって癖があります。

　診断書を作成した日付，病院名，住所の記載は必ず必要です。医師名については，印字したものに捺印しても法的には問題ありませんが，監査証跡が残るため，自署が望まれます。自署すれば捺印は法的には不要ですが，厚労省は捺印するよう指導しています。捺印については，捺印欄がある場合もありますが，本来医師名の最後の文字にかぶせるように捺印するのが正式な方法です。

　患者さんの氏名の漢字は，略されてカルテに記載されていることがあります。戸籍上の文字で書くことが原則ですが，電子カルテの辞書にない文字もあるからです。カルテ上にその旨の記載がある場合には問題ありませんが，記載のない場合は確認のしようがありません。カルテを作成する部署との連携が必要です。

　公文書の場合，日付は西暦ではなく元号で記載することになっています。これについては，法的根拠はなく慣習にすぎません。病院で作成する文書は，公的病院でなければ私文書になるためこの点の制限は原則としてありませんが，公的施設（市町村役場など）に提出する文書は元号で記載するほうが無難です。

2　死亡診断書，出生証明書

　出生証明書は出生届けに添付されるもので，医師または助産師あるいは立ち会った人が書くことになっています。戸籍には氏名が載りますが，読み方は載りません。出生証明書には読み方の記載

欄がありませんが，両親等が決めた名前の文字を忠実に記載する必要があります。これは医師が確認することではないので，注意するしかありません。

　死亡診断書（死体検案書）は戸籍抹消の手続きの他に死亡統計にも用いられます。氏名の文字に注意するのは出生証明書と同様ですが，生年月日の転記間違いをしやすいようです。死亡時間もカルテの記載と同じでなければなりません。死因については医師あるいは歯科医師の判断によるもので，これについては厚生労働省等から出されているマニュアルに沿って，詳細な記載が求められています。不要な文字は二重線で消す，不要な記載欄は斜線を引きしかも文字と重ならないようにする —— といった，いかにもお役所的な決まり事があり，かなり神経を使います。もっとも死亡診断書（死体検案書）は患者さんが亡くなったらただちに医師（歯科医師）が作成するのが一般的で，後日作成を求められた場合にはそのまま転書するだけで済むと思われます。

3　生命保険会社への診断書（入院証明書）

　生命保険会社への診断書は最もトラブルの原因となりやすい書類の一つです。姓名・生年月日の記載については他の書類と同様ですが，発病時期，初診日，入院期間，既往歴などが，加入時期との関係で話がこじれる危険性があります。

　例えば，くも膜下出血で入院した方の原因を脳動脈瘤とする場合には問題が起きようがありませんが，脳出血の原因を高血圧とした場合，加入時に高血圧がわかっていたかどうかが問題になることもあります。したがって，病名や経過については，もちろんごまかしや虚偽の記載はいけませんが，当たり障りのない表現に努めなければなりません。

　症状の詳記が問題になることはありませんが，書き方については前述のように医師によってかなり変わります。

　初診日についても，保険の加入時期が問題になることもあります。手術が行われている場合には，病名と手術術式の齟齬に注意を要します。医師は病名，初診日，入院期間，手術術式を重点的に確認しますが，既往症や後遺症の記載は主治医に確認するほうが無難かと思われます。

4　傷病手当申請書

　傷病手当申請書については，特にむずかしいことはありませんが，休業の期間を初診日前から記載するよう求められることがあります。医師としては診察前のいつから休業の必要があったのか，なかなか判断できません。休業の期間について確認が必要です。症状の経過などは簡単な記載でも問題になることはあまりありません。

5　障害年金診断書・身体障害者申請用診断書

　障害年金診断書と身体障害者申請用診断書については，患者の残っている身体能力を計測する必要があります。測定は本来医師が行う必要がありますが，理学療法士が代行することも少なからずあると思われます。記載に当たって発症日，経過などは医師が確認するだけでも問題ありませんが，残存機能や身障等級の記載は医師がすべきです。しかし，障害年金診断書の更新については，医師が経過の確認をするだけで，他の記載は代行してもらうことも可能です。

6　自賠責保険の診断書

　交通事故の場合，後日自賠責保険の診断書の提出を求められることがあります。この書類は受傷日に注意を要します。診断名は医師の裁量ですが，症状の記載については病名との食い違いがない

よう，検査名とともに注意を要します。医師は病名と経過，検査内容，加療期間，後遺症診断などについて慎重に確認します。

7　病院様式の診断書

　交通事故の診断書，あるいは学校や職場に休業のため提出する診断書は，各病院の様式であることが多いと思われます。病院によって書式が異なっても，基本的には病名，加療の必要な期間，休業が必要となる期間等を記載することになります。この記載については医師の判断が必要であるため，必ず記載前に医師に確認します。しかし，病気で休業する場合，期間を1カ月程度としたうえで，必要な場合には延長することもよくありますので，この場合は転帰に気をつけたほうがよいかと思います。

　病院が発行する診断書等の医療文書は数多く存在します。しかし，共通の項目が多く，基本的な事項を押さえれば，ほとんど問題になることはありません。とはいえ，発症日や既往歴などについて患者，患者家族からクレームがくることも少なくありません。医師もその点をかなり重視して確認します。嘘がないことが原則ですが，病名や種々の日付には細心の注意が必要です。

2　医療文書
の作成

Column

神経内科の診療と
医師事務作業補助者の役割

鶴田　和仁

　潤和会記念病院に医療事務作業補助者が配置されて 12 年になります。当初はお互いにどうすればいいのかわからず，試行錯誤が続いていました。作業が本格化したのは電子カルテの更新のときです。医師事務作業補助者の仕事を有効なものにするには「代行入力」が欠かせませんが，新しいシステムを導入する際，最初から代行入力のシステムを入れたために以後の作業が効率的になり，やりやすくなりました。代行入力後に医師の確認作業をシステム化することで整合性を取りやすくなる面があります。

　神経内科の外来診療を例にとると，当科は経過の長い患者が多いこともあり，医師事務作業補助者の仕事で最も重要なのが予約管理といえます。診察が終わって次回の来院日と検査予約をしますが，これを医師事務作業補助者が担当することで，医師はすぐに次の患者の診察が始められます。来院日の変更希望があるときは，それに併せて投薬の日数を代行入力で変更することも可能です。これは医師の時間当たりのパフォーマンスを大幅に改善し，診療可能な患者が増えることにもなり，ひいては病院の収入に大きく貢献することになります。

　担当の看護師が席を外したときは，医師がやらねばならないことがいろいろと出てきますが，看護師以外でも可能な間接的な介助を医師事務作業補助者にやってもらうと助かる場面があり，看護師の負担軽減にもなっていると思います。

　外来以外の処置中などに予約の電話が入ることもありますが，医師事務作業補助者に電話を転送することで対応してもらえるのも，医師の負担軽減になります。急な予定変更で外来診療日が直前に変更になることもありますが，こうしたときにも予約変更の電話連絡を医師事務作業補助者にお願いしています。普段の外来診療で患者とのやり取りを見ているために診療内容を把握しやすく，患者への簡単な説明もできるため，柔軟なスケジュール管理につながっています。

　また，定型的な診療情報提供書についても作成していただき，できあがった文章を主治医が確認しています。診療科専属の医師事務作業補助者であれば，診療科の内容がある程度わかるようになるため，レセプトの一次チェックもお願いしています。医事課職員が行う場合との違いは，普段のコミュニケーションが密であるか否かという点ですが，これは大きな利点ではないかと思います。したがって，医師による二次的なチェックは最低限で済むようになりました。

　このほか，入院患者が高額医療の対象となった場合には症状詳記を作成しなければなりませんが，医師事務作業補助者が下書きを作成してくれていると簡単な修正で文書ができあがりますので，助かっています。

　以上が医師事務作業補助者にお願いしている主な仕事です。最も助かっているのは，予約管理の部分だと思います。病院勤務医は多忙で疲弊していますが，医師事務作業補助者はそれを少しでも緩和してくれる存在であり，なくてはならない職種です。

　医師の働き方改革が大きな話題となっていますが，医師およびそれ以外のコメディカル間でのタスクシフトをどうするかという課題を克服していく作業がより重要になってきます。

クイックチェック（医療文書編）

本章の内容をクイズ形式で振り返ります。初任時の 32 時間研修等にぜひご活用下さい。

【問題】

Q1. 医師に診断書を申し込むことができるのは誰か（該当するものすべてを回答）。
1) 本人
2) 家族
3) 承諾書をもつ第三者
4) 本人が勤務する会社の上司

Q2. 診断書のなかで，手数料が保険給付の対象となるのはどれか。
1) 死亡診断書
2) 診断書（警察提出用）
3) 傷病手当金請求書
4) おむつ使用証明書

Q3. 潰瘍性大腸炎の患者が利用することのできる公費負担制度はどれか。
1) 育成医療
2) 更生医療
3) 措置入院
4) 難病医療費助成制度

Q4. 介護保険において要介護区分を決定するのは誰か。
1) 主治医
2) 都道府県
3) 介護認定調査員
4) 介護認定審査会

Q5. 保険会社に提出する診断書には，傷病名ごとの「傷病発生年月日」を記載し，これらの年月日が「医師推定」もしくは「患者申告」のいずれかの区分を選択する欄がある。この傷病発生年月日及び区分で，医師事務作業補助者が仮に記載すべきものはどれか。

〈症例1〉

　3月20日に家で転倒し，3月21日に痛みが引かないので当院に受診した。診察時に内出血を認め，痛みもあったためエックス線検査の結果，骨折が判明した。
1) 3月20日付け医師推定
2) 3月20日付け患者申告
3) 3月21日付け医師推定
4) 3月21日付け患者申告

〈症例2〉

　5月1日に，「最近すごく疲れやすい」との主訴で受診した患者。3月1日ごろからたまに便に血がつくと説明。検査の結果，5月15日に大腸癌との確定診断に至った。
1) 3月1日付け患者申告
2) 3月1日付け医師推定
3) 5月1日付け医師推定
4) 5月15日付け医師推定

Q6. インフルエンザ疑いで受診した患者が，迅速検査キットで「Ａ型（−），Ｂ型（−）」との結果になり，医師はかぜ症候群と診断した。その患者が，文書受付で「仕事の都合で『インフルエンザに罹患していないと明記した診断書』がほしい」と申し出た。医師事務作業補助者として最も適切な対応はどれか。

1）診断書に「傷病名：かぜ症候群」と記載した診断書を発行し，インフルエンザについては記載しない。

2）診断書に「傷病名：かぜ症候群」と記載したうえで，特記事項欄に「インフルエンザには罹患していない」と明記する。

3）診断書は交付せず，電子カルテシステムから，「インフルエンザ迅速　Ａ型（−），Ｂ型（−）」との記載がある箇所を印刷して患者に渡す。

4）「インフルエンザに罹患していない証明書は発行できない」と説明する。

Q7. 椎間板ヘルニアのために入院していた患者が，退院後の仕事に不安を感じている。患者が看護師を経由して医師に相談したところ，「退院後2週間は自宅で安静にしていることが望ましく，出勤は望ましくない。その後も，退院後4週間は重量物を持ち上げるなど負担がかかる業務は避けてほしい」との退院指導が行われた。患者の希望により，これを職場の上司に伝えるために発行すべき書類はどれか。

1）診断書の備考欄に，「退院後2週間は自宅安静を要し，4週間は重量物持ち上げ等を避けることが望ましい」と記載する。

2）診断書の備考欄に，「退院後2週間経過後より出勤を許可する。退院後4週間は，重量物の持ち上げなど負荷のかかる業務を禁止する」と記載する。

3）診療情報提供書の備考欄に，「退院後2週間は自宅安静を要し，4週間は重量物持ち上げ等を避けることが望ましい」と記載する。

4）診療情報提供書の備考欄に，「退院後2週間経過後より出勤を許可する。退院後4週間は，重量物の持ち上げなど負荷のかかる業務を禁止する」と記載する。

Q8. 呼吸苦を訴えて救急車で来院した患者が，気管支喘息との診断を受けて入院した。その後，症状が安定して帰宅できるようになった。そこで医師は下記の退院時処方を出し，近所の診療所に継続診療を依頼することにした。医師事務作業補助者が診療情報提供書の依頼目的欄に記載すべき文案で，適切なのはどれか。なお，尊敬語・謙譲語は省略して丁寧語に統一している。

〈退院時処方〉

オノンカプセル112.5 mg　4カプセル　　1日2回　朝・夕食後　14日分

パルミコート200 μg タービュヘイラー（56吸入）　1本　1吸入　1日2回

1）「下記処方の継続をお願いします」と記載し，備考欄に退院時処方を記載する。

2）「今後の外来加療をよろしくお願いします」と記載し，備考欄に退院時処方を記載する。

3）「処方の継続をお願いします」と記載し，処方は記載せず，おくすり手帳を参照してもらう。

4）「今後のご加療をお願いします」と記載し，処方は記載せず，おくすり手帳を参照してもらう。

【解答・解説】

Q1 1)，2)，3)

解説 診断書を依頼する権限が本人に属することは当然です。しかし，意識がない，認知症であるといった理由で本人が申込できない場合や，通院が困難で他の人に依頼する場合 ── は，本人の代わりに承諾する人（代諾者といいます）が申し込むか，あるいは本人の承諾書を得て申し込むことになります。なお，承諾の方法は，「同意を求める内容や緊急性などを勘案」※して判断することになっていますので，文書以外の方法も可能です。ただし，診断書にそれほどの「緊急性」が伴うことは少ないので，第三者からの申込では同意書を求めることが一般的と言えます。 （参考 P.28）

Q2 3)

解説 **診断書の手数料は保険診療の対象とはなりませんので，基本的に自己負担になります。**ただし，「傷病手当金請求書」など例外的に保険給付が認められているものもあり，これは診療報酬として一定額が支払われます。この傷病手当金は，私傷病（労災や交通事故は対象外）で労務不能となって給与の支給がなくなった場合に，健康保険組合などから支給される現金給付をいいます。

なお，警察提出用の「診断書」は，患者自らが警察に提出するものです。その他に，警察や検察が刑事訴訟法に基づいて医師に情報提供を求める「捜査関係事項照会書」もあり，これらの手数料は文書を求めた人（患者や警察など）が負担することになります。

おむつ使用証明書は，おむつの費用を所得税などの医療費控除に入れるためのものです。介護保険を利用している人は証明書を発行せずに医師の意見書で代用できることもあります。 （参考 P.29）

Q3 4)

解説 育成医療は18歳未満，更生医療は18歳以上の障害をもつ人に対して，障害者自立支援法に基づいて医療費の自己負担金を公費負担する制度です。

措置入院は，精神保健福祉法の規定に基づき，自傷他害のおそれがある患者を同法の指定医2名の診察に基づいて，本人の意思にかかわらず入院してもらう制度です。この場合も自己負担金は公費負担の対象になります。

難病医療費助成制度は，潰瘍性大腸炎などの指定難病をもつ患者を対象に，その原因究明などの研究を目的として自己負担金を公費負担する制度です。対象となるのは，ベーチェット病，全身性エリテマトーデス，筋萎縮性側索硬化症，パーキンソン病，筋ジストロフィー，プリオン病，ライソゾーム病，クローン病など341疾患あります（2024年6月時点）。小児の悪性新生物や糖尿病など16疾患群845疾病（2024年6月時点）を対象とした「小児慢性特定疾病対策」もあります。

Q4 4)

解説 介護保険制度の仕組みを復習しておきましょう（図表2-38）。

まず，介護保険の保険者（保険制度の運営主体）は市町村です。ちなみに後期高齢者の場合は，都道府県の広域連合が保険者になっています。

介護サービス給付を受けようとする被保険者（65歳以上，もしくは40歳以上で特定疾患の患者）は，市町村に対して認定申請を行います。これを受け，市町村は「介護認定調査員」を申請者の自宅などに派遣します。そして日常生活などを評価し，その結果をコンピュータに入力します。ここである程

※ 厚生労働省「医療・介護関係事業者における個人情報の適切な取扱いのためのガイダンスに関するQ&A 3-1」

図表 2-38　介護保険のサービス利用の手続き

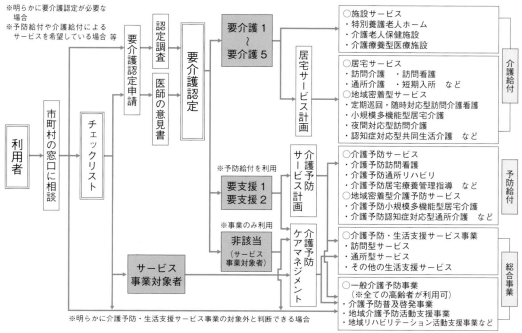

度の介護度が判定されることになります。

　ただし，実際には患者個別の状況があり，それによって介護の必要性が変化する場合もあります。例えば脳血管疾患の後遺症などで認知機能が不安定であり，見た目よりも介護の手間がかかるようなケースです。そこでこれらの状況について，主治医は「意見書」を通じ，介護認定審査会に意見を述べることができます。したがって，要介護区分を決定する権限は介護認定審査会にあります。

　なお，主治医の意見書は，介護サービス専門員（ケアマネジャー）にも届けられ，介護サービス計画の立案にも役立てられます。

（参考　P.48）

Q5 〈症例1〉 1)

解説　診断書の信頼性を高めるためには，できる限り「医師推定」を選択します。この事例では転倒した翌日となる3月21日に受診していますが，診察時に医師が内出血を認めており，3月20日に転倒して受症したことを推定することは可能です。このため3月20日付けとしています。

〈症例2〉 1)

解説　3月1日ごろに便に血液が付着していたことを，医師やメディカル・スタッフは直接的には確認していません。よって「3月1日」を傷病発生年月日とする証拠がないので，医師事務作業補助者が行う仮記載の段階では患者告扱いとせざるをえません。しかし，大腸癌の検査をした医師が，内視鏡などの検査所見を踏まえて3月1日時点で発症していた可能性が高いと判断すれば，「医師推定」と記載した診断書を作成することは可能です。これは臨床判断ですから，医師事務作業補助者が行ってはならない判断であることに注意してください。

Q6 4)

解説 インフルエンザに限らず，病気に罹っていないことの診断書や証明書は基本的に発行不可能です。これは法令や院内規則の問題ではなく，医師であっても「患者がインフルエンザに罹患しているか」を判断すること自体が不可能です。仮に迅速検査キットで「Ａ型（－），Ｂ型（－）」との結果が出ていても，感度が低ければ陽性（＋）とならず陰性（－）となることはよくあり，これを偽陰性といいます。

1）の診断書は発行可能ですが，患者の要求を満たしていないので後にトラブルになる可能性があり，望ましくありません。2）は上記の理由から，虚偽診断書になってしまう可能性があり不適切です。3）は，医師が患者に説明する目的で行うことは可能です。ただし，設問の例では医師事務作業補助者が病状説明を行うかたちになりますのでやはり不適切です。

Q7 1)

解説 医師が患者の状態を医学的に証明できる書類は，診断書です。指導事項を付記することも可能です。3），4）の診療情報提供書は，医療機関間などで用いる書類ですので，職場の上司に伝える目的では用いません。ただし，職場の上司ではなく産業医に伝える目的であれば，診療情報提供書を用いることもあり得ます。2），4）については，主治医には患者の出勤を「許可」したり，業務を「禁止」したりする権限はありません。就業に関する許可・禁止などの権限はその患者の雇用者にありますから，主治医ができるのは患者に対する「指導」までです。特に自治体病院などで，公務員である医師が診断書を通じてこうした法的権限のない「許可」や「禁止」を行ってしまうと，大きな問題になりかねませんので注意してください。

Q8 2)

解説 3），4）は，退院時処方の情報がないと，病院医師と診療所医師との間で診療の継続性を確保できません。仮に薬剤師が「おくすり手帳」への記載を行う場合でも，患者がその手帳を診療所に持参する保証はありませんから，診療情報提供書にも記載すべきです。

1）については，退院時処方を継続するか否かは，診療所医師の判断です。病院医師の立場で「下記処方の継続」などと診療所医師に指図するような文言を記載するのはきわめて不適切です。

第3章
診療記録の代行入力

1. 医師事務作業補助者がかかわる診療記録

高橋　新，瀬戸　僚馬

　医師事務作業補助者の業務には，診療記録の代行入力があります。この診療記録は，診療を成り立たせるためにきわめて重要な文書です。退院サマリや，説明・同意文書なども診療記録の一部であり，その幅はきわめて広いものです。

　厚生労働省の「診療情報の提供等に関する指針」では，「診療記録とは，診療録，処方せん，手術記録，看護記録，検査所見記録，エックス線写真，紹介状，退院した患者に係る入院期間中の診療経過の要約その他の診療の過程で患者の身体状況，病状，治療等について作成，記録又は保存された書類，画像等の記録をいう」とされています。

　医師事務作業補助者の業務としては，医師が作成すべき診療記録全般が，その代行の対象となります。その代行の範囲を広げるためには，実務者1人1人のスキルを上げていくことが重要となります。他方で，医師事務作業補助者の最も基本的な業務の一つである診断書の記載に関しても，診療記録を読み込むことが必要です。

　つまり，医師事務作業補助者にとって，診療記録は非常に身近な存在といえます。本節では，医療の業務に初めて関わる実務者であっても，必ず知っておくべき点を述べたいと思います。

1　医師事務作業補助者が知っておきたい診療記録の意味

　診療記録とは患者が受診することにより作成される診療の記録であり，その内容から患者像をイメージすることができます。

　医療の知識がないと，その病名がどういうもので，なぜその薬や治療が行われているのか理解ができないため，適切な検査や治療が行われているのか判断がつかないのは当たり前です。しかし，医療従事者としての事務職員は，自分の意欲さえあれば，それぞれ配置された部門で医療知識を習得することができます。医事課の事務職員は会計処理の際に病名や処方内容から，また，入院担当はレセプト請求の際に病名，治療・処置，処方等の情報から，患者さんの重症度や治療の過程がイメージできるはずです。

　常に疑問をもちながら，インターネットや専門書で調べる，医師や看護師に聞く，患者さんや家族に聞く（例えば「先生からどのように説明されましたか？」などと聞くことで説明された内容の理解度がわかります）――など，興味と行動が知識の幅を広げてくれます。

　また，患者さんが死亡したときに医師が記載する死亡診断書は，カルテに記載された診療情報が集約されて作成されます。治療の過程や死亡に至った原因・過程を証明する書類として正確に記載されなくてはならないものであり，そのためには診療記録が的確に記載されている必要があります。出生時の分娩記録とともに，大切な生きた証となる診療記録です。

　一歩進んだ医師事務作業補助者の業務としては，回診における代行入力業務があります。電子カルテを導入している病院では，回診の際に医師と一緒に各ベッドサイドをラウンドし，指示やコメントを入力していることもあります。医師事務作業補助者としては，高いスキルの必要な業務です。

2　医師事務作業補助者と診療記録

　医師事務作業補助者の業務は，医師の事務作業を補助することが目的であり，広範囲にわたる業務内容のなかでも文書作成補助とともに診療記録の代行入力が主な業務といえます。

　診療に関する情報として，医師法では診療録の記載が義務付けられています。これはあくまでも医師が記録するものであり，診療記録といわれるものには診療録をはじめ，処方せん，手術記録，看護記録，検査所見記録，紹介状（診療情報提供書），退院要約（サマリー），その他に診療の過程で患者の身体状況，病状，治療などについて作成，記録または保存された書類，画像などのすべての記録が含まれています。

　また，患者の身体状況，病状，治療内容などを診療情報といい，紙媒体，電子媒体に関わらずすべての情報が含まれています。

　医師事務作業補助者は，初診の場合は患者さんが記入した問診票や看護師が聞き取った情報から，受診の目的や状況を把握できることが望まれます。

　また，再診の患者さんの場合は，これまでの受診状況や検査結果，処方薬などのカルテ情報が読み取れるようになると，医師への情報提供が行われ適切な診療につながります。それは外来看護師の業務ではないかと思われるでしょうが，現実的には医師の診察に看護師と医師事務作業補助者がそれぞれ配置できるような理想的な病院は少ないと思います。実際は外来看護師が複数の医師を掛けもちして処置や注射などの指示を受け，診察中の患者対応や医師のオーダを伝達する業務を医師事務作業補助者が行っているのではないでしょうか。そのため，医師事務作業補助者は通常の診療の流れと，指示の変更，緊急性など状況に応じた判断力を求められます。

　紙カルテの場合，記載項目が印字された基本情報（患者名，年齢，バイタルサインなど）以外は医師の個別性あふれる記録であり，記載された字の判読に悩むことも多々あります。ベテランの看護師がスラスラと解読する医師の記録は，どう見ても記号や絵にしか見えないときがあります。ただ，経験を積めば誰もが読めるようになることは強調しておきます。

　看護師は，例えば糖尿病の患者さんの場合には，血糖値やHbA1cなどの数値，合併症の有無をカルテ記録のなかからチェックしています。看護師教育用の標準看護手順書を手元に置いておけば参考書として活用できるでしょう。また，最近では患者と医療者が共有できる医療情報サービスとして診療ガイドライン（Minds，http://minds.jcqhc.or.jp）の活用も行われています。

　医師事務作業補助者の医療に関する知識には個人差があるのが現状です。大学や短大，専門学校で一定のカリキュラムを修了し，様々な資格を取得して新卒で入職した医師事務作業補助者や，病院で医療事務職員としてレセプトの請求事務や医療秘書などの経験を積み医師事務作業補助者として配属された人，診療情報管理士として診療録の管理やがん登録などの統計業務の経験があり医師事務作業補助者として配属された人，まったく未経験の人など，バックグラウンドも様々です。

　医師事務作業補助者は業務上，いつでも診療記録に関わることができる立場にいます。そのため守秘義務について十分理解しておく必要があります。

　患者情報の守秘に関して，医師は法律（刑法第134条）により定められており，事務職であってもこれと同様に医療従事者としての職業倫理を守らなければなりません（診療情報の提供等に関する指針4）。秘密の漏えいにより病院が多大な損害賠償を命ぜられた場合に，事務職員が漏らした情報によるものであれば病院はその事務職員に対して求償権を行使できます（民法第715号）。

　2017年に改正された個人情報保護法では，診療情報のような要配慮個人情報には，より厳格な取扱いが求められるようになりました。これを守ることが，患者から信頼を得る第一歩であることを強調しておきたいと思います。

　診療記録に関わるすべての医療従事者が患者の秘密を守る立場であることを忘れてはいけません。

92

診療情報の提供等に関する指針（抜粋）

4　医療従事者の守秘義務
○医療従事者は，患者の同意を得ずに，患者以外の者に対して診療情報の提供を行うことは，医療従事者の守秘義務に反し，法律上の規定がある場合を除き認められないことに留意しなければならない。

5　診療記録の正確性の確保
○医療従事者等は，適正な医療を提供するという利用目的の達成に必要な範囲内において，診療記録を正確かつ最新の内容に保つよう努めなければならない。
○診療記録の訂正は，訂正した者，内容，日時等が分かるように行われなければならない。
○診療記録の字句などを不当に変える改ざんは，行ってはならない。

6　診療中の診療情報の提供
○医療従事者は，原則として，診療中の患者に対して，次に掲げる事項等について丁寧に説明しなければならない。
（1）　現在の症状及び診断病名
（2）　予後
（3）　処置及び治療の方針
（4）　処方する薬剤について，薬剤名，服用方法，効能及び特に注意を要する副作用
（5）　代替的治療法がある場合には，その内容及び利害得失（患者が負担すべき費用が大きく異なる場合には，それぞれの場合の費用を含む）
（6）　手術や侵襲的な検査を行う場合には，その概要（執刀者及び助手の氏名を含む），危険性，実施しない場合の危険性及び合併症の有無
（7）　治療目的以外に，臨床試験や研究などの他の目的も有する場合には，その旨及び目的の内容
○医療従事者は，患者が「知らないでいたい希望」を表明した場合には，これを尊重しなければならない。
○患者が未成年者等で判断能力がない場合には，診療中の診療情報の提供は親権者等に対してなされなければならない。

参考資料・文献
「診療情報の提供等に関する指針」厚生労働省　医療機関等における個人情報保護のあり方に関する検討会
「2023年度医師事務作業補助者実態調査報告」日本医師事務作業補助者協会

2. 外来診療録の代行入力

西川　由美子

　診療記録といえば医師が紙に記録するイメージがありますが，近年のIT化の影響を受け，現在では多くの病院で電子カルテが導入されていると思います。電子カルテの導入によって，医療の現場では様々な変化がありました。

　大きな変化として挙げられるのは，やはり医師が手書きをしなくてよくなったことです。紙カルテではすべて医師が自筆で記載しないといけなかったため，記載する医師も大変でしたが，その文字を読み取らないといけない他の職種も大変でした。カルテには日本語，英語，ドイツ語に混じって略語も記載され，さらに読みづらい文字で記載する医師もおり，カルテを読み取る作業は大変困難でした。医師にとっても，他の職種にとっても非常に労力を要していたこの作業ですが，電子カルテの導入により，誰が見ても明確で読みやすいカルテになりました。

　もう一つ大きな変化として挙げられるのは，パソコン端末のある場所では，どこからでもカルテを確認することができるようになったことです。このように便利なツールとして導入された電子カルテですが，医師にとっては喜ばしいことばかりではありませんでした。

　紙カルテの時代は，診察の補助者があらかじめ各オーダ用紙を準備し，医師は診療内容をカルテに記録したり，検査項目をチェックするだけでよかったのですが，電子カルテでは，オーダはもちろん，あらゆる記載を医師自身が電子カルテ上で行わないといけなくなったのです。事前に検査用紙等を準備することができなくなり，かえって医師の事務作業は繁雑で膨大になり，医師がパソコンにばかり集中して患者に向き合うことがおろそかになったと指摘されることもありました。そのため一人当たりの診療時間や患者の待ち時間が長くなり，診療時間内に診察できる患者数も減少しました。

　そこで2008年，病院勤務医の負担軽減及び処遇の改善を図る目的で，医師事務作業補助体制加算が創設されました。医師事務作業補助者による診療記録の代行入力によって，医師の繁雑で膨大な事務作業が軽減し，医師が診療に集中することができるようになった結果，診察時間や待ち時間も短縮しました。

　診療記録の代行入力を行ううえで，守らないといけない規則や実際の現場でのポイントなど，どのような環境で医師事務作業補助者が業務を行い，外来診療が運営されているかを説明します。

1　医師事務作業補助者の業務範囲

1）診療報酬の施設基準

　診療報酬の施設基準では，医師事務作業補助者の業務範囲と，医師事務作業補助者が行ってはいけない業務範囲が定義されています（P.11, 図表1-8参照）。医師事務作業補助者が行なってはいけない業務のなかで，特に外来診療に関わるものとして挙げられるものは，①医師以外の職種の指示の下に行う業務，③窓口・受付業務，⑤看護業務の補助，⑥物品運搬業務 —— などが考えられます。

　当然ですが，それらの業務は行いません。施設基準に違反すると本来の医師事務作業補助者設置目的から逸脱することになったり，診療報酬を返還しなければならないことになります。したがって窓口・受付業務は医事課が，診療介助や物品運搬業務は看護師や外来クラーク（看護部所属）が

行い，患者の呼び入れ等は，診療科により医事課の受付担当者が行うところと看護師やクラークが行うなどの配慮が必要です。

　しかし，原則としてはこれらの業務を行いませんが，外来診療をスムーズに行うためには時間配分や患者サービス等を常に念頭に置いて業務を行わないといけないため，例外として行うことはあり得ます。例えば，受付担当者が電話中や患者対応中で手が離せないときには，場合により患者にファイルを返却したり，診察室に呼び入れたりする場合です。業務とは反復継続して行うことを指すため，このような臨機応変的な対応は業務には含まないと考えられるためです。どの医療機関でも同じですが，緊急時や，患者に対応を求められた場合，「私の業務ではないので行いません」というようなことは通用しません。そのような行いは利己主義やコミュニケーション不足ともとられかねません。

　ではなぜ医師事務作業補助者に対してそれらの業務が禁止されているのかというと，その理由は，医師事務作業補助者本来の業務がおろそかになるからです。この医師事務作業補助体制加算は病院勤務医の負担軽減及び処遇の改善を図る目的で創設されたものであり，医師から直接指示を受けた業務を最優先に行い，医師が診療に専念し，医師自身が疲労感から解放され，助かっていると実感できなくてはいけません。外来診察を滞ることなくスムーズに進め，医師が診察に集中できるためには，代行入力や医師のサポートを最優先に行うことが重要です。医師事務作業補助者は常に医師の伴走をしなければ意味がないということです。

2）法律によって規制されているもの

　現在，診察室内で働く人のほとんどが国家資格を有していますが，医師事務作業補助者は他の事務職と同じで国家資格は有していません。医師の指示のもとで業務を行なっていると，他の事務職より医学知識，電子カルテ操作，患者情報などに詳しくなりますが，医師や看護師，医療技術職等とは行える業務範囲が違うことはよく理解しておかなければなりません。

　病院側は，幅広い知識を有している医師事務作業補助者は医療補助員として使い勝手がよいため，間接的に医師が助かるであろう業務を医師事務作業補助者の業務であると拡大解釈する場合があります。なぜそうなるかというと，業務規定や設置基準が曖昧で，それらを広義に解釈しすぎることが原因だと考えます。

　現病歴，既往歴，家族歴等の個人情報を，診察室内で医師と患者との会話から得てしまうことは仕方ありませんが，国家資格のない医師事務作業補助者が医師のいないところで，患者に直接問診を行ったりすることは，個人情報保護の面からも望ましいことではありません。

2　診察室内の配置

　医師事務作業補助者を各診察室の担当として配属するには限界もあるので，特定の多忙な医師や診療科に配属するのが一般的です。診察室に同席する場合，医師を中心にして患者と医師事務作業補助者が両サイドに座るかたちになります（図表3-1）。医師事務作業補助者の役割・意義については各診療科に掲示してありますので，医師の隣に座っていても患者から苦情がくることはまったくありません。

　医師と近い場所で業務を行うため，診療内容はすべて知ることになります。当然ですが守秘義務については医師や他の職種と同等に課せられており，漏洩は絶対に許されません。それが守れない人は医師事務作業補助者としての資格はありません。個人情報保護法に基づき，病院では，嘱託職員，派遣職員，委託業者等，当院で働くすべての人が個人情報守秘義務について誓約書を病院に提出して業務を行なっています。

3　医師の隣に座り，業務を行う

　前項で述べたように，外来診療の際には当院の医師事務作業補助者は医師と横並びに座り業務を行なっています。このように医師から離れた場所で業務を行うのではなく，すぐ横で業務を行うことの利点はいくつかあります（図表3-2）。

1．医師事務作業補助者のパソコン画面の易確認性の向上

　医師事務作業補助者が代行入力を行う以前は，すべての記載を医師自身が行う必要がありました。医師事務作業補助者による代行入力開始後は，医師は当日の診察所見，治療方針等をカルテに記載します。それ以外の投薬，注射，検査，その他のオーダ，他院への紹介状の記載，他院からの紹介状の返事，病名入力などはすべて医師の指示を受けた医師事務作業補助者のパソコンで入力します。医師の確認がないと入力したオーダ内容を実行できませんが，隣に座っているため，医師は医師事務作業補助者のパソコン画面をすぐに確認することができます。

2．医師事務作業補助者指導の向上および診療時間の短縮

　配属直後の医師事務作業補助者は，医師の口答指示を受けて入力作業を行うため，少し時間がかかります。しかし，熟練した医師事務作業補助者は，医師の口答指示を受ける前に，医師と患者とのやり取りを聞き，各種オーダや病名入力，紹介状の下書きなどを進めておきます。

　医師が口答指示を出す時点で，既に医師事務作業補助者の画面ではオーダ等が入力されているので，医師は画面の確認作業をするだけで済むことになり，作業時間が短縮されます。当然のことですが，口答指示を受ける前に入力できるようになるには，ある程度の知識と訓練が必要です。担当する診療科の疾患について熟知することは医師事務作業補助者にとって必要不可欠であり，その他の業務を行ううえでも非常に重要なことです。

　図表3-3に示したように，医師事務作業補助者のスキルが高くなるとともに，医師の要求はさらに大きくなり，医師事務作業補助者の達成できる業務量も増えてきます。その結果，医師の満足度もさらに大きくなります。

図表 3-1　医師事務作業補助者の診察室内の配置

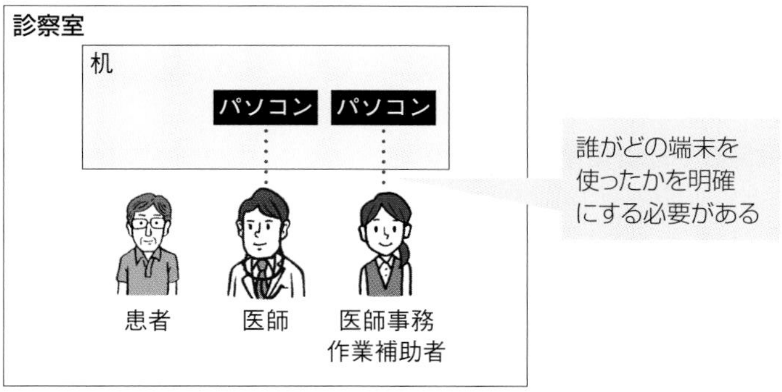

図表 3-2　医師事務作業補助者が医師の横で代行入力を行う利点

①医師事務作業補助者のパソコン画面の易確認性の向上
②医師事務作業補助者指導の向上および診療時間の短縮
③患者の病態や性格などの把握
④書類作成時間の短縮
⑤医師の学会発表の補助や統計業務の補助
⑥診療報酬の請求もれの減少

図表 3-3　医師事務作業補助者のスキルと医師の要求度の関係

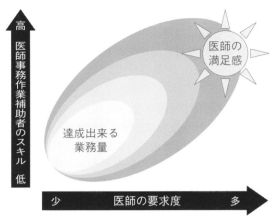

図表 3-4　請求もれの原因

1) 医事課による請求もれ
2) 医師によるオーダもれ
3) 医師によるカルテ記載とオーダもれ

3. 患者の病態や性格などの把握

　患者の病態や性格を把握することは，診察内容や診察所要時間の予測などに役立つほか，医師が手術中や会議中などで不在のときでも，各部署からの問合せや，各部署間の調整，診療予約などに対応しやすくなります。

4. 書類作成時間の短縮

　医師事務作業補助者は外来診療時に医師と患者のやり取りをすべて聞いているため，患者の初診時からの病態などをすべて把握しています。診断書や紹介状等を作成するために，初めてカルテを検索するのではないため，非常に短い時間で書類を作成することができます。特に医師の手を煩わせていた生命保険等の診断書作成も書類作成ソフトを用いれば，医師事務作業補助者の補助で簡単に作成することができ，医師の負担軽減になるとともに，早くできあがるので患者にとってのメリットも大きいと言えます。

5. 医師の学会発表や統計業務の補助が可能

　医師の業務は外来診療や手術だけではありません。診療科のデータ収集や各学会での発表も重要な業務です。受けもち患者数や手術数の多い医師や診療科では，医師がそれらの業務に取り組む時間的余裕はあまりありません。医師事務作業補助者が担当する診療科の疾患や疫学等の知識をもち，外来診療時にそれらの業務を念頭に置いて業務を行うことで，精度の高い統計データや学会等のスライド作成が可能になり医師の補助につながっています。

6. 診療報酬の請求もれが減少

　紙カルテ時代には多くの診療の請求もれが発生していました。電子カルテが導入されたとき，請求もれがなくなると期待されましたが，実際には紙カルテ時代以上の請求もれが発生しました。診療報酬の請求もれには 3 つの原因があります（図表 3-4）。

原因①　医事課による請求もれ

　　医師によるカルテへの記載やオーダ入力ができていても，医事課で請求もれが発生することがあります。紙カルテ時代には，カルテに記載されている行為をすべて医事課が拾い上げて請求するため多くの診療請求もれが発生していました。電子カルテ導入後，オーダエントリーに

より業務が連鎖していく投薬，注射，検査などは請求もれが発生しなくなりました。そして行った行為も医師がオーダを忘れなければ請求もれが発生することはなくなりました。

原因②　医師によるオーダもれ

　医師が診療行為を行いカルテに記載したものの，オーダしていない場合です。例えば診察室内で施行された超音波検査や創傷処置，各種の指導料などは，カルテに施行した旨を記載するだけでは請求できません。きちんと医師が電子カルテでコストオーダを入力しないと医事課で算定することは不可能です。電子カルテ導入後，医師の作業が繁雑になり，カルテの記載は行っても，オーダ入力をし忘れたり，医師が請求できないと判断してオーダ入力しないこともありました。医師事務作業補助者による代行入力を行うことによりオーダの入力もれはなくなり，医療事務に精通した医師事務作業補助者であれば請求の可否も判断でき，さらに請求もれはなくなりました。

原因③　医師によるカルテ記載とオーダもれ

　医師が診療行為を行ったものの，カルテ記載をせず，オーダ入力もしない場合です。記載がされていない診療行為はそもそも請求できません。カルテへの記載がもれるのも，医師の事務作業が繁雑になったことが原因です。医師事務作業補助者による代行入力を行うようになってからは医師の負担が軽減しカルテ記載がもれることはなくなりました。医師事務作業補助者がオーダ入力を代行するため請求もれもなくなりました。

　このように医療事務に精通した医師事務作業補助者であれば，請求可能な診療行為はすべて請求でき，医療経営に寄与する点はきわめて大きいと思います。また病名入力も即時に行われるため，医事課のレセプトに費やす時間も減少します。

　これまで述べたように，医師事務作業補助者は単にパソコン操作を行うだけではなく，診療内容や患者に関するすべてのことを把握して診療記録の代行入力を行うことになります。このように患者や診療内容に精通することは，外来診療以外の業務（診断書などの書類作成，院内外での医師のスケジュール管理，データ収集・管理，がん登録，学会のための資料準備やスライド作成など）を行うことに役立っており，担当する診療科をサポートすることにつながっています。

3. 入院診療録の代行入力

武田　まゆみ

　医師事務作業補助者が「入院診療録」の代行入力を行っている医療機関は多くはないと思います。筆者が勤務する潤和会記念病院でも全診療科で取り組んでいるわけではありません。一方，医療文書の作成代行は，医師事務作業補助者の知識や経験に左右されることなく，比較的前向きに導入されているケースが多いのではないでしょうか。医療文書の作成代行に際し，唯一無二の情報源である診療録を読み解く行為が発生しますが，その過程で「もっと詳細な情報がほしい」「略語がわからない」といった悩みを抱えた経験は誰しも有しているはずです。

　ここではそういった思考を回避することを最優先として，「入院診療録」の代行入力について，場面ごとに整理していきます。当然のことながら，診療録は医師法や医療法に定義されている「公的な文書」であることから，おおよその原則論に則って述べていきます。

1　入院時の診療録記載

　入院が決定する過程や目的は様々です。他医療機関からの紹介による手術目的での入院や検査入院といった計画的なものだけでなく，外来診療の結果，緊急入院となる場合もあります。まずは，正確に客観的な情報を記録することになりますが，入院時点で退院時サマリーの記載までを考慮して記載することがより有用であると考えます。

　当院の場合，まず，紹介元の情報や主訴・現病歴・既往歴（アレルギー歴・手術歴など含む）・処方等「基本的なデータ」を代行入力します。診療科によってはテンプレートを活用しており，これにより情報を効率的にもれなく系統立てて記載しやすくなります。また，日付や時間の表記については，「5年前」という相対的な表現ではなく「2015年」という絶対的な表現をする必要があります。なお，表記方法（例えば，和暦と西暦や，24時間表記など）は，院内での決まりや医師からの指示があればそれに従い，特別になければいずれかに統一すると見やすいと思います。

●紹介元：診療情報提供書（以下，紹介状と返書で表す）を基に医療機関・診療科・医師の情報を転記します。この時点での誤字・脱字は気付かれにくくのちの返書にまで影響しますので，細心の注意を払いましょう。

●主訴：患者さんが何のために入院するのかを記載します（「○○の手術目的」など）。紹介状があれば「診断名」や，精査・手術・検査・リハビリテーション・糖尿病などの教育といった「紹介目的」などに明記されているものを転記すればよいでしょう。外来診療からの流れの患者さんの場合，外来診療録にある入院に至った経緯や診断名から読み取ることができます。

●現病歴：医療機関を受診し入院するに至った訴えや理由について，紹介状や患者さんの話を基にストーリー展開していきます。筆者が順守しているのは経時的に記載することくらいですが，いわゆる5W1H「いつ（発症時期），どこで（部位），誰が，何を（検査・診断），何故（原因），どのように（症状）」を意識するといいのかもしれません。結果的に第三者が読みやすくて正確かつ整然とまとめられていればいいと思いますし，医師によっては語尾表記など細部にわたり指示するケースもありますが，そこは柔軟に対応すればいいのです。

　余談ですが，筆者がある医師から指摘をいただいた例を紹介しますと，「医療知識の前に，君

2．**その後すぐに医師事務作業補助者が手術予定を計画し，診療録に記録**
- ・手術予定日
- ・検査予定日
- ・診察予定日

検査予定日に行う検査のオーダ指示が出ているか前もって確認します。

3．**医師事務作業補助者が患者に日程等を説明。既往歴を聴取し，診療録に記録**
- ・どのような検査内容か
- ・どのような診察内容か
- ・日程に都合の悪い日はないか
- ・既往歴の聴取

4．**医師事務作業補助者が手術予定表に手術情報を入力**
- ・患者氏名，ID，性別，年齢・生年月日
- ・術前診断名
- ・予定術式
- ・主治医名

　当院の場合は手術を行っているのが脳神経外科のみですので，他科との調整は不要ですが，手術を行う複数の診療科を備える病院では，「あらかじめ各診療科別に設定した手術枠に従って各診療科から手術予約を申し込んでもらい，その申込情報から手術室，介助看護師，担当麻酔医，使用機器などを決定することが一般的（日本手術医学会ガイドライン）」とされています。

5．**各診療科医師による術前診察**
- ・術前診察の段階で，患者が他医療機関へ通院中の場合等に診療情報提供を依頼することがありますが，診療情報提供書は医師事務作業補助者が代行作成しています。

6．**手術予定患者への入院説明と診療録への記録**
- ・入院予定日（医師が決める）
- ・入院時の注意事項の説明（休薬日や減量，喫煙指導等）
- ・使用手術機器メーカーへ手術予定日を連絡

7．**手術予定の変更への対応**
- ・手術予定日までの間に，患者の容態により手術が延期になったり中止になったりした場合，日程の再調整
- ・緊急手術が入った場合の連絡調整
- ・関連部署への速やかな伝達

　当院ではここまでを医師事務作業補助者が担当しています。

3　手術記録として必要な情報

　手術記録として必要な情報は下記のとおりです（日本手術医学会ガイドラインより）。今後は，このなかから代行入力できるものを洗い出して業務を行っていく予定です。

1．**患者関連情報**：氏名，患者ID（identification），性別，年齢・生年月日，身長・体重，血液型など
2．**病名／手術術式関連情報**：術前診断，術後診断，診療報酬請求用の診断名，予定術式，施行術式，診療報酬請求用の術式名など
3．**手術基本情報**：手術施行日（曜日も含む），定時手術と救急手術の区別，診療科，術前の病室，術後の病室，手術体位，手術室番号，鋼製小物セット，麻酔方法，感染症疾患，特殊器械，ME機器など

4. **医事関連情報**：手術点数，麻酔点数，加算情報，特殊治療材料，非保険適応材料など

5. **手術時間関連情報**：予定手術時間，確定手術時間，入部時刻，入室時刻，麻酔開始時刻，予定執刀開始時刻，確定執刀開始時刻，予定手術終了時刻，確定手術終了時刻，麻酔終了時刻，退室時刻，退部時刻など

6. **手術室スタッフ関連情報**：術者，助手，主治医，麻酔科医，直接介助看護師，間接介助看護師，臨床工学技士，個人別勤務時間など

7. **麻酔関連情報**：術中出血量，術中輸血量，総輸液量，尿量，麻酔中合併症，術前合併症，局所麻酔剤，主静脈麻酔剤など

　手術台帳や麻酔台帳などの手術記録は，「医療法」により2年間保存する義務があります。また，「保険医療機関及び保険医療養担当規則」では3年間の保存を行わなければならないとされています。

　手術月報や手術年報も大事な手術記録です。手術件数（予定・緊急），手術時間数，在部時間数，在室時間数，手術体位，手術開始時間，予定超過時間，特殊器械使用頻度，手術疾患，手術術式，感染症件数，各外科医の平均手術時間などを集計しておきます。また，性別，年令別，手術時間別，麻酔法別，手術室別，出血量別，輸血量別，輸液量別の手術件数の集計業務は，医師事務作業補助業務の「医療の質の向上に資する事務作業」にあたると思いますので，ぜひ取り組んでいきたいと思っています。

　手術記録に関する業務は，医師や看護師等の他職種と連絡調整が必ず発生します。また，どの業務でも同じことがいえるのですが，特にミスが許されません。一つのミスが患者や他部署を巻き込む大きなトラブルになりやすい業務だからです。手術情報管理は「患者の安全確保と周手術期の業務改善を行うこと」が目的ですので，細心の注意を払って臨んでいかなければと思っています。

5. 処方・注射オーダの代行入力

若林　進

1　処方箋とは

　処方箋とは，医師が特定の患者の疾病治療に対して，必要とされる医薬品の投与量，投与方法，および調製方法を薬剤師に指示するための文書であると定義づけられています。医師法第22条では「医師は，患者に対し治療上薬剤を調剤して投与する必要があると認めた場合には，患者または現にその看護に当たっている者に対して，処方箋を交付しなければならない」と規定されています。

　医師は患者の治療に必要な投薬や注射の指示を，処方箋で行います。医師が書いた処方箋を基に，薬剤師は薬剤を調剤・調製し，薬袋や薬剤情報提供書へ，用法・用量・日数や，副作用等の注意事項を患者にわかりやすく表示し，服用方法や使い方の説明を行うことになります。

2　入力代行の流れ

　多くの医療機関では電子カルテシステムを採用しており，診療に関わる部分はすべて電子化されています。処方・注射オーダもすべて，電子カルテシステム内の「オーダリングシステム機能（処方オーダ，注射オーダ）」を使用しており，通常は，医師が直接，処方箋の入力・発行を行います。

　医師事務作業補助者が，処方箋・注射処方箋（注射指示）など，オーダリングシステムの代行入力を行うには，電子カルテにログインした際，代行入力を行う医師名（保険登録医）を依頼医として選択する必要があります（図表3-5）。その後に，患者カルテを開きます。

1) 処方オーダの場合

　外来患者では外来処方を，入院患者では入院処方を選択します。次に，医師の指示する薬品を検索し，薬品名，規格，屋号などに注意して選択を行います。そして，指示された用量（数量）を数字入力します。

　それぞれの施設により，入院処方は臨時処方，緊急処方，定期処方，退院処方など区分が分かれていて，必要な処方区分を選択してから入力を行っていきます（区分により服用開始日，投薬日数に制限があります）。用量については，1日量を入力させる施設と1回量を入力させる施設があるため，注意してください。

　次に，用法（1日3回朝昼夕食後，疼痛時頓用などの服用方法）を選択し，投与日数や使用回数を入力します。薬剤によって用量（同じ名前で錠剤，散剤，ドライシロップ，注射薬，坐薬等複数種類のあるものがあり，それぞれで単位が異なっている）や服用法（食前，食後，食間，就寝前など），投与日数（新薬は14日分以内，向精神薬は医薬品によって30日分，90日分以内などと規定されている）が異なるため，薬剤に対する知識も必要となります。

　再診患者で，前回処方を引き継いで処方する場合，前回までの処方歴を開いて確認していきます。前回までの処方を選択し，複写（コピー）を行い，処方内容を今回の処方画面に展開し入力していきます。最終的に医師が処方内容を確認し，OKであればその処方内容で確定してカルテに展開します（図表3-6）。

図表 3-5　電子カルテ代行入力時の依頼医選択

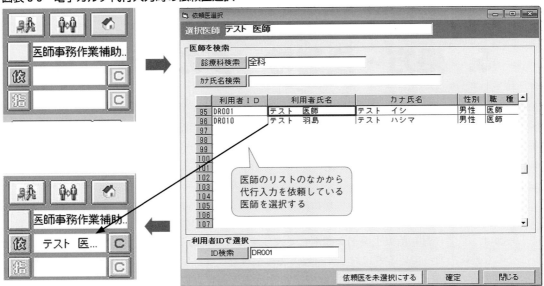

　診察が終了または中断して電子カルテを閉じると処方オーダが確定され，院外処方オーダであれば院外処方箋が印刷されます。患者氏名・保険者のコード番号や患者の番号を確認し，保険医名も確認後，医師欄に押印して患者に渡します。院内処方の場合，確定された処方オーダは薬剤部（院内薬局）へ送信され，薬剤部で調剤された薬が患者へ投薬されます。

2）注射オーダの場合

　注射オーダの場合，外来処方と同様に患者カルテを開き，外来注射（注射処方）の入力画面を開きます。注射は，四肢末梢から投与する点滴注射，静脈注射，中心静脈用からの注射，筋肉注射，皮下注射，動脈注射 —— など様々な手技によって分けられており，選択する薬剤により適正な投与方法が決められています。医師の指示に従って注射薬と手技を選択し，用量（数量）を入力します。点滴速度を指示したいときや所要時間を指示したいときは，それぞれの数字を入力します。その後，外来注射を1回行うのであれば，用法として「1日1回」を選択し，「確定」ボタンを押します。追加の注射や側管から別の薬剤を投与するときは「RP確定」を押し，追加入力を同様にしていきます。最終的に外来注射が確定されると，図表3-7の右のようにエディタへ展開されます。医師の確認が得られればカルテ保存を行い，注射の情報を送信します。入院注射の場合，注射カレンダを選択して新規処方をクリックすると，外来注射と同様の入力画面が展開します。入院の場合は開始日と終了日を選択し，「1日何回」などの必要な情報を入力していきます。「確定」すると注射カレンダが起動し，回数ごとの開始時間，終了時間を入力して，注射オーダを「確定」します（図表3-8）。

3）代行入力の流れの例

医師事務作業補助者Iさん（内分泌・糖尿病内科　S医師の代行）

〈処方オーダ〉

＊前回処方がある場合はコピーをして，追加，削除，修正があれば変更。次回予約日に合わせて投与日数を変更。

＊院外処方か院内処方かを選択。薬品名，数量，用法，投与日数を入力

図表 3-6　処方オーダの入力と確定

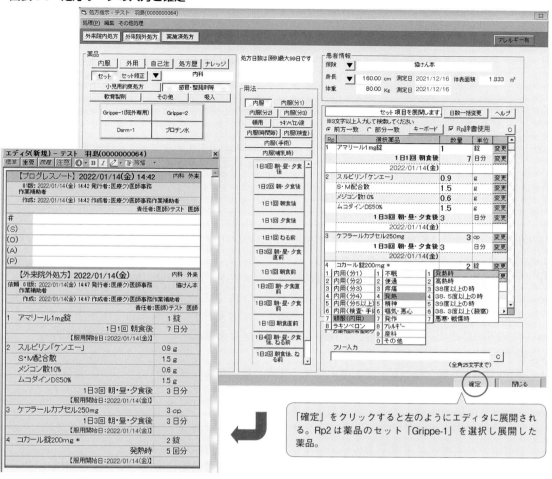

「確定」をクリックすると左のようにエディタに展開される。Rp2 は薬品のセット「Grippe-1」を選択し展開した薬品。

図表 3-7　注射オーダの入力と確定

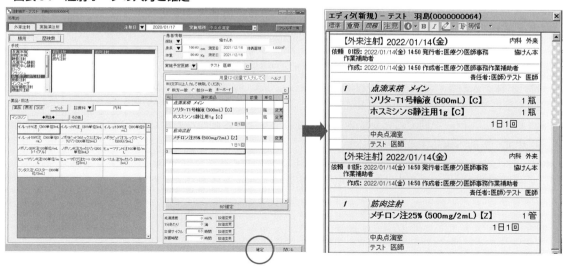

図表 3-8　注射カレンダ

* 不均等投与（朝 2 錠 - 昼 1 錠 - 夕 0.5 錠など）の場合は，用量の数量入力をし，不均等投与のタ
　ブをクリック，朝・昼・夕の数量を入力。
* 「月曜日服用」など曜日指定がある薬品の場合，コメント，曜日指定，何曜日に服用かを選択。
* 他に指示等がある場合はフリーコメントで入力。インスリン，バイオ製剤等の在宅自己注射を処
　方した時は，指導料算定。新規オーダをした場合は病名入力。
* 入院処方の場合は，緊急，臨時，退院時などの処方区分を選択する。服用開始日を入力。

〈注射オーダ〉
* 前回処方がある場合はコピーをして，追加，削除，修正があれば確認。
* 手技を入力。実施場所を選択。注射薬剤，注射回数を入力。
* 抗生剤の点滴をオーダしたら，注射用抗菌薬問診票を印刷。
* バイオ製剤点滴の場合：点滴オーダ入力，実施場所は中央点滴室，化学療法室などを選択。オー
　ダしたものを印刷し，患者自身に点滴場所へ持っていっていただく。
* 入院注射は入院注射カレンダを開き，処方入力を行い，投与開始日と投与終了日を選ぶ。

〈注意点〉
* 多くの電子カルテシステムでは，医薬品を選択する際に，薬品名を頭から 3 文字以上入力しない
　と候補薬剤が表示されないようになっています。かつて「タキソール」と「タキソテール」のよ
　うな，頭 3 文字が同一の薬剤の選択エラーが発生したことがあるためです。また，「リクシアナ」
　と「リフキシマ」のような，語感が似ている薬剤の選択エラーも問題となっています。診療情報
　提供書などに書かれた薬品名から，処方・注射オーダを転記して入力する場合，このようなエ
　ラーが発生しやすいと言われていますので，注意してください。
* 電子カルテシステムには，上限量などのチェック機能が搭載されている場合が多いです。例え
　ば，1 錠と入力すべきところを 11 錠と入力してしまった場合，そのまま指示が通ってしまうと
　重大なエラーにつながりかねませんが，「上限量を超えています」などの警告が発せられること
　によって，エラーを防ぐことができます。このような警告画面が表示された場合，そのまま素通
　りせず，医師へ確認することが必要です。
* オーダしたものは，最後に必ず医師が確認し，確定保存してカルテを閉じます。なお，確認の
　ルールは病院によって異なるので，必ず各病院のルールを確認してください。

101-8795

308

（受取人）
東京都千代田区神田神保町 2-6
（十歩ビル）

医 学 通 信 社　行

TEL.03-3512-0251　FAX.03-3512-0250

lılıı·ıllıllılılıllıllıllıllılılılılıllılılılıllı"llı

【ご注文方法】
①裏面に注文冊数，氏名等をご記入の上，弊社宛に FAX して下さい。
　このハガキをそのまま投函もできます。
②電話（03-3512-0251），HP でのご注文も承っております。
→振込用紙同封で書籍をお送りします。(書籍代と，別途送料がかかります。)
③または全国の書店にて，ご注文下さい。

（今後お知らせいただいたご住所宛に，弊社書籍の新刊・改訂のご案内をお送りい
　たします。）

※今後，発行してほしい書籍・CD-ROM のご要望，あるいは既存書籍へのご意見
　がありましたら，ご自由にお書きください。

注 文 書

2024.8

※この面を弊社宛にFAXして下さい。あるいはこのハガキをそのままご投函下さい。

医学通信社・直通FAX → 03-3512-0250

お客様コード							（わかる場合のみで結構です）

ご住所〔ご自宅又は医療機関・会社等の住所〕	〒	電話番号	
お名前〔ご本人又は医療機関等の名称・部署名〕	（フリガナ）	ご担当者	（法人・団体でご注文の場合）

〔送料〕1～9冊：100円×冊数，10冊以上何冊でも1,000円（消費税別）

書籍	ご注文部数		
診療点数早見表 2024年度版 〔2024年5月刊〕		医療事務100問100答 2024年版 〔2024年4月刊〕	
DPC点数早見表 2024年度版 〔2024年5月刊〕		入門・診療報酬の請求 2024-25年版 〔2024年7月刊〕	
薬価・効能早見表 2024年4月版 〔2024年4月刊〕		レセプト請求の全技術 2024-25年版 〔2024年6月刊〕	
受験対策と予想問題集 2024年版 〔2024年7月刊〕		プロのレセプトチェック技術 2024-25年版 〔2024年8月刊〕	
診療報酬・完全攻略マニュアル 2024-25年版 〔2024年6月刊〕		在宅診療報酬Q＆A 2024-25年版 〔2024年8月刊予定〕	
医療事務【実践対応】ハンドブック 2024年版 〔2024年5月刊〕		労災・自賠責請求マニュアル 2024-25年版 〔2024年8月刊〕	
窓口事務【必携】ハンドブック 2024年版 〔2024年5月刊〕		医師事務作業補助・実践入門BOOK 2024-25年版 〔2024年8月刊〕	
最新・医療事務入門 2024年版 〔2024年4月刊〕		"保険診療＆請求"ガイドライン 2024-25年版 〔2024年7月刊〕	
公費負担医療の実際知識 2024年版 〔2024年4月刊〕		介護報酬早見表 2024-26年版 〔2024年6月刊〕	
医療関連法の完全知識 2024年版 〔2024年6月刊〕		介護報酬パーフェクトガイド 2024-26年版 〔2024年7月刊〕	
最新 検査・画像診断事典 2024-25年版 〔2024年5月刊〕		介護報酬サービスコード表 2024-26年版 〔2024年5月刊〕	
手術術式の完全解説 2024-25年版 〔2024年6月刊〕		特定保険医療材料ガイドブック 2024年度版 〔2024年8月刊〕	
臨床手技の完全解説 2024-25年版 〔2024年6月刊〕		標準・傷病名事典 Ver.4.0 〔2024年2月刊〕	
医学管理の完全解説 2024-25年版 〔2024年6月刊〕		外保連試案 2024 〔2023年12月刊〕	
在宅医療の完全解説 2024-25年版 〔2024年8月刊予定〕		診療情報管理パーフェクトガイド 2023年改訂新版 〔2023年9月刊〕	
レセプト総点検マニュアル 2024年版 〔2024年6月刊〕		【電子カルテ版】診療記録監査の手引き 〔2020年10月刊〕	
診療報酬・完全マスタードリル 2024-25年版 〔2024年5月刊〕		"リアル"なクリニック経営―300の鉄則 〔2020年1月刊〕	
医療事務【BASIC】問題集 2024 〔2024年5月刊〕		医業経営を"最適化"させる38メソッド 2021年新版 〔2021年4月刊〕	
		（その他ご注文書籍）	

電子辞書BOX『GiGi-Brain』申込み　　※折返し，契約・ダウンロードのご案内をお送りいたします

□ 『GiGi-Brain』を申し込む　　（□欄に∨を入れてください）

メールアドレス（必須）

『月刊／保険診療』申込み（番号・文字を○で囲んで下さい）　※割引特典は支払い手続き時に選択できます

① 定期購読を申し込む〔　　　　〕年〔　　　　〕月号から　〔　1年　or　半年　〕

② 単品注文する（　　　年　　　月号　　　冊）　③ 『月刊／保険診療』見本誌を希望する（無料）

6. 検査オーダの代行入力

梅田　弘美

　医師事務作業補助者が行う業務の一つに，「診療記録への代行入力」があります。その一環として，医師事務作業補助者は外来診察室などで医師に代わって検査オーダを発行することがあります。また，代行入力に限らず，医師事務作業補助者は診断書などを作成するために，検査オーダの画面（図表3-9）を参照することが頻繁にあります。

1　検査オーダ代行入力の手順

　検査オーダの代行入力で注意しなければならないのは，患者の本人確認です。特に，診察中ではなく患者がいない場面で検査オーダを代行入力する場合は，患者名を間違えれば「患者取り違い」で検査が行われることになり，検査項目が誤っていれば検体の取り直しなどで患者に不要な苦痛を与えることにもなりかねません。

　このため，検査オーダの代行入力を行う場合は，これらを確認しながら操作するよう手順を明確にしておくことが大切です（図表3-10）。

　筆者の勤める岐阜県総合医療センターでは，医師と相談のうえで，代行入力を行う検査パターン

図表3-9　検査オーダ画面

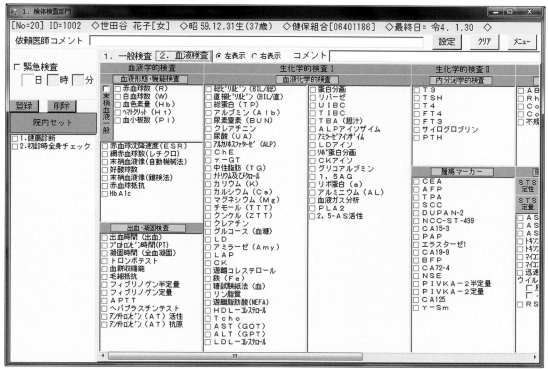

Ｃ＆Ｃ電子カルテシステムⅡの検体検査オーダ発行画面（画面提供：ケアアンドコミュニケーション株式会社）

図表 3-10　検査オーダの代行入力手順

①患者の ID，氏名，検査予定日，検査名，検査部位，検査目的の指示を医師から受ける。
②患者の本人確認を行う。
③検査日について患者の都合を聞く。
④他院での処方の有無と内容を聞く。
⑤既往症，他科での受診の有無を電子カルテにて確認する。
⑥③〜⑤で確認した内容を医師に報告する。
⑦検査室に検査枠の空き状況を確認し，医師に報告する。
⑧不明な点があれば，医師に確認する。
⑨検査オーダは必ず代行入力で行い，医師が確認し，確定する。
⑩患者に予約時間，検査室の場所，所要時間，検査の内容（簡単な），休薬や食事等注意事項について説明する。
⑪患者に不明な点がないか確認し，あれば再度説明し，場合によっては医師または看護師からの説明を要請する。

を「検査オーダ基本セット」として電子カルテシステムにあらかじめ登録しておき，医師事務作業補助者は「基本セット」に該当する検査のオーダのみ入力し，セットに登録できない検査については医師が行う —— という運用をしています。

　不明な点は，その場で医師に確認することが大切です。自分だけの判断で行うのはとても危険なことです。さらに，医師に代わって検査室に案内する際には，再度本人確認を行うことも重要です。その際は，「〜さんですね」というかたちでの確認では「そうです」と返されてしまい，エラーを減らす効果が低いので，患者本人または家族に氏名を名乗っていただき，確認します。

2　主な検査オーダの種類と内容

　医師の指示により電子カルテシステムへ代行入力する検査には，次のようなものがあります。また，医師事務作業補助者は，代行入力の際に患者から検査の内容などを聞かれることもあります。本来，検査の説明は，医師あるいは検査を実施する臨床検査技師，看護師などの業務とも言えますが，医師事務作業補助者としても最小限度の知識はもっていることが大切です。

1）検体検査
　患者は「検体」の意味がわからない場合があるので，「尿・血液などの検査です」と説明します。
　検査目的により，さらに細かい検査項目を指定できます（免疫・血清学的検査のなかで，アレルギーの項目を指定する場合など）。検査目的はきわめて幅広いので，医師事務作業補助者が安易に説明することは避けるべきです。
　医師または医師事務作業補助者が入力し，医師，臨床検査技師または看護師が説明を行います。検体の採取は，医師のほか，看護師や臨床検査技師が行えるものもあります。
※　医師事務作業補助者が説明を行う場合は，医師より詳細な指示を受ける必要があります。

2）細菌検査
　患者は，検体の種類がイメージしにくいので「血液・痰・鼻汁・胃液・胆汁・膣や尿道の分泌液・髄液・便などの検査です」と説明します。
　これは感染症の原因となる菌（起炎菌）を見つけるとともに，その菌に対してどの薬（抗菌薬）が効くのかを調べる検査も兼ねます（感受性検査）。
　当院では主に医師が入力し，看護師や医師事務作業補助者が説明を行います。

3）病理診断検査
　患者には，「採取した組織や，尿，喀痰などの排泄物，腹水，胸水などの体腔液から標本を作製

し，目的に応じた染色を行った後，顕微鏡で観察し，疾患の診断，病態の把握などを行う検査です」と説明します。

　なお，組織を観察する検査を**組織検査**，排泄物や体腔液を観察する検査を**細胞診検査**といいます。さらに，手術中に行う検査を**術中病理組織診**といいます。

　病理検査は，腫瘍など重い疾患に関して行われることが多く，告知が関係する場合などもあるため，医師事務作業補助者が説明できないケースも多くあります。そのため，当院では主に医師が入力し，説明しています。実際の検査は，細胞検査士の資格をもつ臨床検査技師などが行います。

4）放射線検査

　放射線部門で行う検査は，「レントゲン・CT・MR・RI・PET・骨シンチ・血管造影等の検査です」とそのまま検査名を説明することが多くなります。

　X線検査（いわゆるレントゲン）やCTはかなり一般的になりました。核医学検査はかなり専門的なので説明がむずかしいものもありますが，近年では患者向けホームページなどでの説明が充実してきました（図表3-11）。

　画像検査には，オーダ時にペースメーカーの有無（特にMRの場合）や，現在処方されている薬（抗凝固剤など）の確認が必須になるものがあります。特に，他院での処方は見落としやすいので注意が必要です。

　検査のために休薬を必要とする場合や，告知に関係する可能性のある検査内容を説明する場合などは，慎重な対応が必要です。自己判断を避け，医師に確認することがきわめて重要です。

　医師および医師事務作業補助者が入力し，外来の看護師または医師事務作業補助者が説明を行うことになります。実際に検査を行うのは診療放射線技師ですので，放射線部門では，技師からも説明が行われることになります。

5）生理検査

　生理検査は，患者にとって想像しにくい検査の一つです。何が生理機能かという説明をしてもか

図表3-11　核医学検査に関する説明の例

核医学検査（RI）	微量の放射性同位元素（Radioisotope，以下RI）を目印として含めた放射性医薬品（放射薬剤）を投与し，その分布や反応によって病気の有無を調べる方法です。RIから発する透過性の高い放射線をガンマカメラと呼ばれる特殊な装置で検出し，その分布を撮像（画像として取得）します。[※1]
PET-CT	PETとは，positron emission tomography（陽電子放出断層撮影）の略で，放射能を含む薬剤を用いる，核医学検査の一種です。放射性薬剤を体内に取り込ませ，放出される放射線を特殊なカメラでとらえて画像化します。CTなどの画像検査では，通常，頭部，胸部，腹部などと部位を絞って検査を行いますが，PET検査では，全身を一度に調べることができます。核医学検査は，使用する薬により様々な目的に利用されていますが，現在PET検査といえば大半がブドウ糖代謝の指標となる18F-FDGという薬を用いた"FDG-PET検査"です。CT検査などでは形の異常を診るのに対し，PET検査ではブドウ糖代謝などの機能から異常を診ます。臓器の形だけで判断がつかないときに，働きを診ることで診断の精度を上げることができます。 　PET検査は，通常がんや炎症の病巣を調べたり，腫瘍の大きさや場所の特定，良性・悪性の区別，転移状況や治療効果の判定，再発の診断などに利用されています。[※2]
骨シンチ	骨はその形を維持しながら，常に新しい骨組織に置き換わっています（破壊と再生を繰り返しています）。骨に病気が発生すると，この破壊と再生のバランスが崩れ，骨を作りすぎてしまったり（骨造成，骨硬化），作らなかったり（骨吸収，溶骨）といった現象が起こります。骨シンチグラフィー検査はこの骨造成を反映する検査であり，がんが骨へ転移しているかどうかを検出するのに頻繁に利用されます。[※3]

※1　核医学検査Q＆A：独立行政法人　放射線医学総合研究所ホームページ　http://www.nirs.go.jp/usr/medical-imaging/ja/qa/index.htm
※2　PET-CTって：独立行政法人　国立国際医療センターホームページ　http://www.ncgm.go.jp/sogoannai/housyasen/kakuigaku/inspect/pet.html
※3　シンチって：国立国際医療センターホームページ　http://www.ncgm.go.jp/sogoannai/housyasen/kakuigaku/inspect/scinti_01.html

えってわかりにくくなる可能性が高いので「心電図・脳波・超音波，呼吸機能等の検査です」と具体的な検査内容を説明するのが現実的です。もっとも呼吸機能検査のように，「努力肺活量（FVC）や，1秒間の努力呼気量（FEV₁）を測定し，慢性閉塞性肺疾患などの診断に用いる」という説明をしても，やはりわかりにくい検査もあります。

生理検査はその内容によって検査室が変わることもあるので，オーダを入力

図表3-12　内視鏡検査時に留意すべき薬剤の一例

抗血小板薬	抗凝固薬
バイアスピリン錠	ワーファリン錠
パナルジン錠	ヘパリンナトリウム注
プラビックス錠	フラグミン静注
プレタールOD錠	リクシアナ錠
エパデールS900	プラザキサカプセル
アンプラーグ錠　など	イグザレルト錠　など

※　ここに記載されている薬品はあくまで一例です。また，代表的な商品名を記載していますが，後発医薬品の採用などにより商品名が異なる場合もあります。決して自己判断せず，必ず医師や薬剤師に確認して下さい。

後，検査の内容や検査室の場所などをご案内することもよくあります。

医師および医師事務作業補助者が入力し，医師事務作業補助者が説明を行います。実際に検査を行うのは臨床検査技師ですので，検査部門では，技師からも説明が行われることになります。

6）内視鏡検査

内視鏡検査は，胃カメラなどの名称で患者にとっても馴染みのある検査といえます。実際には「先端に小型カメラ（CCD）またはレンズを内蔵した太さ1cm程の細長い管を口あるいは肛門などから挿入し，食道，胃，十二指腸や大腸の内部を観察し，ときには治療を行うものです」と説明することになります。

オーダ時に，現在処方されている薬の確認が必須です。特に，他院で処方されている抗凝固剤などは見落としやすいので注意が必要です。この点については，日本内視鏡学会から「抗血栓薬服用患者に対する消化器内視鏡診療ガイドライン」が出されており，特に注意すべき薬剤が列挙されています（図表3-12）。なお，同ガイドラインの2017年追補版では，新しい抗凝固薬やその休薬リスクについてもさらに検討が加えられ，単純に「内視鏡検査＝休薬」とも言えなくなってきました。

当院では主に医師がオーダを入力し，看護師または医師事務作業補助者が検査説明を行います。なお，内視鏡検査は侵襲性が高い検査ですので，臨床検査技師や看護師などが行うことは認められておらず，必ず医師が実施することになります。

3　検査結果の取扱い

検査オーダ画面では，検査結果を参照できるだけでなく，その検査結果を印刷する機能もついているのが一般的です。特に，外来の検体検査には「外来迅速検体検査加算」という加算があります。これは，検体検査を行った当日中に結果を説明したうえで文書によりその情報を提供し，検査結果に基づいて診療を行った場合に，検査料に10点を上乗せできるというものです。このため，医師事務作業補助者は外来診療中に検査結果の印刷を行うことも多く，操作方法に習熟していることが望まれます。

厚生労働省が定める「診療情報の提供等に関する指針（2003年9月12日付け厚生労働省医政局長通知，医政発第0912001号）」では，診察中に検査結果などを患者に交付することは，「診療中の診療情報の提供」であって，「診療情報の開示」とは別のものとしています。すなわち，これは医師の裁量で自由に情報提供を行えることになります。

しかし，医師事務作業補助者が，自らの判断で診療情報を提供することはできません。診察中に医師が情報提供するか，あるいは開示請求することになりますので，自らの判断で検査結果などを患者に交付してしまわないよう，留意する必要があります。

7.　処置オーダの代行入力

武田　まゆみ

医師事務作業補助者のなかには，電子カルテやオーダリングシステムが普及してから医療業に就いた人も多いのではないでしょうか。もし，病院内に「紙カルテ」が保管されていたら一度開いて読んでみてください。判読不明な文字や略語，英語やドイツ語が散乱しており，まれに整然と並んだ日本語を見るとうれしくなります。体の部位や定型文がスタンプで押されていたり，検査結果や指示せんが綴られていたりもします。

電子カルテやオーダリングシステムが普及する以前，処置が行われると，医師がその内容を診療録（診療録の様式第1号）に遅滞なく記載していました。この記載内容を根拠に医事課職員が会計入力を行っていたので，内容が不十分だったりすると診療報酬の算定もれや誤りが発生したり，診察室への確認作業や手書きによる時間のロスなどが重なり，会計による待ち時間が長くなったりしていました。この流れをシステム化したものがオーダリングシステムであり，医師が指示した内容が瞬時に各部門へ転送されるようになりました。

以上のように，処置オーダの精度と診療報酬は直結していることから，オーダの代行入力の役割を「処置内容を正しく伝達すること」と位置づけて考えていきます。

1　医科診療報酬点数表における「処置」

処置の費用は，処置料および処置医療機器等加算，薬剤料，特定保険医療材料料を合算した点数によって算定します。しかし，通知には，「処置に当たって通常使用される包帯（頭部・頸部・躯幹等固定用伸縮性包帯を含む），ガーゼ等衛生材料，患者の衣類及び保険医療材料の費用は，所定点数に含まれており，別に算定できない」扱いです。

処置にあたっての衛生材料などはオーダとして特別表現する必要はありませんが，「所定点数に含まれる」程度の知識はあったほうが，コスト意識という観点からは望ましいと思います。また，なかには特定保険医療材料として別途請求できるものもありますので，処置に使用された医療材料についても正しく理解することが大切です。

2　行った処置の診療録記載

医師が行った処置については，遅滞なく診療録に記載する必要があります。医師が処置を終わらせてから記載しようとすると時間を要しますので，処置を行っている間に手技名・実施部位名称・大きさなどの定型事項は記載しておくと効率的です。

記載内容については，①手技名・実施部位，②適応，③患者のインフォームド・コンセント，④用いた無菌処置，⑤用いた麻酔，⑥手技の簡単な手順，⑦検体を採取して提出した依頼先，⑧合併症，⑨処置の確認と当面のフォローの検査 —— などが網羅されていると，情報開示にも対応できます。医事課職員も，処置オーダと診療録を照らし合わせながら会計入力を行いますので，詳細な記録であるほど算定もれ防止につながります。

3　処置オーダの組み立て方

　処置オーダは「処置内容を正しく伝達すること」が使命なので，伝えられる側にとってわかりやすいことが大切です。

　筆者が勤める潤和会記念病院では，オーダが診療科別に流れるように組み立てていますが，外来・入院別や病棟単位，医師単位さらには職種単位といった考え方もありますので，各医療機関にあった方法で組み立てていけばいいでしょう。

　当院の場合は，診療科別で「処置行為，使用材料，使用薬剤，処置の方法やコメント（自由記載）」などをツリー構造で登録しています。まず「整形外科」を選んだら，整形外科で行われる主な処置行為が出てきます。次に，大きさ別に診療報酬点数区分（創傷 1. 筋肉に達する 5cm 未満など）が示され，さらに使用材料（皮膚被覆材など）や使用薬剤（皮膚消毒剤など）といった処置に関連するものが紐付けられています。使用材料や薬剤については名称だけでなく使用量も記載し，その他特記事項はコメント欄で対応しています（図表 3-13）。

　このような手順で，よく行われる処置についてはセットとして登録しておくと便利です。

4　処置オーダにおける注意点

1. 処置内容と処置オーダの相違

　外来で医師事務作業補助の業務を行っていると，医事課職員から「（診療録には）コルセット着用と書かれているのですが，オーダが入っていません」とか「関節穿刺でオーダが入っていますが，関節腔内注射ではありませんか」という問合せを受けることがあります（図表 3-14）。メッセージを正しく伝えるためには，伝える先で情報がどのように活用されるのかを知っておくことも，伝える側，つまりは医師事務作業補助者の大切なスキルです。

2. 処置オーダに対応する傷病名

　処置オーダを正確に行っても，傷病名の入力がもれていたら診療報酬請求はできません。いわゆる「病名もれ」です（図表 3-15）。処置オーダを行う際には，処置に至った傷病名が正しく表記されているかを必ず確認しましょう。その傷病名が診療報酬上の適応疾患であるか否かも理解しておくといいでしょう。また，部位や左右の誤りはよくある話ですので留意してください。

3. 処置の"Do"には要注意

　定期的に処置を行っている際，"Do"という医師指示があるときがありますが，これは前回と同じ処置を行うことを意味します。この Do 処置を活用することにより入力時間も短縮でき入力ミスもなくなる一方，最初の処置オーダを誤るとその間違ったままのオーダで算定ミスやもれが続く恐れがあります。Do 処置であったとしても，オーダの中身を再確認することが肝要です。

4. 医学管理料等でのオーダ

　最近，医学管理料や指導料といわれるものが多くあります。診療行為のなかで，処置や投薬のような物理的な技術料と異なり，医師による患者指導や医学的管理そのものを評価するものが医学管理料や指導料です。この場合，処置オーダではなく医学管理料等そのものをオーダできると，医事課職員のスキルに左右されることなくもれなく診療報酬を請求できます。

　医学管理料等を算定するに当たっては，診療録に記載すべき指導内容や治療計画などの指導要点が算定要件としてそれぞれ定められていることを十分理解し，オーダリングや診療録の記載を行いましょう（図表 3-16）。

図表 3-13　処置オーダの例

```
【処置】整形外科　△△△医師
　　　　創傷処理（長径 5cm 未満，筋肉，臓器に達するもの）
　　　　　ポビドンヨード液（10%）　10mL
　　　　　キシロカイン注射液 1% E20mL　10mL
　　　　　ゲンタシン軟膏 0.1%　5g
```

※　前腕部の筋肉に達する深い切創に対して縫合が行われ，処置の際に使用した消毒液，麻酔薬，抗生剤軟膏が記載されている。

処置オーダを行う際は，医学管理料や指導料も「（処置オーダの）選択肢」のなかに挙げられる仕組みづくりが有効です。また処置オーダのように，医学管理料等に記載内容を紐付けたような「テンプレート」を活用できると，さほどむずかしくなく導入できると思います。

患者に指導した内容を「具体的に」診療録に記載することは必要です。ただし，医師の指導がないままに，電子カルテなどのテンプレートを利用して画一的かつ自動的に記載しすることは不適切ですので，心がけて取り組みましょう。

5　処置オーダの権限範囲

当院では，今のところ医師事務作業補助者が指示受けして入力する処置や注射などのオーダの範囲は，医師が実施したものに限局しています。定期的な処置などを事前にオーダしておく場合もありますが，こういった場合は原則 Do 処置や頻度の高い「セット」となっている処置のオーダを行います。注射についても同様です。麻薬など侵襲性の高い注射は特に「実施入力」を必須とし，その権限も医師もしくは看護師にしか付与していません。

また病棟での処置など行為を確認できないオーダは，看護師を介して医師の指示を受けることも多く，オーダの範囲を医師や看護師と話し合って決めておく必要があるでしょう。

このように業務範囲を事前に決めておき，電子カルテやオーダリングが導入されていれば，システムにアラート（警告）機能などをもたせることにより，業務の精度を保つことはさほどむずかしいことではないと考えます。

本節の冒頭に述べたように，処置オーダの使命は「処置内容を正しく伝達すること」です。医師の業務負担軽減だけでなく診療報酬という観点からも，医師事務作業補助者の貢献度が比較的可視化されやすい業務ですので，院内の多職種と業務分担を進めて，積極的に取り組んでいきましょう。

図表 3-14　処置内容と処置オーダに相違がある例

【診療録】		【オーダ】
左変形性膝関節症に対し，ヒアルロン酸 Na を関節腔内注射した。 　スベニール関節注 25 mg　1 筒 　ネオヨジン外用液 1%　1.5 mL	←相違→	関節穿刺

図表 3-15　オーダと傷病名に相違がある例

【オーダ】		【傷病名】
頸部固定帯固定（カラーキーパー S）	←相違→	変形性腰椎症

図表 3-16　処置料ではなく管理料が算定される例

神経因性膀胱で残尿を伴う排尿困難があり在宅自己導尿を行うことが必要な患者さんは，導尿，膀胱洗浄，留置カテーテル設置料の算定はできず，在宅自己導尿指導管理料での算定となる。

糖尿病で，インスリン注射等別に厚生労働大臣が定める注射薬の自己注射を行っている入院外の患者に対して，自己注射に関する指導管理を行った場合は，在宅自己注射指導管理料を算定できる。

在宅自己注射指導管理料 → 〈記載内容〉
●在宅自己注射指導管理を指示した根拠
●指示事項（方法，注意点，緊急時措置を含む）
●指導内容の要点
ここの部分をテンプレートに！

8. 病床管理の取組み

高橋　新，堀田　恵

　急性期病院では，限られた資源で効率的な入院受け入れを行うことを目的として，事務職で病床管理業務を行うことがあります。本稿では，筆者が過去に経験した取組みをもとに，医師事務作業補助者が部分的にかかわる病床管理業務についてまとめたいと思います。

1　要因分析

　内科医師数が少なく業務が多忙になると，特に専門疾患に属さない一般内科疾患の受け入れをスムーズに進めることが困難な状況になります。そこではなぜ効率的な入院受け入れが行えていないのかを分析することが第一歩です。筆者の経験では，主に4つの要因があります（図表3-17）。

1. 医師の要因
　病棟看護師との調整が必要である，緊急業務が重複する，多忙である，治療以外の業務がある

2. 看護師の要因
　医師との調整が必要である，緊急業務が多い，多忙である，他の患者対応がある

3. 外的要因
　地域医療の危機である（救急受け入れ，入院受け入れ医療機関が減少），当院に患者が集中することによる患者数の増加

4. システム・情報の要因
　システムの活用が不十分である，情報の管理・共有がむずかしい，診療科別病棟固定制である
　以上の要因を踏まえ，運営ルールの策定を行います。

図表 3-17　効率的な入院受け入れができない4要因

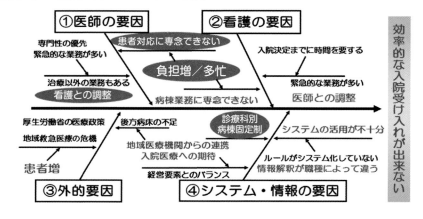

2　ルールの策定例

1. 病床管理運用手順の見直し

医師，看護師，事務職の三者で「病床管理運用手順」の見直しを行います。ここが最も重要で，十分な時間をかけてコンセンサスの形成に努める必要があります。

2. 院内への周知

事務職が「病床管理」にかかわること，特に主治医の決定，入院病棟の決定など大きな権限をもつ場合は，病院長より，医師，看護師をはじめ院内全体へ周知することが大切です。

3. 診療科別病棟固定制の廃止

診療科の病棟固定制を廃止し，主たる診療科病棟を決め，空いているベッドはどの診療科でも使用することができるように変更しました。

4. 診療科ごとの入院患者上限数の再設定

毎年，年度目標として，各診療科の1日入院患者上限数を設けていました。この数値については病床管理の運用上活用していませんでしたが，運用の見直しにより入院患者上限数を活用します。特定の診療科に負担が偏らないようにするためです。

5. 一般内科疾患主治医の決定

専門疾患については，各診療科で主治医を決定しますが，一般内科疾患の主治医の決定については，当日の入院実績数（予約入院数を含む）と診療科別入院上限数の差異が大きい診療科より，自動的に主治医を決定していきます。

時間外の主治医については，翌朝に副院長など病院幹部が受け入れ診療科を決定したうえで，各診療科部長が主治医を決定します。（図表3-18，3-19）

6. 一般内科疾患上限数の設定

一般内科疾患の入院は緊急入院が多く，主治医の負担も大きくなりがちです。そこで，曜日ごとの診療科の勤務医師数を考慮し，1日当たりの一般内科疾患受け入れ上限数も定めることも有効です。

7. 一般内科疾患の依頼先

病床管理担当者からの依頼先については，医師の診療状況により，連絡が取りにくい場合がありますので，診療科ごとおよび曜日ごとに依頼先医師を運用手順に定めておくと円滑です。

8. 入院ストップ宣言

診療科に一時的または緊急的な大きい負担が発生した場合は，副院長など病院幹部の判断で一般内科疾患の入院受け入れがストップでき，情報が関連部門に伝達される仕組みとすることで，不測の事態に備えます。

図表3-18　月～金曜日の主治医決定
（一般内科疾患入院が5名発生した場合）

	A 診療科	B 診療科	C 診療科	D 診療科
医師数	4	6	8	11
①入院実績数	17	42	38	55
②入院上限数	20	40	40	55
①－②の差異	−3	+2	−2	0
主治医の 優先順位	1番目 3番目 5番目		2番目 4番目	

入院実績数①が診療科別入院上限数②を下回る診療科より，マイナス解離の大きい順に振り分けます。

図表3-19　土曜日の主治医決定
（一般内科疾患が5名発生した場合）

	A 診療科	B 診療科	C 診療科	D 診療科
医師数	4	6	8	11
①入院実績数	17	42	38	55
②入院上限数	20	40	40	55
①－②の差異	−3	+2	−2	0
主治医の 優先順位	1番目 5番目	4番目	2番目	3番目

入院実績数①が診療科別入院上限数②を下回る診療科から，マイナスの解離の大きい順に，上限数超過の有無に関わらず，順に振り分けます。

平日と土曜日の運用が異なるのは，勤務している診療科医師数が大きく異なるためです。また，すべての診療科が診療科別入院上限数を上回っても，上回る数の少ない順に振り分けを行い，基本的に断らない体制にしました。

9. 病棟権限で確保可能なベッドの定義

　各病棟の確保可能ベッドは，当日予定入院と翌日予定入院分までなど，短期間とします。これを定義しないと，病棟から常に「～だから入院 NG」との回答が来てしまいます。

3　システム構築と業務フロー

1) 病床管理システムの構築

　病床管理担当者が病床状況をリアルタイムに活用できるように，何らかのシステムが必要です。当院では，Microsoft Access® を用いて，独自に病床管理システムを開発しました。

> **病床管理システムで確認できる主な項目**
> 　入院状況，退院予定，入院予定，診療科別入院上限数と実績数との差異，医師別入院数，診療科別入院数等

2) 満床警報配信システムの構築

　満床状態や空床が少ない場合に，リアルタイムで院内 PC に情報発信できるシステムを構築しました（図表 3-20）。このシステムは，情報共有をするうえで必要不可欠になっています。

　満床警報が配信されることで，病棟責任者は退院可能な患者の見直しを行い，医師に確認を行います。また，空床がある病棟は他科の受け入れが発生する状況であることを認識し，予定外の退院が発生した場合は病床管理担当者に報告することが促されます。医師については，入院が発生した場合，他院への転院を含めた入院説明が行われます。

3) 病棟ラウンド

　毎朝，病床管理担当者が各病棟ラウンドを行っています。開始当初は，病棟と病床管理担当者とのルール確認や情報共有が主でしたが，現在は，各病棟が予定入院ベッドを確保できていないときの相談や調整を行っています。FACE to FACE のコミュニケーションを図ることができる病棟ラウンドは，信頼関係を築くためにとても大切であると考えています。こうしたコミュニケーション

図表 3-20　満床警報時の各 PC 端末への表示画面

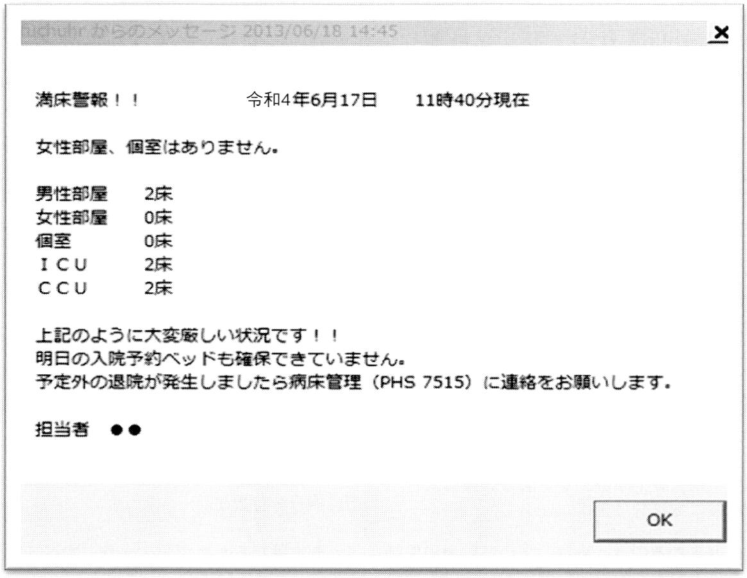

なしに病棟管理を行うのは，不可能と言っても過言ではありません。

4）継続的な運用の見直し
1. 内科医師会議
　毎月開催される内科医師会議では，病床管理に関する現状報告，問題点の確認，医師の異動等での入院患者上限数の見直しを常に行います。

2. 看護部との連携
　看護部の管理者に病床管理担当者の相談役を担ってもらい，調整困難な事例に対してサポートを受けます。

3. 病院幹部連絡会での入院状況確認
　毎朝行われる病院幹部連絡会で，日々の入院状況の確認，問題発生時の運用が協議されます。

5）病床管理担当者の1日の流れ
　病床管理担当者は専用のPHSを所持し，連絡先を一本化します。一例として，日中の業務を示します。

　8時45分〜　時間外の病床情報を得るため，夜間看護部責任者から申し送りを受ける
　　　　　　　時間外新入院患者の主治医を把握する
　9時00分〜　病棟ラウンドを行い，入院予定患者や空床状況を把握する
　9時30分〜　ICU病棟責任者へ各病棟状況を報告，ICU患者の転入転出の調整を依頼する
　9時40分〜　当日の救急受け入れ体制を整えるため，救急室医師および看護師へ，各病棟状況を報告する
　8時45分〜17時00分　各診療現場からの入院依頼に対応する。入院依頼時に必要な情報は，次の8項目になります

---
①患者氏名および患者番号
②性別
③年齢
④認知症の有無（ありの場合は，大部屋対応が困難な場合がある）
⑤ADLの状態（入院時と入院前の状態）
⑥部屋希望（個室または大部屋）
⑦今回の主治医
⑧入院してからの予定される治療内容（緊急手術，PTCDチューブ挿入，絶食等）
　上記以外にも，疾患によっては受け入れ困難な病棟および病床があるため，他の情報を得る必要があります。例えば，「肺炎については，酸素吸入の必要性」「循環器疾患であれば，リモート可能なモニター管理の必要性」などがあります。

　17時00分〜　夜間看護部管理科長へ申し送りを行い終了

6）主治医，病床決定までの流れ
　基本的な主治医，病床決定までの流れは図表3-21，3-22のとおりです。専門疾患であっても病床管理担当者が病床を確保する場合があります。

7）事務職が病床管理を担う効果
1. 事務作業の負担軽減
　調整や確認する作業が減少し，医師は診療業務，看護師は看護業務に専念できる環境を提供することができます。

図表 3-21　専門疾患の病床決定までのフロー例

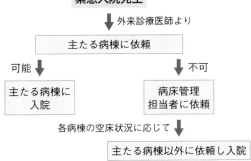

図表 3-22　一般内科疾患の主治医，病床決定までのフロー例

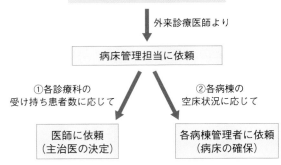

2. 病床利用率の向上

院内全体のベッドを有効に使用することができますので，利用率の向上が図れます。

3. 患者さんの入院までの待ち時間短縮

運用が始まる以前は，入院発生した診療科が診療を行いながら病棟との調整を行っていたため時間を要していましたが，専任の病床管理担当者がこの業務を担うことで，入院までの時間が短縮されました。

4. 職種を越えた信頼と協力関係の構築

病床管理業務を通じて，医師，看護師，事務職，それぞれがお互いの業務や思いを理解することができ，信頼関係の構築につながりました。

4　病床管理業務にとって大切なこと

1) 病床管理担当者として

当初は患者情報の収集が不十分であったり，ルールの共有ができていなかったりと，苦労した面は多くありましたが，病院幹部のバックアップもあり，定着化につなげることができました。

病床管理業務に携わるうえで大切だと思うことがあります。

①医師・看護部・事務部の三者を主とした関係部署が病床管理運用手順（ルール）を共有すること

②医師・看護部・関係部署が，"目の前の入院が必要な患者さんのため"という同じ目的のために，協働して取り組むこと

③後ろ盾となる存在をもつこと（病床管理は経営方針と直結するため，病院長などの後押しが不可欠です）

④看護部との連携（いつでも相談でき，常に隣にいる存在の看護部長・副部長など）

⑤関係部署とのコミュニケーション（病床管理担当者として現場を理解すること。また担当者としての役割を理解してもらうために，積極的にコミュニケーションを図りました）

2) チーム医療の一員として

以上が，事務職がかかわる病床管理業務です。医師との直接的なやり取りで信頼が築け，役割として求められている，病院にとってなくてはならないものだと感じています。実際に医師事務作業補助者が行う業務は，入院時オーダの発行など，部分的なものが多いと思います。しかし，事務部主導・看護部主導などの形態にかかわらず，病床管理担当の業務も理解しておくことが，医師事務作業補助者として重要と感じています。

9. 代行入力に対する医師の確認手順

高橋　新，瀬戸　僚馬

1　なぜ代行入力の「確定操作」が必要なのか

　医師事務作業補助者が代行入力を行った場合，その内容を医師が確認し，確認したことが記録されなければなりません。これを「確定操作（承認操作，カウンターサインなど。呼称はベンダーによって異なる）」と呼びます。確定操作が必要な理由は，おおむね３点に整理されます。

　一つ目は，医療の安全性を確保する観点です。特にオーダの発行は生体侵襲に直結するものですから，その内容を医師が確認することは不可欠です。経過記録（プログレスノート）に記載した内容も，他の職種にも共有されて臨床判断に直結するものです。よって，患者の状態や医療行為が適切に記載されていなければ，それは医療事故につながりかねません。

　二つ目は，診療録を適正化する観点です。診療録の記載や処方などの指示は医師の権限ですので，その権限をもつ医師が確認していなければ，何ら事実を証明する能力をもたないメモになってしまいます。特に電子カルテの場合は，ログインID・PASSの貸し借り等による「なりすまし」が通用するような状態で運用すると，「真正性」を確保できていないことから，診療録全体が信頼できないものになってしまいます。

　最後に，医師事務作業補助者にとっては自らを守るという観点もあります。確定操作を行っていなければ，万が一，医療事故などが起きた際に，どの工程でエラーが起きたのかがわからなくなってしまいます。例えば内服薬を過剰投与したとき，医師がその量を指示して確認も済ませていたのか，医師事務作業補助者が間違えて確認されないまま投与に至ったのかで問題は大きく変わってきます。

　このように確定操作は重要なものですが，医師と医師事務作業補助者にとっては手間がかかる業務でもあります。まだ電子カルテの確定操作機能も定着する時期に至っておらず，必ずしも利便性の高いものとはいえない状況ではあります。しかし，確定操作を怠ることにはかなりのリスクが伴いますので，形骸化しないように注視しておくことが重要です。

2　医師事務作業補助体制加算における代行入力ルール

　医師事務作業補助者が行う代行入力には，２つのルールがあります。まず，医師事務作業補助者の業務という切り口では，医師事務作業補助体制加算に係る施設基準のなかに代行入力ルールが含まれています（図表3-23）。ここで重要になるのは，代行入力はあくまで「院内規程」に基づいて行わなければならず，医師の依頼があっただけでは行えないという点です。

　院内ルールでは，どのような入力を医師事務作業補助者に許可するのか，詳細に定める必要があります。入力権限は，処方，検体検査，あるいは診療録記載などの項目ごとに，「入力可能」「入力は認めないが参照のみ可能」「いずれも認めない」のいずれかに分けて設定するものです。

　通常，病院では「医師」「薬剤師」などの職種ごとにアクセス権を設定しますので，そこに医師事務作業補助者も加えることになります。なお，医師についても臨床研修を修了した医師と，研修医の操作権限は別に設定するような例が多くみられます。これと同様に，医師の代行が想定されな

図表 3-23　医師事務作業補助体制加算における代行入力ルール

［通知］基本診療料の施設基準等及びその届出に関する手続きの取扱いについて
- 電子カルテシステム（オーダリングシステムを含む）について，「医療情報システムの安全管理に関するガイドライン」等に準拠した体制であり，当該体制について，院内規程を文書で整備していること。
- 特に，「成りすまし」がないよう，電子カルテシステムの真正性について十分留意していること。
- 医師事務作業補助者が電子カルテシステムに入力する場合は代行入力機能を使用し，代行入力機能を有しないシステムの場合は，業務範囲を限定し，医師事務作業補助者が当該システムの入力業務に携わらないこと。

【施設基準に係る届出書類（様式18-1）】
- 院内に電子カルテシステム又はオーダリングシステムを導入しており，そのシステム上において，7の③に規定する業務を医師事務作業補助者に行わせることとしている場合は，以下の院内体制を整備している（略）。
　電子カルテシステム（オーダリングシステムを含む）について，関係法令に基づき院内規程を文書で整備している。（略）
（記載上の注意）
　院内規程文書の写しを添付し，併せて，院内における電子カルテシステム（オーダリングシステムを含む）における「医療情報システムの安全管理に関するガイドライン」に規定する真正性，見読性，保存性の確保に係る取組が分かる資料及び各入力項目についての入力権限，許可権限が分かる一覧表を添付すること。

い一般の事務職員と，これを業とする医師事務作業補助者では，操作権限を分けることも合理的な判断といえます。

3　「医師情報システムの安全管理に関するガイドライン」に基づく確定操作ルール

　さらに施設基準では，医師事務作業補助者の代行入力にあたって，厚生労働省の「医療情報システムの安全管理に関するガイドライン」に準拠することを求めています。このガイドラインは，個人情報保護法やe文書法などの法令や関連する行政通知など数多くの制度と関係があるため，本文と付表は膨大なものになっています。そのなかには，システム管理者が導入や運用管理に際して遵守する事項も多く含まれています。

　しかし，同ガイドラインは，医師事務作業補助者を含むすべての職種にとって代行入力の制度的根拠となるものです。特に処方オーダの代行は，医師事務作業補助者より薬剤師や看護師が行う場合が多いというデータもありますが[※1]，この場合も同ガイドラインに基づいて実施されることとなります。

　とりわけ，医師事務作業補助体制加算の施設基準では，医師事務作業補助者による「なりすまし」を防ぎ，電子カルテの「真正性」の確保に十分留意することを求めています。そのため，医師も医師事務作業補助者も，とりわけ「真正性」に関するルールは熟知しておくことが求められます。

　ガイドラインでは，「真正性とは，正当な権限において作成された記録に対し，虚偽入力，書き換え，消去及び混同が防止されており，かつ，第三者から見て作成の責任の所在が明確であることである」ことと定義しています。診療録の記載やオーダの発行はいずれも医師の権限で作成されるべきものですから，医師の責任が明確になっていなければなりません。だからといって，医師事務作業補助者が医師のIDを用いて入力してしまうと，実際に誰が入力したのかがわからなくなり，結局は責任の所在が曖昧になります。このため，ガイドラインでは「他人のIDでシステムにアクセスしたりすること」を禁止しており，代行した事実が記録されるようにすることを義務づけています（図表3-24）。

　ただし，このルールでは，確定操作をどのタイミングで行うかは明記しておらず，「できるだけ

※1　瀬戸僚馬，若林進，開原成允ほか．医療関係職種および事務職員等による処方オーダリングシステムの代行入力の現状，医療情報学 2010；29（1）：31-36

図表 3-24　代行操作の承認機能に関するルール

> 1. 代行操作を運用上認めるケースがあれば，具体的にどの業務等に適用するか，また誰が誰を代行してよいかを運用管理規程で定めること。
> 2. <u>代行操作が行われた場合には，誰の代行が誰によっていつ行われたかの管理情報が，その代行操作の都度記録されること。</u>
> 3. 代行操作により記録された診療録等は，できるだけ速やかに作成責任者による「確定操作（承認）」が行われること。
>   この際，内容の確認を行わずに確定操作を行ってはならない。

速やかに」という表現にとどめています。よって，具体的な「確定操作の期限」は各病院が運用管理規程（すなわち院内ルール）のなかで定めることになります。

　もっとも，「遅滞なく行う」ことが求められる医師の診療録記載もおおむね 24 時間が目安であることから，「できるだけ速やかに」という文言が，これより短期間を意図していることは言うまでもありません。財団法人政策医療振興財団助成「医師事務作業補助体制の推進を目的とした病院情報システムの標準的運用マニュアル構築」研究班（以下，「政策医療振興財団研究班」）では，「**特に侵襲性のある行為については**オーダ発行から注射や処置等の医療行為が実施されるまでの間に，その医療行為に係る確定操作が行われるような運用体制を構築すること」[※2] を推奨しています。なお，2022 年に日本医療情報学会が公表した「病院情報システムの利用者心得解説書（ver2.1）」では，この期間を「24 時間以内」「3 業務日」と例示しており，そのくらいの期間が限度と言えます。

　例えば，整形外科外来において頻度の高いヒアルロン酸膝関節注射（スベニール®など）のオーダを代行入力するとして，その確定操作を一件ごとに行うのは現実的とはいえません。しかし，これを理由に外来化学療法室で行う抗がん剤の注射の代行入力を夜間まで先延ばしにするのは，医療安全の観点から望ましくありません。よって，単に「外来注射オーダ」という括りでルールを定めるのは，安全性と効率性のバランスを欠く場合もあります。この点は院内ルールを定める際に，よく議論すべきことです。また，院内ルールが現実に即していないのであれば見直すことも重要ですが，それを理由にルールを「なし崩し」にすることは避けなければなりません。ガイドラインでも，2017 年の改定で「内容の確認を行わずに確定操作を行ってはならない」と明記されました。

　代行入力や確定操作を行うと，その履歴はシステム上に保管されます。例えば，「12 時 00 分に実施すべき患者 A の頭部 CT 検査のオーダを，10 時 30 分に医師 B の代行で医師事務作業補助者 C が発行し，翌日の 7 時 30 分に医師 B が確認した」といった履歴がデータとして蓄積されます。医師が確定操作を行った後でも，医師事務作業補助者が入力した事実，そして医師が確定操作を行った事実は消すことができません。このような履歴は，「監査証跡」という意味ももちます。この例でいうと，「頭部 CT 検査の 90 分前に代行入力が実施され，確定操作は入力の 21 時間後に行われた」という記録も残ることになります。すなわち，これが院内ルールに則したものなのか，後で監査することが可能になるのです。

　ガイドラインでは，病院に対して「仕様や運用方法が当初の方針の通りに機能しているかどうかを定期的に監査すること」を求めています。これはシステム管理の観点でも重要ですが，医師事務作業補助者の業務を見直す意味でも，定期的に行っていくことが望まれます。

　もし，医師事務作業補助者が医師の ID を使ってログインしてしまうと，このような監査証跡はいっさい残らないことになります（図表 3-25）。医師事務作業補助者が適正に代行入力業務を行っていたことも客観的に示せなくなってしまいますので，やはりガイドラインに基づいた運用を遵守す

※2　財団法人政策医療振興財団助成「医師事務作業補助体制を推進するための病院情報システムの標準的運用マニュアル構築」研究班，医師事務作業補助体制を推進するための病院情報システムの標準的運用マニュアル構築，P.3，2010

図表 3-25　処方オーダ画面における医師名，入力者名および承認者名の表示欄の例

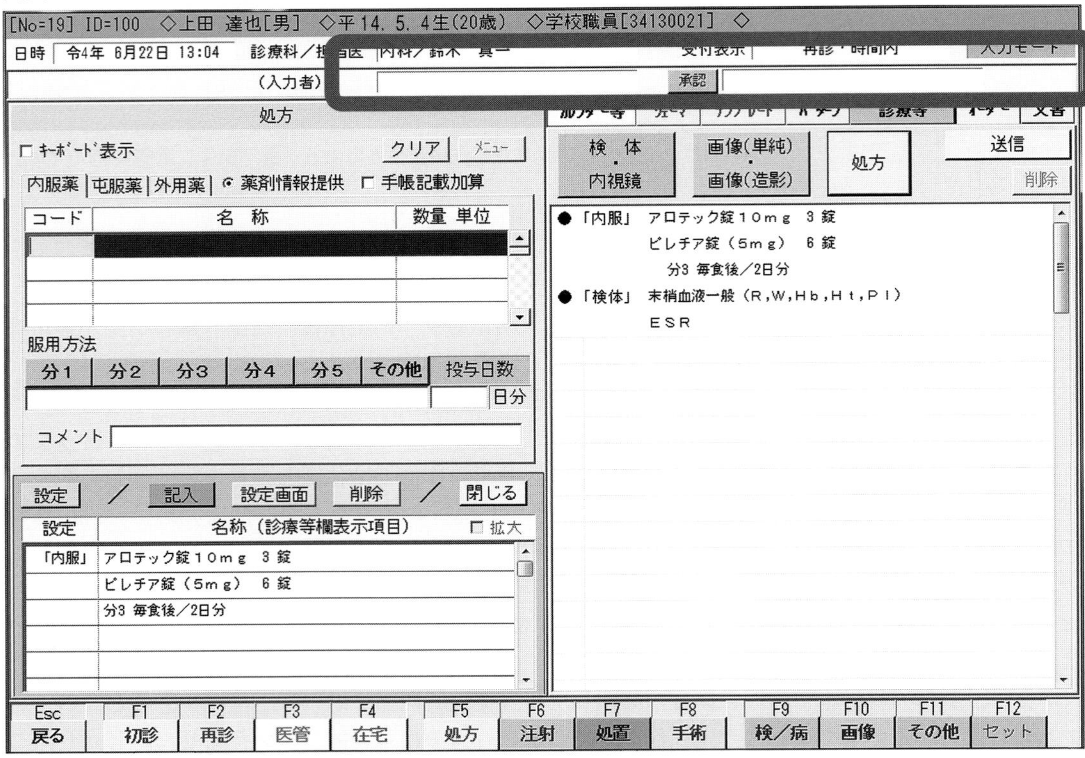

C&C 電子カルテシステムⅡ（画面提供：ケアアンドコミュニケーション株式会社）

ることが重要です。

4　安全で効率的な代行入力を実現するために

　医師事務作業補助者の業務に「診療記録への代行入力」が盛り込まれた背景には，電子カルテを導入しても医師の負担が変わらないという現実があります。政府の IT 戦略本部医療評価委員会が2007 年に実施した調査では，電子カルテなどの導入によって負担が軽減したと回答した医師よりも，むしろ増大としたと回答した医師が 6.8 ポイント上回るという衝撃的な結果が出ています[3]。実際，電子カルテを導入した病院では，医師が医療文書を作成する時間は減るものの，システム操作の時間がその分増加することから，間接的業務時間の合計はあまり変わらないことも明らかになっています[4]。ですので，医師の確定操作などのルールは遵守しつつも，そのうえで効率性を追求する方法も模索しなければなりません。

　そのためには，医師の操作負荷は医療上のリスクと比例させることが重要です。例えば，夜間にオーダ発行されやすいマグネシウム製剤（すなわち下剤）のために多大な負荷をかけることは避けるべきであり，他方で抗がん剤などは多重チェックが働く仕組みにしていく必要があります。このような観点から，財団法人新医療施設開発振興財団助成「医師と医療関係職種の役割分担を推進するためのオーダリングシステムのアーキテクチャ再構築」研究班では，「医師事務作業補助者によ

---

[3]　IT 戦略本部：医療分野　パイロット調査結果，IT 戦略本部ホームページ
　　https://dl.ndl.go.jp/view/prepareDownload?itemId=info%3Andljp%2Fpid%2F3531340&contentNo=1

[4]　瀬戸僚馬，津村宏：医師が電子カルテ操作に費やす業務時間に関する調査．医療情報学，32（2），59-63，2012

図表 3-26　医師事務作業補助者による処方・注射オーダの代行範囲に関するアウトライン

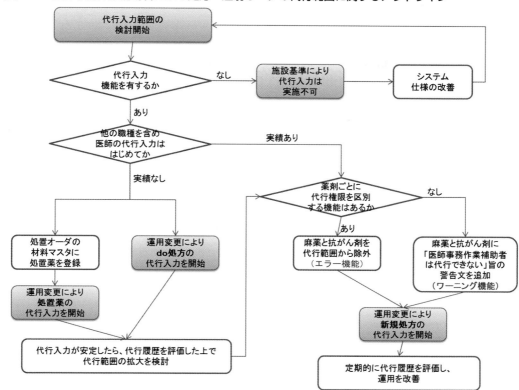

る処方・注射オーダの代行範囲に関するアウトライン」を示しています（図表 3-26）。

　このアウトラインでは，比較的リスクの低い処置薬は処置マスタから入力することを推奨したうえで，初めて代行入力に着手する病院では，最初は do 処方（前回と同じ内容で継続的に発行される処方）に限る方法などを提唱しています。また，最後に，厚生労働省のガイドラインでは，安全のために組織的・技術的・物理的な対策に加え，「人的安全対策」を求めていることも知っておきましょう。つまり，リスクがあるのならば適正なシステム運用のための教育を行う必要があるということです。もっとも，同ガイドラインは専門性が高いものなので，ユーザーがそのまま読むと偏った解釈や誤った理解が行われるおそれもあります。

　そこで，2013 年に日本医療情報学会では，ユーザーが読んでも理解できるよう，「病院情報システムの利用者心得」を公表し，2015 年には解説書が作成されました。また，2017 年に，日本診療情報学会は診療情報の記載指針を公表し，そこに「電子カルテの記録・運用指針」が盛り込まれました。その後，2021 年 3 月には改訂版が公表され，現在に至ります（https://jhim-e.com/pdf/data2021/recording_guide2021.pdf）。このように妥当性が担保された資料を活用し，独自見解にならないかたちで補助者の教育を行うことも安全対策の一つといえます。

救急医療と
医師事務作業補助者

上田　博

　医師事務作業補助者の業務は多岐にわたりますが，最も力を発揮してほしい分野の一つが救急医療現場です。2020年度において全国で救急搬送された患者さんは，600万人近くになっています。石川県においても，4万1000人を超える現況です。増加した理由としては，高齢の傷病者の増加が最大の要因とされています。高齢社会となり，ますます高齢者の救急搬送が多くなることが予想されます。

　医師をはじめとして医療現場で働くスタッフの疲弊が問題となって久しくなっています。その解決策の一つとして医師事務作業補助者の活躍が期待されているのです。医師や看護師が，本来果たすべき業務に専念できれば，ひいては患者さんにとって有益となります。そこで救急医療現場において医師事務作業補助者のできる役割を将来的な業務もまじえて考えてみましょう。

1　救急現場での役割

　診療時間内においては，医師や看護師をはじめとして，救急患者さんに対応可能なスタッフの確保は比較的容易であると思われます。しかしながら，場合によっては救急患者さんが集中する場合も見受けられます。

　診療時間外においては，スタッフが十分ではないなかで診療が行われます。その場合，医師や看護師が診断・治療に専念できることが大変重要となってきます。そこで医師事務作業補助者は，診断・治療などの臨床に直接関わらない業務を医師の指示により手助けすることができそうです。例えば重症患者の場合，医師も看護師も忙しい場面で，患者さんや家族，あるいは救急救命士などへの対応や，電話対応が可能でしょう。診断や治療内容についての返答などの対応は無理でも，かなりの場面で活躍できます。

　また，救急処置に手一杯でどんどん時間が経過してしまい，患者さんの状態が落ち着いたときには，いつ何をしたかの記録がまったく残されていないことがあります。あとで思い出そうとしても，正確な時間が出てきません。もし，医師事務作業補助者が医師や看護師の口頭指示や会話の要点を，時刻とともに同時並行で記録しておいていただけると，のちに医師が記載する診療録の信憑性が高まります。時間外において医師事務作業補助者が業務を行っている病院はまだ少ないと思われますが，スタッフ数が少なくなる時間外においてこそ医師事務作業補助者の重要性が増すのではないかと予想されます。

2　救急プロトコルの作成支援

　病院における救急患者受け入れに関するプロトコルの作成・活用は，業務の標準化と効率化を併せもつ有効な手段と考えられます。特に季節的に流行し，患者数の多い感染性胃腸炎やインフルエンザなどのプロトコルを作成しておくことは重要です。医師事務作業補助者は，これらのプロトコル作成に医師や看護師とともに参加し，支援しながら勉強することで，各疾患の理解が増すでしょう。

　また，主症状別でのプロトコル作成も有効です。例えば，腹痛で受診した患者さんに対して，医師の診察から必要な検査への手順をフローチャートで図式化しておけば，オーダの代行入力も容易にできます。もちろん入院となれば，クリニカルパスとの連動も可能です。そのうえで，オーダ入力・病名記載・診療録への記録・診断書の作成などが可能となります。

3　データベース作成

　救急患者を受け入れている病院にとっては，すべての救急情報は診療の質や病院経営には欠かせないものです。情報・統計を基礎として，現状の把握と将来への展望などのための貴重なデータとなります。救急外来患者・入院となった患者のすべての記録，統計，疾患別の分類，心肺停止（CPA）患者の転帰，応需不能や受入拒否の理由など，扱う情報は多岐にわたります。救急情報は行政への報告も多く，診療報酬上の加算とも連動しています。これらのデータベース作成に，医師事務作業補助者が関与できれば貴重な戦力となり得ます。

4　救急医療情報システム入力

　各都道府県にはそれぞれ災害・救急医療情報システムが整備されていると思われます。各病院の空きベッド数や当直医の情報を入力していますが，月単位での入力や変更は医師事務作業補助者が行うのに適している業務でしょう。

5　病床運営（ベッドコントロール）

　病床運営は，空いているベッド数や患者さんの入退院状況など病院全体のベッドの状態を知り，効率的に病床を利用するための非常に重要な役割を担っています。大部屋における男女別や感染症患者，個室料金のことなど多彩な問題があります。病床運営がうまく行われているかどうかは，救急患者受け入れ可否にも影響してきます。救急患者が入院するとなれば，病床を確保しなければなりません。通常業務でも，医師事務作業補助者が医師や看護師とともに病床運営に携わっている病院も既にあるでしょう。救急患者がスムーズに病床に入ることができれば，患者自身は早く安静を保つことができ，精神的にも落ち着くことができます。加えて，医師も看護師も容易に次の診療行為に入ることができます。

6　災害支援医療チーム（DMAT，JMAT，各病院団体チーム）

　東日本大震災の際に，多くの災害支援医療チームが活躍し，住民から大変感謝されました。医療チームは医師，看護師，薬剤師などとともに，業務調整員として主として事務系の方が協働して参加します。病院の救急現場と同じように，またはそれ以上に，医療知識をもっている医師事務作業補助者が記録係などとして災害現場や避難所などで活動できれば，大いに作業効率を上げると思います。医師事務作業補助者の活躍が期待されます。

クイックチェック（代行入力編）

本章の内容をクイズ形式で振り返ります。初任時の32時間研修等にぜひご活用下さい。

【問題】

Q1. 診療記録に含まれるのはどれか（該当するものすべてを回答）。
1）医師の診療録　　3）診療情報提供書
2）看護記録　　　　4）検査結果

Q2. 外来診療録を代行入力する際に医師事務作業補助者が行ってはならない行為はどれか。
1）医師が行った膝関節注射のオーダを代行入力し，あとで医師の確認を求めること。
2）医師のIDでログインし，医師から口頭指示を受けて処方せんを発行すること。
3）医師と患者との会話を聞いて，あらかじめ診療情報提供書を作成しておくこと。
4）医師が行った生活習慣病に関する指導内容の記載と「生活習慣病管理料」のオーダ発行を代行入力すること。

Q3. 次の検査オーダのなかで，必ず服薬歴の確認が必要になるのはどれか。
1）細菌検査　　　　3）大腸内視鏡検査
2）呼吸機能検査　　4）免疫・血清学的検査

Q4. 医師が外来診療中に緊急入院が必要と判断した場合，その外来で補助を行っている医師事務作業補助者がベッドコントロールに際して最初に連絡すべき相手は誰か。
1）病院長　　　　　3）主たる病棟の看護師長
2）診療情報管理室長　4）ベッドコントロール担当の事務職

【解答・解説】
Q1 1），2），3），4）
解説 「診療記録」とは，医師の診療録はもちろん診療情報提供書（紹介状）などカルテに綴じ込んで保存されるすべての資料を指します。医師が記載する書類に限られませんので，看護記録やリハビリテーションの記録等も該当します。また，心電図波形やエックス線フィルムのように文章ではないものも含まれます。

このうち，医師事務作業補助者が記載できるのは，診療録をはじめ「栄養管理計画書」など医師に作成責任のあるすべての書類ということになります。もっとも，「入院診療計画書」のように看護師や管理栄養士など多職種で作成するものは，あくまで医師の記載欄のみを代行することになります。

なお，医師の診療録は医師法第24条に基づいて医師が記載し，5年間保管されます。これに対し，手術記録，検査結果，看護記録などは「診療に関する諸記録」と呼ばれます。診療諸記録は医療法施行規則第20条第10号などで定義されており，2年間（保険診療に係るものは3年間）保管されます。

(参考　P.90)

Q2　2)

解説　2) 医師事務作業補助者が行う代行入力は，あくまで医師事務作業補助者自身のIDでログインしなければなりません。ですので，たとえ医師の面前であっても，医師のIDでログインして医師事務作業補助者が操作するような行為は「成りすまし」として不正アクセス防止法等で厳に禁止されています。

〈代行入力を行う場合の留意点〉〔医療情報システムの安全管理に関するガイドライン第5.2版別冊7. 1 (2) ①〕

　医療機関等の運用上，代行入力を実施する場合には，必ず入力を実施する個人ごとにIDを発行し，そのIDでシステムにアクセスしなければならない。また，日々の運用においてもID，パスワード等を他人に教えたり，他人のIDでシステムにアクセスしたりすることは，システムで保存される作業履歴から作業者が特定できなくなるため，禁止しなくてはならない。

　つまり，代行入力では作業者を特定できることが絶対的条件であり，そこに記載責任者（つまり医師）が同席しているか否かは関係しない――ということです（キーボードやマウスなど一部の機器だけをワイヤレス等で操作する場合であっても，これらは端末を構成する「入力装置」である以上，端末を操作していることには変わりありません）。

1) 医師自らが膝関節注射を行っているのですから，そこにオーダ発行が伴うことは明らかです。また，「医療情報システムの安全管理に関するガイドライン」では，必ずしも当該行為の実施前に医師が確定操作（承認）をすることは求めていません。ですので，あらかじめ医師から「膝関節注射を行う際には，注射オーダを代行入力する」という指示を受けていたのであれば，医師事務作業補助者が代行入力することは何ら問題ありません。もちろん，外来終了時などに医師に確定操作（承認）してもらうことは重要です。

3) 診療情報提供書のような医療文書の作成は，医師の署名または記名捺印がない限り有効なものにはなりません。医師が患者に「他院への紹介状を書く」という説明をしているのであれば，先回りして診療情報提供書の下書きをすることも一種の気配りといえるでしょう。

4) 外来で医師が行った生活習慣病の指導については，もちろん医師事務作業補助者が代行入力できます。他方，「生活習慣病管理料」のオーダ発行はどうでしょうか。医師事務作業補助者は診療報酬の請求業務を行うことはできないので，医事会計システムに同管理料を登録するようなことはできません。しかし，指導を行った事実を「オーダ発行」するというのは医師の業務であり，むしろ医事課では実施できない業務ともいえます。あくまで医師が行う業務である以上，医師事務作業補助者が代行入力できることは当然です。

(参考　P.93)

Q3　3)

解説　細菌検査と免疫・血清学的検査は検体検査です。ですので，基本的に服薬歴の確認は必要ありません。呼吸機能検査は生理検査ですが，これも侵襲性が低いので，服薬歴が検査の安全性に影響する可能性は高くありません。

　これに対して，内視鏡検査の場合は服薬歴の確認は必ず必要です。とくに抗凝固剤を服用している患者では出血しやすくなっているので，服薬を中止しない限り検査を実施できません。実際，抗凝固剤を中止せずに検査を実施し，事故になった事例もあります。

　次の事例は「予約」「検査前日」「検査当日」のチェックがすべてもれてしまった事例です。医療事故の多くは，このような複数のエラーが重なって発生するものです。

〈事故の内容〉

　抗凝固剤を中止せず EMR（内視鏡的粘膜切除術）を施行し，後出血を起こした。患者は以前，内視鏡的粘膜下層剥離術（ESD）を施行した。その後のフォローアップのために呼吸器内科入院中に大腸内視鏡検査を施行し，内視鏡的切除（EMR）適応のポリープを指摘された。（中略）当日，プラビックスが投与されたまま EMR が行われ，2 日後に下血にて当院救急を受診。大腸内視鏡にて EMR 後の後出血と診断され，内視鏡的止血術を施行，同日入院となった。

〈事故の背景要因の概要〉

・再検査を予約する際，予約した消化器内科医師より，患者に対して抗凝固剤中止の説明を行ったが，カルテにその旨が記載されておらず，直接検査予約に関わっていない呼吸器内科主治医による同意書説明の際，抗凝固剤中止についての指示ができなかった。

・抗凝固剤内服については看護師が検査前日にカルテ記載より確認することになっていたが，今回は確認ができていなかった。内視鏡施行医師が検査直前に問診票を確認することになっていたが，今回は確認ができていなかった。

・検査説明から検査当日までに期間が空いていたが，その間，抗凝固剤内服の有無を確認できる者がいなかった。

日本医療機能評価機構医療事故情報収集等事業データベース
事例 ID：AE60683067043AE15 より引用。一部改変。

　もちろん検査の最終責任は，医師や実際に検査を行う臨床検査技師や看護師にありますが，医師事務作業補助者が医療プロセスの一端を担っているのも事実です。こうした事故事例を知っておくことも，安全に業務を行うためには有意義です。

（参考　P.112）

Q4　3)

解説　緊急入院の場合は，できるだけ早く当該患者を病棟に収容する必要があります。このため多くの病院では診療科ごとに「主たる病棟」を決めており，その病棟の看護師長に電話連絡するのがどの病院でも一般的な手順です。

　それで入院が決まらない場合，病院ごとの運用で空床を探すことになります。病院によっては，医師やその指示を受けた医師事務作業補助者が他の病棟に片っ端からあたって探す場合もあります。他方，空床管理（ベッドコントロール）を担当する事務職が置かれている場合，その担当者が電子カルテ等で空床を探し，受け入れ要請を行うことになります。

　なお，ベッドコントロールを医師事務作業補助者が担う根拠は，保険医療機関及び保険医療養担当規則にあります。同規則第 20 条第 7 号では，保険医の診療の具体的方針として「入院の指示は，療養上必要があると認められる場合に行う。単なる疲労回復，正常分べん又は通院の不便等のための入院の指示は行わない。（以下略）」と定めており，入院の決定があくまで医師の指示に基づくことを明示しています。医師の指示ですから，これを医師事務作業補助者が担うことは自然なことといえます。

（参考　P.120）

第4章
医療の質の向上に
資する事務作業

1. 院内がん登録

高橋 新，藤原 典子

1 がん登録の背景

　がんは1981年から日本の死亡原因の第1位となっています。政府はこれまでにがん対策を進めてきましたが，そのためにはがん診療の実態を把握する必要があります。がん診療の実態を表す指標には生存率，死亡率，罹患率があり，「院内がん登録」を行うことで，そのうちの「生存率」を計測することができます。

　2004年にがん罹患率と死亡率の激減を目指して「第3次対がん10か年総合戦略」が策定されました。がん研究，がん予防の推進，がん医療の向上とそれを支える社会環境の整備の方向性を示しています。2006年には「がん対策基本法」が成立し，がん登録については「がん罹患数，罹患率などの疫学的研究，がん検診の評価，がん医療の評価に不可欠の制度であり，院内がん登録制度，地域がん登録制度のさらなる推進と登録精度の向上ならびに個人情報の保護を徹底するための措置を講ずること」と定められました。その翌年の2007年に「がん対策推進基本計画」が成立し，医師の負担軽減を図るためには，がん登録の実務を担う者の育成・確保が必要であることと，がん登録の実務を担う者に対する研修を実施していくという方向性が示されました。2013年には「がん登録等の推進に関する法律（がん登録推進法）」が成立し，全国がん登録の実施やこれらの情報の利用及び提供，保護等について定めるとともに，院内がん登録等の推進に関する事項等を定めており，2016年1月1日から施行されました。

　アメリカでは，がん登録の専門的な知識をもつ腫瘍登録士が，医師の手を借りずにがん登録を行うことが一般的になっています。日本でも医師以外のがん登録担当者の輩出を目指し，国立がんセンターがん対策研究所が技術的支援を行っています。

2 院内がん登録の目的

　2015年12月末までは，「地域がん登録」，「院内がん登録」，「臓器がん登録」の3種類が「がん登録」として実施されていました[※]。2016年1月からはこの3種類に加えて「全国がん登録」が開始となっています。これらは情報収集の目的によって，対象とするがんの範囲や登録項目が異なっています。

　「院内がん登録」は，各医療機関でがんの診断やがんの治療を受けた患者の診断や治療情報，予後に関する情報を医療機関単位で収集して登録を行う仕組みです。院内がん登録は次のことを目的としています[※]。
　　①がん患者の受療状況の把握
　　②がん患者の生存率の把握
　　③がん診療について病院で役立つ資料の作成
　　④医療従事者のがんについての研修や教育

※　祖父江友孝：がん登録の種類・目的・機能，国立がん研究センターがん対策情報センターがん情報サービス，2011年4月版

⑤がん患者の受診支援

⑥地域がん登録を提出するための情報

⑦臨床疫学研究

　2001年にがん診療連携拠点病院の指定が始まり，2006年には拠点病院に対する補助金と診療報酬加算が実施されたことから，指定要件のひとつである院内がん登録を実施する医療機関が急速に増加しました。拠点病院以外のがん診療を行っている医療機関についても，がん対策推進基本計画で，院内がん登録の実施および利活用の推進が望ましいとされています。

3　登録内容

1) 登録項目

　2015年に「院内がん登録の実施に関する指針」（厚労省告示第470号）が公布されました。そこでは院内がん登録の運用として，「院内がん登録標準登録様式2016年版」に基づき登録を進めることとされました。登録項目には院内がん登録の目的である，生存率を計算する際に必要な項目や，がんの診療実態を把握するための項目，登録を管理するための項目が設置されています。

共通項目，標準項目（一部抜粋）

○**基本情報**
　病院等の名称，診療録番号，重複番号，カナ氏名，氏名，性別，生年月日

○**腫瘍情報**
　診断時郵便番号，診断時都道府県コード，診断時住所，原発部位，側性，病理診断，診断根拠，当該腫瘍初診日，他施設診断日，診断日，診断施設，治療施設，症例区分，来院経路，発見経緯，病名告知の有無，治療前分類，術後病理学的分類，肝癌のステージ，進展度

○**初回治療情報**
　外科的治療，鏡視下治療，内視鏡的治療，放射線治療，化学療法，内分泌療法，その他の治療，経過観察の選択，症状緩和的な治療

○**生存状況情報**
　生存最終確認日，死亡日，生存状況確認調査結果，生存状況確認調査方法

---

2) 登録対象

　登録の形式は1腫瘍につき1登録であり，1患者に2つ以上の悪性腫瘍がある場合は，2登録以上の登録を行うことになります。院内がん登録で登録対象となるものは次のとおりです。

　①登録対象疾患は，上皮内癌を含む全悪性新生物の原発部位，良性を含む頭蓋内の腫瘍。

　②一人に複数の独立した腫瘍（多重がん）は，それぞれの腫瘍ごとに登録。ただし，十分な情報がないため，多重がんの判断ができない場合はSEERの定義を参考にする。

　③入院・外来のがんを問わず，各医療機関における初回の一連の診断・治療情報。

　④Reference Date（登録を始める日）を定め，この日以降の診断症例を登録。

3) 院内がん登録の流れ

　医師によりがん関連の情報が診療録などに記録されると，その情報が院内がん登録を行うプロセスの発生源となります。院内がん登録は，すべてのがん関連の情報から，登録候補の見つけ出し（ケースファインディング）を行うことから始まります。これは登録候補をもれなく見つけ出すために重要な作業となります。

　見つけ出した登録候補は初回の一連の診断・治療が終わるまで期間を置き，その後，登録対象を確定します。登録は項目の定義やルールに従いながら進めていきます。診療録から必要な情報を読

み取り登録していきます。

4) 登録候補の見つけ出し（ケースファインディング）

ケースファインディングについて

　ケースファインディングとは，入院・外来を問わず「がん」であることが判明したすべての症例（疑診を含む）について，各種データベースより抽出し，登録候補として拾いあげることです。登録もれが起こらないよう，様々なデータから登録候補を見つけ出します。がんであるか判断がつかないものも拾いあげ，あとから詳細情報を確認して登録対象外であるか判断します。登録もれを起こさないことが一番重要です。

ケースファインディングの方法

　ケースファインディングを行う際にまず注意すべき点は，登録開始日（Reference Date）以降の診断症例の見つけ出しを行うことです。決して過去に遡らないようにします。

> **ケースファインディングの情報源の例**
> ・外来病名，退院病名（疑いや「腫瘍」「腫瘤」なども拾う）
> ・病理組織診断結果，細胞診結果
> ・抗癌剤の処方せん
> ・手術記録，手術診断病名
> ・死亡診断書
> ・診療録

　見つけ出した登録候補は，初回の一連の診断・治療が終わるまで，期間を置きます。目安の期間は4～6カ月です（例：2013年1月診断症例→2013年5月に登録）。初回の診断・治療が終わった後に登録対象を確定します。

　登録が済んでいる症例も継続的にケースファインディングを行います。既登録であっても多重がんとして登録対象となる場合があるからです。多重がんのルール（SEER）を基に登録対象を確定します。

5) 腫瘍登録

診断名コード，組織診断名コード

　診断名コードはがんの原発部位を表すコードで，組織診断名コードはがんの組織形態を表すコードです。両方とも「国際疾病分類 腫瘍学 第3版（ICD-O-3）」を用いてコードを付与します。ICD-O-3は局在コードの4桁と形態コードの6桁で構成されています。診断名コードは局在コードで付与し，組織診断名コードは形態コードを用います（図表4-1）。

図表4-1　ICD-O-3を用いたコード付与

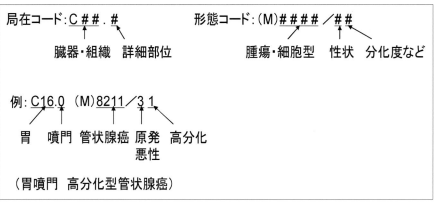

TNM分類

　腫瘍登録では，がんの進行をTNM分類を使って表します。院内がん登録で必須入力となるTNM分類は，国際的に用いられている「UICC（国際対がん連合）」のものです。しかし，日本で主に使用されているのは「取り扱い規約」に基づくTNM分類なので，部位によっては分類の定義が異なるため，取り扱い規約からUICCへの変換作業が必要となります。

　TNM分類はT，N，Mの3つの構成要素から成り立っています。Tは原発腫瘍の進展範囲，Nは所属リンパ節転移の有無と進展範囲，Mは遠隔転移の有無を表しています。部位によってそれぞれの定義が異なります。

例：UICC TNM分類　第8版（胃）
T－原発腫瘍
T1a　粘膜（m）
　　　　　粘膜上皮　　上皮内癌の表記がある場合はT1a
　　　　　粘膜固有層
　　　　　粘膜筋板
T1b　粘膜下層（sm）
T2　固有筋層（mp）
T3　漿膜下層（ss）
T4a　漿膜を貫通（se）
T4b　隣接構造に浸潤（si）

N－領域リンパ節転移
N0　領域リンパ節転移なし
N1　1～2個の領域リンパ節転移
N2　3～6個の領域リンパ節転移
N3　7個以上の領域リンパ節転移
　　　N3a　7～15個の領域リンパ節転移
　　　N3b　16個以上の領域リンパ節転移

M－遠隔転移
M0　遠隔転移なし
M1　遠隔転移あり

4　登録方法の事例

　医療機関における登録方法の事例をご紹介します。

1）1カ月の活動スケジュール

第1週目	登録候補の見つけ出し（ケースファインディング），リスト作成
第2週目	登録開始
第3，4週目	登録と登録内容の相互監査
その他	予後調査（3カ月ごと） 登録内容についてのミーティング 統計・資料作成 院内がん登録委員会，がん診療連携委員会の参加

2）院内がん登録システム

　院内がん登録のソフトとして，独立行政法人国立がん研究センター　がん対策研究所がん登録セ

ンターの「がん情報サービス」（http://ganjoho.jp/hospital/index.html）から無償で提供されている「Hos-CanR Next」が最新版として無償提供されています。独自で開発したシステムや，企業から販売されているシステムを使って登録を行っている医療機関もあります。

3) 登録の流れ

① 初回の一連の診断・治療が終わるまで，4カ月の期間を置いて登録しています。

4カ月前の診断症例から登録候補の見つけ出しを行います。外来病名（医事システム），入退院診療情報（病歴システム），病理組織・細胞診情報より外来と入院の登録候補を抽出します。外来病名と入退院診療情報は各システムでICD-10のCコードとDコードのものを抽出します。抽出した登録候補から登録対象のものを選別します。診療録の医師記録や各種検査結果，薬剤投与情報などから情報を取り，登録対象を確定します。

② 診療録や病理検査などの結果から必要な情報を読み取り，登録します。

③ 入力者以外の者による登録内容の監査を行います。

4) 精度管理

登録内容の不備を防ぐために相互監査を行っています。監査時に登録内容に関して問題が発生した場合は，院内がん登録メンバー全員でミーティングを開催します。

相互監査には「院内がん登録システム入力監査票」を用います。登録内容を監査者が確認し，不備を見つけた場合は，監査票に不備の内容を記入します。記入後，入力者に監査票をフィードバックします。入力者は監査票を確認し，登録内容を修正します。

院内がん登録は様々なルールに基づき行います。ルールから外れた登録をしてしまったり，入力項目の定義の解釈が入力者によって異なってしまったりすることを防ぐために，すべての登録症例において相互監査を行い，お互いの解釈の確認や，知識を高めることにつなげています。

5) 予後調査

がん治療の有効性を評価するためには，治療後の患者の生存状況を追跡することが重要です。そのために，「予後調査」が行われます。院内情報のみでは，すべての患者の生存状況を把握することは困難です。院内がん登録生存率集計では，生存状況把握割合が90％以上である病院のみが公表対象となります。これは，集計結果の信頼性を担保するためです。がん登録推進法が開始となった2016年以降のがん登録情報については，国が住民票照会等による予後調査を実施しています。一方，2015年以前の情報については，まずは医療機関内での内部調査を行い，最終来院歴や院内死亡退院情報から予後情報を取得します。内部調査で予後情報が不明であった場合には，外部調査として1年以上来院していない患者に対し，「手紙の郵送」「住民票照会」「地域がん登録の情報還元」「医療機関からの情報提供」「電話調査」「新聞のお悔やみ欄」などが行われています。このなかで，国立がん研究センターの「予後調査支援事業」に参加することで，一括で住民票照会を行うことも可能です。予後調査は，がん対策政策やがん治療の成果を正しく評価するために不可欠なものです。

6) 生存率の算出

生存率とは，ある一定期間を置いた集団が，その時点で生存している割合です。がんの種類や目的によって求める期間を決めますが，5年生存率や10年生存率が多く用いられます。

生存率の算出方法は，「直接法」「生命保険数理法」「Kaplan-Meier法」「純生存率（Net Survival, Pohar-Perme法）」などがあります。院内がん登録生存率集計では，2010年10年生存率・

2014-2015 年 5 年生存率から相対生存率に代わって純生存率が採用されています[※2]。

　がん対策推進基本計画に，医師の負担軽減策としてがん登録の実務を担う者の確保が方向づけられ，医師事務作業補助体制加算には医師事務作業補助者の業務として，「院内がん登録」が記してあります。がんに対する環境の整備が進んでいるなかで，医師の事務的業務もがんに関連するものが増えており，それを補助する医師事務作業補助者は，がん関連の知識をもつことが望まれます。

　現在でも多くの医師事務作業補助者が行っている保険会社の診断書には TNM 分類や，進展度，病理組織診断名などのがん関連の知識を必要とする項目があります。また，2011 年から始まった NCD（National Clinical Database）登録は，TNM 分類などがんの状態を入力する項目が設けられています。医師の負担軽減に大きく貢献するためには，がんの知識を得ることは重要だと考えます。

引用・参考文献
・がん臨床研究事業「地域がん診療拠点病院の機能向上に関する研究」班（主任研究者：池田恢）：がん診療連携拠点病院院内がん登録標準登録様式　登録項目とその定義 2006 年度版　修正版，国立がん研究センターがん対策情報センターがん情報サービス，2006.10.2
・平林由美, 味木和喜子：院内がん登録におけるケースファインディング（登録候補見つけ出し），国立がん研究センターがん対策情報センターがん情報サービス，2012 年 4 月版
・TNM 悪性腫瘍の分類　第 8 版　日本語版，UICC 日本委員会，TNM 委員会訳，金原出版
・院内がん登録における生存確認調査の実際，国立がん研究センターがん対策情報センターがん情報サービス

4
医療の質向上に
資する事務作業

院内
がん

※2　院内がん登録生存率集計 https://ganjoho.jp/public/qa_links/report/hosp_c/hosp_c_reg_surv/index.html

2. NCD（National Clinical Database）登録

高橋　新，藤原　典子

1 NCDの概要

1）NCDとは

　手術や治療情報を収集・分析し，医療の質の向上を目指すプロジェクトとして，外科系の臨床学会により 2010 年 4 月に一般社団法人 National Clinical Database が設立されました。NCD によって手術・治療情報を登録するシステムが用意され，2011 年 1 月より症例登録が開始しました。現在では，内科症例や各種臓器がん登録なども連携が進んでいます。

2）NCDの目的

　NCD の症例登録で収集したデータを分析することで，①手術を行っている施設診療科の特徴，②医療水準の評価，③適切な専門医のあり方，④特定条件，特定手術における予後情報 ── などが明らかになります。

　これにより，NCD では診療科，施設単位だけでなく，地域や国レベルで医療水準を比較し，医療の質の向上に向けた取組みを支援することや，その情報を用いて，患者や市民に最善の医療提供ができる体制の構築を目指しています。また，外科関連の専門医制度が合同でデータベースを構築することで，学会間の連携を進めることを目的としています。

3）専門医制度との連携

　NCD の登録数は 2024 年 6 月時点で 5,703 施設が参加し，2023 年症例は約 157 万件，2011 年から 2023 年の累積で約 1,893 万件登録されており，NCD 参加施設数とともに急速な広がりをみせています[1]。このような背景には，外科専門医制度，消化器専門医制度，乳腺専門医制度など各サブスペシャリティ領域における専門医制度の申請や更新を行うのに NCD の登録が必須条件となったことが要因としてあげられます。NCD は次のような学会と連携しています（2024 年 6 月現在）[2]。

社員
- 日本外科学会
- 日本心臓血管外科学会
- 日本内分泌外科学会
- 日本胸部外科学会
- 日本乳癌学会
- 日本病理学会
- 日本形成外科学会
- 日本消化器外科学会
- 日本血管外科学会
- 日本小児外科学会
- 日本呼吸器外科学会
- 日本脳神経外科学会
- 日本泌尿器科学会
- 日本内視鏡外科学会

※1　NCD の沿革　https://www.ncd.or.jp/about/history.html

※2　NCD 名簿　https://www.ncd.or.jp/about/roster.html

図表 4-2　症例登録の権限

ステータス	NCD ユーザー
編集中＞完了（未承認）　※仮登録の状態	データマネジャー，診療科長，NCD 主任外科医
完了（未承認）＞完了（承認済）	診療科長，NCD 主任外科医
取消（＞編集中）	診療科長，NCD 主任外科医

図表 4-3　消化器外科専門医　医療水準評価対象術式　登録項目

患者情報	院内管理コード，患者生年月日，患者姓名イニシャル，性別，国籍
手術入院	入院日，救急搬送，入院診断（ICD10）
手術情報　術前情報	緊急手術，手術日，化学療法，放射線療法，免疫療法
（術前臨床所見）	身長，体重，現病歴，生活歴，既往歴など
（検査値）	各種検査値
手術情報　術中情報	術式，術者，助手，手術時間，麻酔時間，術中出血量，癌 TNM 分類など
手術情報　術後情報	術後診断（ICD10），再手術，肺炎の有無，縫合不全などの術後 30 日以内の発生事象
退院時情報	退院日，退院時転帰（生存　死亡年月日）

準会員

・日本 Acute Care Surgery 学会　　　　　・日本心血管インターベンション治療学会
・日本経カテーテル心臓弁治療学会

　今まで個々に行われてきた専門医制度の登録も，学会会員管理システムと連携してデータを一元化することで，一度の入力で複数の専門医制度への登録が可能となります。データ入力に伴う負担を軽減することを目指しています。

4）NCD ユーザー

　NCD の登録を行う NCD ユーザーは NCD から承認を受け，ID によって管理されています。登録を始めるには，まず各医療機関の診療科長が認証を受けます。診療科長が他の医師を NCD 主任外科医として NCD ユーザーに選任します。医師以外のスタッフもデータマネジャーとしてアクセスメンバーに選出し，登録することができます。NCD ユーザーとして選出するスタッフは各医療機関に委ねられていますが，医師の負担軽減として，医師事務作業補助者が選出される医療機関が多くみられ，その数は増加傾向にあります[3,4]。

　データマネジャーが症例登録をすることは可能ですが，登録内容を確認し，最終的な承認を行うことや，一度登録した内容を修正できる状態に戻すのは医師のみの権限になっています（図表 4-2）。

5）登録項目

　登録項目は各専門医制度や領域によって異なります。例えば，消化器外科専門医に関しては，共通項目と医療水準評価項目に分かれています。医療水準対象術式（主要 8 術式）を登録すると共通項目に加えて入力項目が増え，80 項目余りを登録することになります（図表 4-3）。

　登録する内容は「生年月日」や「性別」など，すでに診療録に記載欄があり，そこからそのまま抜き出して登録できる項目もあれば，「救急搬送の有無」や「合併症」のように，医師記録などを読み取って記載しなければならない項目もあります。また，「TNM 分類」などは分類の知識を

※3　大久保豪，宮田裕章，橋本英樹，後藤満一，村上新，本村昇，岩中督：NCD の現状　診療科の登録状況と入力体制：臨床外科　第 67 巻　第 6 号・2012 年 6 月　746-751

※4　高橋新，平原憲道，宮田裕章，小野稔，後藤満一，岩中督：臨床データベースへの入力からみえるわが国の診療提供体制——施設診療科調査報告．外科．2016；78（3）：285-297.

4
医療の質向上に
資する事務作業

NCD
登録

図表 4-4　胃全摘術（噴門側胃切除を含む）

NCD 術式コード	NCD 術式名称
OQ0127	胃全摘術（良性）
OQ0128	噴門側胃切除術（良性）
NQ0605	噴門側胃切除術（悪性）
OQ0136	胃悪性腫瘍手術　（単純全摘）
OQ0137	胃悪性腫瘍手術　（広汎全摘・有茎腸管移植術を伴わない）
OQ0138	胃悪性腫瘍手術　（広汎全摘・有茎腸管移植術を伴う）
OQ0141	胃悪性腫瘍手術　（全摘）（腹腔鏡下）

もったうえで，診療録から情報を集め，判断しなければならない項目です。すべてを登録するためには専門知識の習得も必要となります。

6) NCD 術式

　NCD の術式は外科系学会社会保険委員会連合の『外保連試案』をもとにした術式を使用しています。医科診療報酬点数表の術式（K コード）や ICD9CM の手術分類などにも整合しないものもあるので，手術内容を把握したうえで，適した NCD 術式を選択する必要があります。

　NCD 術式では，図表 4-4 のように術式が細かく設定されています。例えば，胃全摘術は，手術の種類や腫瘍の範囲などによって 7 種類の術式に分かれています。手術の詳細を把握し，選択することが必要です。また，術式によっては重複するものもあり，複数選択できてしまう場合がありますが，医師と相談して各施設でいずれか一つを選択します。入力者によって異なった術式を選択してしまうと，後でデータを活用するときに術式が散在してしまうので，それを防ぐために決まりを作ることが必要です。

2　登録の方法の事例

　医療機関での登録方法の事例をご紹介します。

1) 業務の流れ

　医師事務作業補助者がデータマネジャーとして選任され，登録を行います。業務の流れは，まず，データマネジャーが NCD 登録対象者のリストを作成します。月ごとにオーダリングシステムから 2 カ月前に手術を行った患者の手術情報を抽出し，リストを作成します。手術施行月から 2 カ月の期間を置くのは症例情報を蓄積するためです。

　次に，診療録などから情報を検索・抽出し，登録を行います。登録後は，「編集中」の状態だったステータスを「完了（未承認）」に変更します。このままではまだ仮入力の状態です。登録を済ませるには，医師のチェック（登録内容の承認）が必要になります。医師にチェックを依頼し，内容に不備がある場合は医師が訂正をします。なお，データマネジャーが入力の間違いを把握できるよう，医師には訂正内容のフィードバックをお願いしています。医師は確認が終わったら，ステータスを「完了（未承認）」の状態から「完了（承認済）」へ変更します（図表 4-5）。

2) 情報源

　登録を行うにあたり，入力に必要な情報はすべて診療録から取得しています。主に「医師記録」「麻酔記録」「手術記録」「1 号用紙（患者基本情報）」「看護記録」「入院時診療記録（現病歴，既往歴，生活歴など）」「処方せん」「検査結果（X－P，CT，MRI，血液検査，尿検査，病理学検査，超音波検査など）」から情報を収集しています。

　様々な記録から登録情報を検索・抽出することが必要となりますので，登録をスムーズに行うた

図表 4-5　NCD 登録業務の流れ

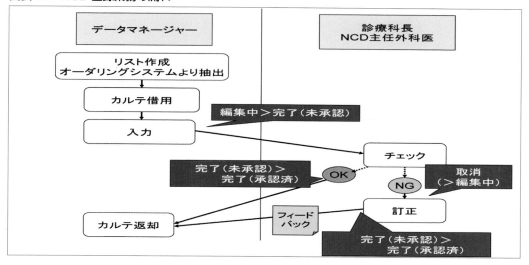

めには，診療録のどこに何の情報が記載してあるのかを把握していなくてはなりません。

3）マニュアル，資料収集・作成

　登録システムへの入力方法や登録項目の定義が載っている一番基本となるマニュアルは，NCD ホームページの利用者専用ページからダウンロードすることができます[※5]。その他に，効率的に登録を行うため，独自で NCD 術式選択や間違いやすいものをガイドする資料を作成するケースもあります。また，解剖学の本や TNM 分類が載っている市販の本なども参照しながら登録を行います。

　NCD 登録は，症例によっては 1 件につき 80 項目余りの登録を要します。多忙な医師にとっては登録が負担になります。NCD 登録が必須となっている専門医制度も増えていますので，データマネジャーの活躍の場は広がりつつあります。

　データマネジャーが登録のサポートを始めるには，医師の協力が必要不可欠です。専門的な知識も要するので，登録していてわからないところは医師に質問できるよう，環境を整えることが大切です。しかし，医師に何度も質問をして負担を掛けてしまい，データマネジャーを取り消した医療機関もあるので，質問を少なくする工夫も必要です。

　ある医療機関では，データマネジャーが容易に登録情報を拾えるように，手術記録や麻酔記録の書式を変更したり，記入内容を追加したりするなどの工夫をしています。データマネジャーによるサポートを確立するためには，データマネジャーが入ることによって医師の負担が増えてしまわないよう配慮し，データマネジャー自身も，常に自ら学習する姿勢をもつことが大切です。

参考文献
・岩中督，宮田裕章，大久保豪，友滝愛：NCD の理念：臨床外科　第 67 巻　第 6 号・2012 年 6 月　742-745
　NCD 周知用資料：National Clinical Database ホームページ

※5　National Clinical Database ホームページ　http://www.ncd.or.jp/

3. 診療データの集計

高橋　明，寺澤　由香

　ここでの「診療データ」とは，医療機関の診療活動の結果を示しています。具体的には，手術数や各疾患の治療成績，治療法，合併症，投薬状況など，診療に直接かかわる種々のデータです。

　これらの診療データは医療機関にとって非常に重要な情報です。診療データの集計によって医療機関の質の評価が可能になるばかりではなく，各医療機関の診療上の特徴を示し，医療連携を構築するうえでの重要な資料ともなります。そのうえで，最も重要なことは，これらのデータが医療現場にフィードバックされることにより，医療の質の向上が期待されることです。

　診療データの集計は，現在行われている National Clinical Database（NCD）登録にも役立つと考えられます。また，新規薬剤や治療機材の市販後調査（Post Marketing Survey：PMS）に応用可能です。NCD や PMS は医療の現場にフィードバックされ，医療の質のさらなる向上に寄与します。

1　診療データ集計の実践

1）どんなデータを集めるか

　すべての診療データをはじめから集計することは困難です。各医療機関は，患者数や疾患別患者数，手術数や手術内容を集計しています。これら医療機関の基本データの収集を行い，さらに細分化された集計処理を行うことがデータ集計の第一歩です（図表4-6）。各医療機関でこれらのデータを集計しているとはいえ，データの管理者が明確になっていない場合も多く，医師事務作業補助者がデータの管理者となり得ると考えます。

　さらにデータ集計業務を発展させるために，各医療機関にとって重要なデータは何かを考える必要があります。医師や看護師，放射線技師，リハビリテーション技師と相談し，データ収集の目的，内容，種別等を検討することが重要です。このデータが医療機関の特徴を表すと考えても差し支えありません。

2）医学知識の習得

　収集するデータが決まれば，医師事務作業補助者はデータに関係する医療知識を習得する必要があります。疾患データであれば疾患について，薬に関するデータであれば適応疾患や薬の特徴，副作用などを知る必要があります。この知識の深さがデータの正確性，信頼性に影響します。医学知識は日々のカンファレンス，院内勉強会，研修会への参加，自己学習で得ていく必要があります。医学知識が増えるとデータ収集作業における無駄を省くことができ，効率的に仕事ができます。

3）データ収集

　収集するデータの内容が決定した時点で必要項目を検討し，必要項目に沿ったデータベースを作成します。のちのデータ集計時に柔軟な対応が可能であるソフトウェア採用，データベースの形態を考えながら構築する必要があります。

　データベースが完成したら，実際のデータ収集に着手します。基本的な作業は診療記録（カル

図表 4-6　診療データ集計の流れ

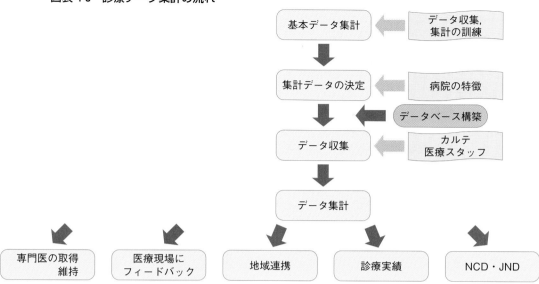

テ，退院時サマリー，手術記事など）から情報を収集してデータベースへの入力です。診療記録のみで収集が困難な情報は，医師，看護師などの医療スタッフから直接得ることも必要です。特に患者と接している医療スタッフからの情報は大変重要で，データの正確性をいっそう担保します。

　また，データの更新はこまめに行う必要があります。手術数は毎月の更新，薬剤データや NCD は新規処方や新規症例登録ごとに更新をしなければデータの欠落が多くなり，データ品質の低下を招きます。

4）データ集計

　収集した診療データを集計し，用途に合わせて資料作成を行います。用途としては，医療現場へのフィードバック，病院診療データ，講演会資料，学会発表，NCD 登録――などがあります。用途に合わせて，集計資料から表やグラフなどの作成も行います。

　これらのデータを保存し，過去データとの比較ができるようにすることも重要です。さらに集計したデータは，医師など関係する医療スタッフに確認することも必要になります。

2　データ集計

医師事務作業補助者の業務

　医師事務作業補助者は，手術データ管理，手術記事管理をはじめとして，t-PA 投与患者データ管理（投与患者数，投与後治療結果，合併症など）のデータ収集を行います。医師がそれぞれ興味のあるデータを部分的に管理するのではなく，医師事務作業補助者に全体のデータ管理を任せることにより質量ともに非常に効率的なデータ管理が可能となります。

　当院では，各種データの収集にデータベースソフトウェア「File Maker Pro」（FileMaker, Inc. ／アメリカ）を採用しました。File Maker Pro は，ユーザーが自らの目的に応じてカスタマイズしやすいソフトウェアです。また，一度登録されたデータの検索が容易で，資料作成に有用です。

　近年，NCD 登録が開始され，データが医師事務作業補助者の業務になっている医療機関も多いと考えます。当院でもデータ登録は，医師事務作業補助者の業務として，最終確認を医師が行うようにしています。現在，NCD 登録は滞りなく登録が行われています。

　実際のデータ収集は，電子カルテからの情報収集が基本となります。病名検索や処方検索など

で，該当患者の入院治療経過，治療結果を検索します。毎日全患者の電子カルテを確認することは現実的ではありません。さらに，不十分な情報しかない場合には医師，看護師など医療スタッフとコミュニケーションを取り，情報を得ることも必要です。

　データ集計と資料作りは，資料作成を依頼した医師と相談しながら表示方法などを検討します。

　当院では，医師事務作業補助者の信頼度が高まるにつれて，業務量が増大し，業務過多の状態になりつつありました。いくつかの工夫を行い，業務を効率的にできるように工夫しています。工夫の一つとして，収集しているデータ，診断書に必要なデータを退院時サマリー（File Maker Proで作成）上に組み込みました。退院時サマリーからのデータ集計や書類作成が可能となり，個々の電子カルテ内から情報収集する手間がなくなりました。

　また，電子カルテとデータベース（File Maker Pro）間でデータの自動移行を可能にしました。ある程度の情報は電子カルテから自動でデータベースに登録され，打ち込み作業を減少させました。このような工夫でデータ収集・集計作業を効率的に進めています。

　医師事務作業補助者も医療スタッフの一員です。他のスタッフとコミュニケーションを取りながら仕事を進めることが重要と考えます。医療データは病院の実績を示し，病院運営の基礎となります。自信と自覚をもって仕事にあたることが必要と感じます。

4. 研究会等イベントサポート（事務局業務）

土屋　知穂

医師事務作業補助者の業務のなかには，医師が出席する院内外会議の資料作成や学会・研究会のための資料作成があります。規模の大きな学術集会などは運営を専門業者に委託することが多いのですが，さほど規模が大きくないイベント（研究会や講演会など）では，医師事務作業補助者が運営そのものにかかわることもあるかと思います。

研究会や講演会は，疾患の診療や研究の情報を発信することを通じて，医療関係者や地域住民，患者などに病院を知っていただくよい機会でもあります。このことから，イベントサポートは医師の負担軽減だけでなく，病院の人材確保や患者数の増加にもつながると考えられます。

イベントは準備期間があまりないことも多く，運営はとても大変です。ぎりぎりになって慌ててしまうことがないよう，医師と綿密なコミュニケーションを取りながら，事前準備をしっかりとしておくことが大切です。

1　イベント開催に向けての準備

1）開催計画
開催趣旨の決定

まずは，イベントの名称，開催の目的やテーマ，対象者（医療従事者向けか，一般市民向けか等）を確認します。テーマや名称を決める際は，参加者にイベントの趣旨が伝わりやすいよう，シンプルでわかりやすいものにします。

準備をしている間にも医師から要望が入り，繰り返し運営の変更をしなければならないこともあります。イベント開催の主旨が当初の目的から大きく外れてしまわないためにも，開催の目的やテーマ，対象者を事前にしっかり決めておくことが重要です。準備期間や予算には限りがあるため，すべての希望を叶えるのはとてもむずかしいことです。しかし，できるかぎり医師の要望を尊重しながら，目的に沿ったより良いイベントになるようサポートしていきます。

事務局の設置

開催計画ができたら事務局を設置し，実務作業を行います。過去に同様のイベント事例がある場合は，前回のプログラムやマニュアル，議事録を入手して運営の参考にし，前担当者から話を聞いておきます。必要に応じて適宜，幹事会や打合せを行います。各会議招集通知（図表 4-7）や議事録を作成します。

開催時期の検討

参加者が参加しやすい時期，場所を検討します。同じような内容のイベントが同時期，または直前に開催されていないか，参加者が行きそうな別のイベントが予定されていないかについても事前に確認をしておきます。

参加者数の検討

会場の選定や予算を立てるため，おおよその参加者数を予測します。

開催場所の検討

開催場所を検討する際は，イベントの規模や予算にあった会場を選ぶことはもちろんのこと，会

図表 4-7　院外幹事会の招集通知（作成例）

○○○○年○○月○○日

幹事各位

○○○○○研究会
代表幹事　　○○　○○　印

第○○回○○○○○研究会
幹事会のお知らせ

謹啓　○○の候，先生におかれましては益々ご健勝のこととお慶び申し上げます。

　さて，このたび当会では幹事会を下記のとおり開催いたしますので，ご出席くださいますようお願い申し上げます。
　当日ご欠席の場合は，同封の委任状に必要事項をご記入し，ご捺印の上，期日までにご返送くださいますようお願い申し上げます。

謹白

記

1.　日時　：　○○○○年○○月○○日（○）
　　　　　　　○○時より

2.　場所　：　○○○○○○（会場名）
　　　　　　　〒○○○−○○○○　　○○県○○市○○町○○丁目

3.　議題　：　別紙詳細

以上

ポイント
●委任状，議題や関連資料を同封します。
●先方の日程調整をより容易にするためにも，開催が決定次第，迅速に出します。

場の立地条件（交通の便の良さ，宿泊先の手配がつきやすいかなど）も考慮します。

会場の仮予約および見積もり

　開催時期や会場によっては予約が取れなかったり，数カ月前からの予約が必要となる場合もあるため，なるべく早い段階で会場の仮予約をしておきます。会場費がかかる場合は見積もりをお願いし，時間延長料やキャンセル料についても併せて確認をしておきます。後日，詳細が決まり次第，正式に予約をします。

2）正式決定

開催概要の決定

　開催時期や場所，参加定員を確定し，開催概要を決定します。

会場の正式予約

　開催概要が決定したら，会場を正式に予約します。不要な予約は忘れずにキャンセルをしておきます。

会場および周辺の視察

　事前に会場やその周辺の下見をしておきます。下見は実際の開催時間と同じ時間帯（できれば同じ曜日）に行うことが望ましいでしょう。最寄り駅から会場までの順路，受付設置場所，参加者の

荷物置き場，会場内での飲食の制限などを確認します。開催当日，雨が降ることもあるので，傘置き場をどうするのかも確認しておくと安心です。

カメラを持っていき，会場を撮影しておきます。また，フロアガイドも入手しておきます。これらは後日，運営マニュアルを作成する際やスタッフへの説明の際に必要となります。

来賓，招待者，講師の選定と依頼

講演等をお願いする場合，依頼書を作成します（図表4-8）。文書を誰宛に送るのか（本人だけでよいのか，施設長・病院長・所属長にも送るのか），講演者に確認をし，迅速に出します。

予算計画書の作成

会場の見積書などを参考に開催に必要な経費を算定し，参加料の金額を検討します。予算書を作成します。

共催，後援などの依頼（資金の調達）

イベントの規模によっては，共催や後援などの依頼が必要な場合があります。依頼をする際は，申請書や労務提供依頼書などの書類を作成します。

3）基本計画

プログラムの具体的な計画

これまでに開催されたイベントを参考にプログラムを組み立てます。

参加者が撮影した写真や動画，音声録音したものを公開し，問題になることがあります。このようなことが起きないように，撮影・録音について検討をしておきます。撮影・録音を許可する場合には，事前に演者の許可をとっておくことが必要です。

また，申込書やポスター，プログラムにも，撮影・録音についての注意事項を記載します。

受付方法の検討

参加申込をどのようなかたちで受け付けるかを検討します。インターネット上，メール，FAX，郵送，電話など，イベントの規模に応じた方法を選定します。

参加費が発生する場合は，当日払いにするのか，事前払いにするのかを決めます。可能であれば，事前払いにしておくと当日の受付業務量を減らすことができ，参加者が予定数に達しなかった場合の金銭的リスクを減らすことができます。釣り銭の準備も不要になります。

告知

概要が決定したら告知をします。告知する主な内容は，イベント名・開催日時・場所・イベント内容・参加費・定員・参加方法（事前登録の有無，手続き方法）などです。

4）プログラム確定前準備

各要員（スタッフ）の確保

会場の規模や参加予定者数から，必要な要員を割り出します。突発的な事象に対応できるよう，事務局の責任者には当日の役割は割り振らないようにします。責任者の他にも，当日の役割が与えられていないフリーのスタッフがいると安心です。

昼食の確認

プログラムがお昼の時間をまたぐ際は，お弁当など昼食の発注が必要となることがあります。会場付近に飲食店が少なかったり，休憩時間が短かったりするような場合は，特に注意が必要です。参加者には事前にその旨をお知らせしておくようにします。

プログラムの確定，進行表および業務別マニュアルの作成

イベント当日は交通機関の乱れや機械の故障など，思いがけないトラブルが起こるかもしれません。プログラムを作成する際は，余裕をもった無理のないスケジュールを立てます。

また，各担当者が当日の流れを把握し，業務を円滑に行えるよう，プログラムをもとに進行表や各業務マニュアルを作成しておきます。

図表 4-8　講演依頼書（作成例）

○○○○年○○月吉日

○○○○○病院　○○科
○○　○○先生御侍史

○○○○○研究会
代表幹事　○○　○○　㊞

第○○回○○○○○研究会ご講演のお願い

謹啓　　時下，先生には益々ご健勝のこととお慶び申し上げます。

　さて，この度「第○○回○○○○○研究会」を下記の要領にて開催させて頂くこととなりました。本会の目的は○○○○○○○○○○○○○○○○○○○○です。

　つきましては，先生にはご多忙のところ誠に恐縮ではございますが，「○○○○○」の演題でご講演を賜りたく存じます。何卒，ご高配賜ります様お願い申し上げます。
　お手数ではございますが，お引き受け頂けるかどうかの御返事を○○月○○日(○)までにFAX(○○－○○○○－○○○○)にてお知らせくださいますようお願い申し上げます。

　末筆ながら，先生のますますのご発展をお祈り申し上げます。

謹白

記

1. 会の名称　：　第○○回○○○○○研究会
2. 開催目的　：　○○○○○○○○○○○○○○○○○○
3. 開催日時　：　○○○○年○○月○○日(○)　○○時より○○時
4. 開催会場　：　○○○○○(会場名)
5. 演者役割　：　第○○回○○○○○研究会にて特別講演
6. 謝　礼　：　○○○○○○円
7. 旅　費　：　実費相当分を負担

以上

お問い合わせ先：第○○回○○○○○研究会
担当　○○　○○
〒○○○－○○○○
○○県○○市○○町○○丁目
TEL　○○－○○○○－○○○○
FAX　○○－○○○○－○○○○

ポイント
御侍史：一般的にはあまり目にしない表現ですが，医療業界ではよく使われています。相手に敬意をあらわす言葉です。

各種領収書の作成
　参加費領収書や謝礼領収書などを事前に作成しておきます（図表4-9，4-10）。

宿泊の予約
　講演者やスタッフなどの宿泊の手配が必要となる場合があります。会場予約同様，予約が取れないことや，数カ月前からの予約が必要となる場合があるため，なるべく早い段階で予約をしておきます。

図表 4-9 参加費用の領収書（作成例）

```
領収書
                  第○○回○○○○○研究会
           様

                    円也

   但 第○○回○○○○○研究会　参加費として
   令和○○年○○月○○日　上記正に受領いたしました
              〒○○○－○○○○
              ○○県○○市○○町○○丁目
              第○○回○○○○○研究会
              当番幹事　○○　○○ ㊞
```

> **ポイント**
> ●但し書きには、支払い名目を記載します。
> ●日付は、受領した日となります。
> ●受領した会や人の名前、住所を明記し押印します。

図表 4-10 講演料用の領収書（作成例）

```
領収書
第○○回○○○○○研究会様

                    円也

   但 第○○回○○○○○研究会講演料（源泉徴収税含む）※
   として、令和○○年○○月○○日　上記正に受領いたしました
              〒○○○－○○○○
              ○○県○○市○○町○○丁目
              ○○　○○ （自署）
```

※2016年から、一定額を超える謝礼について源泉徴収を行う場合には個人番号（マイナンバー）を提出してもらうことになりました。誤った扱いをすると罰則もあるので、総務・経理などに確認することが大切です。

参加者募集開始，参加者登録

　参加申込を開始します。申込があったら参加者名簿を作成します。名簿にはフリガナをつけておくと、受付の際に便利です。また、ネームカードが必要な場合は、参加者名簿をもとに作成します。

5）事前点検と確認

会場設営，機材の再確認

　事前に会場および会場機器の確認をしておきます。確認事項は、非常口、避難経路、照明設備、冷暖房、電源の位置、LANの有無、搬入口、音声や映像機械系の場所および操作方法、会場内（机やイスなどのレイアウト）や控え室、ゴミ箱、トイレなどです。誘導看板や張り紙は、参加者にわかりやすい場所に掲示をします。

当日使用する物の確認

　当日使用する物の確認を行います。チェック表を作成し、もれがないように気をつけます。

スタッフへの説明会

　当日かかわるスタッフを集め、説明会を行います。進行表や各業務マニュアルを用いて読み合わせを行い、指揮系統をはっきりさせておくことが重要です。説明をする際は、会場を撮影した画像などがあるとイメージが湧きやすくなります。各担当者から疑問点や課題を挙げてもらい、進行表やマニュアルの訂正、問題の解決を行います。

受付まわりの準備

　名簿や当日のプログラム、配付資料などを準備しておきます。参加者が多い場合は、待ち時間が長くなってしまわないよう、受付方法に工夫が必要です。

　また、避難路、トイレ、自販機、飲食や喫煙のできる場所などを事前に確認しておき、参加者に案内できるようにしておきます。

最終チェック

　講演者の写真が手に入るようであれば、講演者の顔を覚えておきます。参加者と講演者を混同しないよう注意が必要です。

2　イベント開催当日

マニュアルに沿って対応

　各業務マニュアルに沿って対応していきます。突発的な事象やトラブルには当日の役割が与えら

れていないスタッフが対応し，各業務担当者は自分の持ち場を長く離れないようにします。

アテンド

受付から会場が離れている場合は，誘導係が案内をするようにします。また，遅れてきた参加者については，空いている席まで案内をするようにします。

会場内の確認

会場内の温度が適切かどうか定期的に確認し，冷暖房の調節を行います。

記録

写真を撮るなどイベントの記録をとっておき，今後の参考とします。

進行状況の確認

定期的に進行具合を確認し，必要があれば内容を省略したり短縮したりします。

次回開催のアナウンス

次回の開催が決まっている場合は，イベント終了時にアナウンスします。

3　イベント終了後

撤去作業

会場の予約時間内にすべての作業が終了できるよう，速やかに後片づけをします。

礼状作成，発送

講演者に礼状を送ります。参加者のメールアドレスがわかる場合，参加者にもお礼のメールも送るようにするとリピートの増加につながります。

精算

会場費や宿泊費，交通費など諸経費の精算を行います。支払い日を守り，早めに支払います。

収支決算書の作成，反省会開催

収支決算書を作成し，反省会を行います。問題点を挙げ，次回運営時の参考にします。反省会の内容は議事録を作成します。

このようなサポートが受けられない場合，医師はこれらのイベント運営を自ら行わなければなりません。医師の学術活動は，診療の向上には不可欠であり，こうした「医療の質の向上に資する事務作業」も，医師事務作業補助者の役割の一つなのです。

※なお，新型コロナウイルス感染症の影響で，オンライン会議が増えています。オンライン会議でも手順は同じですが，Zoom，WebEx などの会議システムを利用できる環境か，会議の相手方に必ず確認しましょう。

クイックチェック（医療の質向上編）

本章の内容をクイズ形式で振り返ります。初任時の 32 時間研修等にぜひご活用下さい。

【問題】

Q1. がん登録における「ケースファインディング」に関する，正しい説明はどれか。
1) オーダリングシステムに登録された病名から，がん患者を抽出すること。
2) 死亡診断書の「死因」および「影響を与えた病名」欄をもとに，がん患者を抽出すること。
3) 手術台帳をもとに，外科的治療の対象となった症例に限って，がん患者を抽出すること。
4) 診療録，処方歴，病理組織診断結果など複数の情報源を用いて，がん患者を抽出すること。

Q2. 医師事務作業補助者が行う診療データの集計に含まれないのはどれか。
1) 医師別の抗生剤使用日数の集計
2) 診療科別の患者未集金額の比較
3) 市販後調査のための調査票の集計
4) DPC の調査データを用いた救急受入状況の施設間比較

【解答・解説】

Q1　4)

解説 ケースファインディングとは，「入院・外来関係なく，登録すべき症例を，診断から適切な期間内に，効率よく適切に見つけ出し，的確に振り落す作業」[1] といえます。

　本来，病名は医師がオーダリングシステムから登録しているはずなので，その情報だけで十分に把握することができます。しかし，実際には相当数の登録もれがあり，とりわけ悪性新生物（がん）の場合は原発以外のものがもれることはめずらしくありません。生存率などの臨床指標を求めるには，オーダ以外の情報源も活用し，もれなく症例を拾い上げることが重要です。

　このため，死亡診断書，手術台帳，処方歴（抗がん剤の使用履歴を把握することで，がん患者であることを確認できます），病理組織診断結果などはいずれも重要な情報源といえます。しかし，一つの情報源に頼ることは，患者の個別状況（例えば異常死が疑われ，自院では死亡診断書を発行できなくなる場合があります）によって書類が整わなかったり，その書類に記載もれがあった場合などは「登録もれ」につながります。そのため，複数の情報源を活用することが求められます。

　もっとも，これらの作業の精度を追及するといくら時間があっても足りませんので，精度とともに効率性も重要です。国立がん研究センターのがん対策情報センターでは，登録候補とした症例数を分母に，実際に登録した症例数を分子にした「的中率」を用いて業務を評価することも提唱しています。

（参考　P.134）

※1　院内がん登録におけるケースファインディング，国立がん研究センターホームページ，http://ganjoho.jp/data/hospital/cancer_registration/odjrh3000000htzp-att/02_016.pdf

Q2 2)

解説 医師事務作業補助者の業務には，「診療に関するデータ整理」が含まれています。他方で行ってはならない業務には，「運営のためのデータ収集業務」があります。その線引きは目的やデータの内容によるため必ずしも明快なものではありませんが，少なくとも医師の業務とはいえない「未集金額の集計」を実施できないことは明らかです。

医師別の抗生剤使用日数などは，医師の診療行為そのものを分析しているのでなんら問題ありません。その結果をもとにクリティカルパスの見直しなどが行われるのですから，「医療の質の向上に資する事務作業」としてはわかりやすいものです。

市販後調査（PMS：Post Marketing Surveillance）については，これから開拓される医師事務作業領域ともいえます。PMS の目的は「日常診療下での有効性・安全性を確認し，治験で得られない新しい情報を付加して臨床に役立つエビデンスを構築すること」にあり，そのため医師の臨床的視点がきわめて重要といわれています[※2]。治験とは異なり，あくまで日常診療下での医薬品・医療機器（薬事法の医療機器には，いわゆる診療材料や ME 機器などが幅広く含まれます）の利用ですので，その調査は「診療に関するデータ整理」に他なりません。他方，治験の場合は，もともと臨床試験コーディネータ（CRC：Clinical Research Coordinator）もいますので，医師が行うべき事務的作業から逸脱しないように注意が必要です。なお，2014 年度の改定では，疑義解釈（その 1）のなかで，明確に「治験に係る事務作業は含まれない」と明記されました。

DPC の調査データを用いた分析業務は，その目的が「診療」にあるか否かが分岐点です。この例のような「救急の受け入れ」に関することは，あくまで医師の判断に属することです。これを分析する目的が救急医療体制の改善にあるのであれば，その分析業務が「診療に関するデータ整理」であることを否定する合理的根拠はありません。在院日数の分析なども同様です。もっとも，同じ DPC の調査データを使った調査でも，病院の収入がどのように変化するかシミュレーションするようなものは，やはり「運営のためのデータ収集業務」としての性質が強いといわざるを得ません。

このように，データ収集や分析の業務はかなり幅広いものです。行政通知を遵守しながら，少しずつ取り扱う診療データを充実させていくことが望まれます。 (参考　P.142)

※2　西馬　信一．製造販売後調査（PMS）と医師の役割，Clinical Research Professionals 2011; 25: 4-7

第5章
行政への対応

1. 行政が行う調査事業への対応

矢口　智子

　診療報酬で定められた4業務のなかに，「行政上の業務（救急医療情報システムへの入力，感染症サーベイランス事業に係る入力等）への対応」という項目があります。本稿ではこれらの業務についてご紹介していきます。

1　救急医療情報システムへの入力

　救急医療情報システムとは，救急患者の受け入れ可能な病院を検索できるシステムのことです。各都道府県の運用実施基準によりシステムが構築されています。

　救急搬送件数は年々増加していますが，受け入れできる医療機関は限られており，搬送先の医療機関を見つけるのが困難であったり，特定の医療機関に集中してしまったりする問題が起こっています。その結果，患者の"たらい回し"が起きたり，救急医療の現場スタッフが慢性的な疲弊状態に陥ったり，搬送までの時間が長くなったりします。

　救急医療情報システムは，これらの問題を解決するために導入されたものです。医療機関が救急患者の受け入れ可否情報を入力し，情報の共有を図ることを目的に全国に配備されました。しかし，医療機関が多忙であるため入力自体が進まず，有効に活用されていないのが現状です。せっかくシステムがあるにもかかわらず，救急隊が医療機関に電話をかけ続けて搬送先を探している地域もあるようです。

　これらの情報入力を医師事務作業補助者が迅速に行うことにより，勤務医の負担軽減と同時に救急医療の提供体制の構築に貢献することができると言えます。情報入力内容や方法は，各自治体によって異なります。

2　感染症サーベイランス事業

　2006年に成立した「良質な医療を提供する体制の確立を図るための医療法等の一部を改正する法律」を受け，翌2007年には改正医療法が施行され，安全管理や院内感染対策のための体制整備がすべての医療機関に義務づけられることとなりました。厚労省による院内感染サーベイランス事業はそれ以前の2000年から，趣旨に賛同して参加を希望した医療機関の協力のもと，医療機関における院内感染対策を支援するため実施されています。2024年1月現在，4,207医療機関が参加しています。

　このサーベイランスの目的は，各医療機関内で実施される感染症の発生状況の報告やその他の院内感染対策の推進を支援するため，全国の医療機関における院内感染の発生状況等に関する情報を提供することにあります。

　本サーベイランスには5つの部門が設置されており，参加医療機関は参加を希望するそれぞれの部門について登録を行うことができます。

1）検査部門
目的：細菌検査により各種検体から検出される主要な細菌の分離頻度およびその抗菌薬感性を継続

的に収集・解析し，医療機関における主要菌種・主要な薬剤耐性菌の分離状況を明らかにする。

提出データ：培養陰性検体の情報も含めた細菌検査に関わる全データ。

　　　　※入院・外来・保菌・感染にかかわらず，細菌検査を実施した全データも提出

データ収集方法：診療等を目的に提出された細菌検査にかかわるデータを管理している細菌検査装置・細菌検査システム等からデータを抽出する。抽出時に提出用の共通フォーマットに変換されること。

提出頻度：月1回

2）全入院患者部門

目的：全入院患者を対象とし，主要な薬剤耐性菌による感染症患者の発生率に関するデータを継続的に収集・解析し，医療機関における薬剤耐性菌による感染症の発生状況を明らかにする。

〔**対象とする薬剤耐性菌**：メチシリン耐性黄色ブドウ球菌（MRSA），バンコマイシン耐性腸球菌（VRE），多剤耐性緑膿菌（MDRP），ペニシリン耐性肺炎球菌（PRSP），バンコマイシン耐性黄色ブドウ球菌（VRSA），多剤耐性アシネトバクター属（MDRA），カルバペネム耐性腸内細菌科細菌（CRE）〕

提出データ：

　ア．入院患者数：新規入院患者数，前月繰越入院患者数

　イ．感染症患者：患者識別番号，生年月日，性別，薬剤耐性菌名，感染症名，検体名，新規・継続の区別，入院日，検査日，診療科，病棟

データ収集方法：定期的に細菌検査室からの薬剤耐性菌検出者リストに基づいてサーベイランスシートを作成し，感染症と判定された患者のデータを診療録等から収集する。

提出頻度：月1回

3）手術部位感染（SSI）部門

目的：術後に発生する手術部位感染（SSI）のリスク因子ごとの発生率やその原因菌に関するデータを継続的に収集・解析し，医療機関におけるSSIの発生状況を明らかにする。

サーベイランス対象とする手術手技の選定：参加医療機関は，サーベイランスの対象とする手術手技を選定する。原則として毎月1件以上の対象手術手技数を有すること。

提出データ：

　ア．選定した手術手技に該当する全手術症例：患者ID，年齢，性別，手術手技，手術年月日，手術時間，創分類，ASA（アメリカ麻酔科医学会）スコア，緊急手術・埋入物・内視鏡使用・人工肛門造設，手術部位感染（SSI）発生の有無

　イ．選定した手術手技のSSI症例：SSI診断年月日，感染特定部位，検体，分離病原体

データ収集方法：上記アに関するデータは，診療録，手術記録等から収集する。SSIありと判定された症例に対して，上記イに関するデータを患者診察や診療録等から収集する。収集する項目には必須と任意があり，必須項目を充たさないデータの提出は受け付けない。

提出頻度：年2回（2月，8月）

4）集中治療室（ICU）部門

目的：集中治療室（ICU）で発生する3種類の院内感染症（人工呼吸器関連肺炎，カテーテル関連血流感染症および尿路感染症）の発生率やその原因菌に関するデータを継続的に収集・解析し，ICUにおける院内感染症の発生状況等を明らかにする。

提出データ：

　ア．熱傷患者を除く全入室患者：患者識別番号，入室日時，退室日

　イ．熱傷患者を除く感染症発症患者：アに加えて感染症発症日，感染症の種類，感染症の原因菌，薬剤感受性試験結果

データ収集方法：各参加医療機関の状況に応じて作成した全入室患者のサーベイランスシートに基づいて必要な患者データを収集する。

提出頻度：年2回（2月，8月）

5）新生児集中治療室（NICU）部門

目的：新生児集中治療室（NICU）で発生する院内感染症の発生率とその原因菌に関するデータを継続的に収集・解析し，NICUにおける院内感染症の発生状況等を明らかにする。

提出データ：

　ア．入室患児数：出生体重群別入室患児数

　イ．感染症発症患児：出生体重群・原因菌・感染症分類名

　（出生体重群：1000g未満，1000g〜1499g，1500g以上）

　（原因菌：メチシリン耐性黄色ブドウ球菌・メチシリン感性黄色ブドウ球菌・コアグラーゼ陰性ブドウ球菌・緑膿菌・カンジダ属・その他・菌不明）

　（感染症分類：敗血症・肺炎・髄膜炎・腸炎・皮膚炎・その他）

データ収集方法：サーベイランスシート等を用いて感染症患児のデータを随時収集する。

提出頻度：年1回

　参加医療機関は，サーベイランス各部門に責任者（提出したデータの精度・内容・管理に関する最終的な責務を負う）と，実務担当者〔各部門の責任者の指示のもと，データの管理，入力および提出等の実務を行う担当者（責任者と兼ねることができる）〕を選任しなくてはなりません。責任者が医師である場合，実務担当者は医師の指示のもとに実務を行うことになりますので，医師事務作業補助者が担当できることになります。責任者または実務担当者が異動等の理由により変更となった場合，参加医療機関は速やかに後任を選任しなければならないとされています。

　また，データの提出に関しては，院内感染対策サーベイランス事業のホームページ[※1]より，入力支援ソフトをダウンロードして行うこととなっています。入力支援ソフトは，本サーベイランスを円滑に実施すること以外の目的にこれを利用してはならないこと，ソフトの一部または全部を改変してはならないことと明記されているので注意が必要です。任意の患者識別番号を割り振る等，個人を特定できないよう配慮することも欠かせません。

　収集し，所定のフォーマットに変換されたデータは，院内感染対策サーベイランスホームページ内の参加医療機関専用ページより送信します。参加医療機関に対しては，運営委員会より1年に1回データ提出状況確認票が発行されます。

　院内感染対策サーベイランスのホームページでは，全参加医療機関の集計・解析結果を公開情報として一般の方でも閲覧できるようになっています。医師事務作業補助者が入力業務に関わることで収集データ数が増えれば，さらに公益性が上がり医療の質の向上につながることが期待されます。

3　感染症発症届

　感染症法では，蔓延を防ぐための対策などに役立てるため，一部の感染症を診断したときはただちに届出する義務を課しています（図表5-1）。届出先は，最寄りの保健所です。

[※1]　詳細は，厚生労働省院内感染対策サーベイランス事業ホームページでご確認ください。
https://janis.mhlw.go.jp/

図表 5-1　届出の対象となる感染症

1 類感染症：ただちに届出
①エボラ出血熱，②クリミア・コンゴ出血熱，③痘そう，④南米出血熱，⑤ペスト，⑥マールブルグ病，⑦ラッサ熱
2 類感染症：ただちに届出
①急性灰白髄炎，②結核，③ジフテリア，④重症急性呼吸器症候群（病原体がコロナウイルス属 SARS コロナウイルスであるものに限る），⑤中東呼吸器症候群（病原体がベータコロナウイルス属 MERS コロナウイルスであるものに限る），⑥鳥インフルエンザ（H5N1），⑦鳥インフルエンザ（H7N9）
3 類感染症：ただちに届出
①コレラ，②細菌性赤痢，③腸管出血性大腸菌感染症，④腸チフス，⑤パラチフス
4 類感染症：ただちに届出
①E 型肝炎，②ウエストナイル熱，③A 型肝炎，④エキノコックス症，⑤黄熱，⑥オウム病，⑦オムスク出血熱，⑧回帰熱，⑨キャサヌル森林病，⑩Q 熱，⑪狂犬病，⑫コクシジオイデス症，⑬サル痘，⑭ジカウイルス感染症，⑮重症熱性血小板減少症候群（病原体がフレボウイルス属 SFTS ウイルスであるものに限る），⑯腎症候性出血熱，⑰西部ウマ脳炎，⑱ダニ媒介脳炎，⑲炭疽，⑳チクングニア熱，㉑つつが虫病，㉒デング熱，㉓東部ウマ脳炎，㉔鳥インフルエンザ〔鳥インフルエンザ（H5N1 および H7N9）を除く〕，㉕ニパウイルス感染症，㉖日本紅斑熱，㉗日本脳炎，㉘ハンタウイルス肺症候群，㉙B ウイルス病，㉚鼻疽，㉛ブルセラ症，㉜ベネズエラウマ脳炎，㉝ヘンドラウイルス感染症，㉞発しんチフス，㉟ボツリヌス症，㊱マラリア，㊲野兎病，㊳ライム病，㊴リッサウイルス感染症，㊵リフトバレー熱，㊶類鼻疽，㊷レジオネラ症，㊸レプトスピラ症，㊹ロッキー山紅斑熱
5 類感染症の一部：侵襲性髄膜炎菌感染症，風しんおよび麻しんは直ちに届出。その他の感染症は 7 日以内に届出
①アメーバ赤痢，②ウイルス性肝炎（E 型肝炎および A 型肝炎を除く），③カルバペネム耐性腸内細菌科細菌感染症，④急性弛緩性麻痺（急性灰白髄炎を除く），⑤急性脳炎（ウエストナイル脳炎，西部ウマ脳炎，ダニ媒介脳炎，東部ウマ脳炎，日本脳炎，ベネズエラウマ脳炎およびリフトバレー熱を除く），⑥クリプトスポリジウム症，⑦クロイツフェルト・ヤコブ病，⑧劇症型溶血性レンサ球菌感染症，⑨後天性免疫不全症候群，⑩ジアルジア症，⑪侵襲性インフルエンザ菌感染症，⑫侵襲性髄膜炎菌感染症，⑬侵襲性肺炎球菌感染症，⑭水痘（入院例に限る），⑮先天性風しん症候群，⑯梅毒，⑰播種性クリプトコックス症，⑱破傷風，⑲バンコマイシン耐性黄色ブドウ球菌感染症，⑳バンコマイシン耐性腸球菌感染症，㉑百日咳，㉒風しん，㉓麻しん，㉔薬剤耐性アシネトバクター感染症
指定感染症：ただちに届出
該当なし
新型インフルエンザ等感染症：ただちに届出

4　ヒヤリ・ハット事例収集事業に係る入力

　公益財団法人日本医療機能評価機構では，医療法施行規則に基づき医療事故情報収集等事業を行っています。事業の一つに，「ヒヤリ・ハット事例収集・分析・提供事業」があります。この事業は参加登録申請医療機関（参加を希望する医療機関）が報告した情報を収集・分析して提供することにより，医療安全対策にいっそうの推進を図ることが目的とされています[※2]。

1）ヒヤリ・ハット事例を報告する情報の範囲
　①医療に誤りがあったが，患者に実施される前に発見された事例。
　②誤った医療が実施されたが，患者への影響が認められなかった事例または軽微な処置・治療を要した事例。ただし，軽微な処置・治療とは，消毒，湿布，鎮痛剤投与等とする。
　③誤った医療が実施されたが，患者への影響が不明な事例。

2）報告する情報と対象医療機関
　①発生件数情報
　　該当する事例の発生件数をすべての参加医療機関が報告する。
　②事例情報
　　以下に該当する情報を事例ごとに，報告を希望した医療機関が報告する。
　・当該事例の内容が仮に実施された場合，死亡もしくは重篤な状況に至ったと考えられる事例
　・薬剤の名称や形状に関連する事例
　・薬剤に由来する事例
　・医療機器等に由来する事例
　・収集期間ごとに定められたテーマに該当する事例

3）報告の流れ
　医療事故情報やヒヤリ・ハット事例の収集は，当事業に参加している医療機関からインターネット回線（SSL暗号化通信方式）を通じ，Web上の専用報告画面を用いて行われています。

※2　詳細は，公益財団法人日本医療機能評価機構　医療事故情報収集等事業ホームページでご確認ください。
　　http://www.med-safe.jp/index.html

クイックチェック（行政への対応編）

　本章の内容をクイズ形式で振り返ります。初任時の 32 時間研修等にぜひご活用下さい。

【問題】

Q1. 次のうち事故等報告病院が日本医療機能評価機構に対して報告義務を負う事象はどれか。
　1）医師が内視鏡検査を行っている最中に，大腸の穿孔を起こした事象
　2）患者が自ら転倒して頭部を打ち，その治療のため入院期間が延長した事象
　3）看護師が誤って点滴注射を行ったが，特に患者の状態が変化しなかった事象
　4）誤って患者の診療記録を紛失し，その患者から損害賠償請求訴訟を起こされた事象

Q2. 救急医療情報システムともっとも関係がうすいのはどれか。
　1）病院　　　3）患者の自宅
　2）診療所　　4）介護老人保健施設

【解答・解説】
Q1　1），2）

解説　医療法第 16 条の 3 では特定機能病院と「事故等報告病院」に対して，「厚生労働省令で定める事項」の一つとして，医療事故が発生した場合にはその日から 2 週間以内に「事故等報告書」を作成して日本医療評価機構に提出することが義務付けられています。この報告書は電子的に提出されます。この「事故等報告病院」とは，大学病院の分院や国立病院機構などが設置する病院を指します。これ以外の病院も，希望があれば大学病院や国立病院などと同様に「事故等報告書」を提出することができます（図表 5-2）。

　医療事故とは，**①誤った医療または管理を行ったことが明らかな事例，②行った医療または管理に起因して，患者が死亡した，もしくは患者に心身の障害が残った事例，あるいは①，②のうち予期しなかった，もしくは予期していたものを上回る処置その他の治療を要した事例**── のことをいいます。なお，「誤った医療または管理を行ったことが明らか」，すなわち過失が明らかな事例については，とくに「医療過誤（一般向け報道では「医療ミス」と呼ばれることが多いようです）」という言い方も用いられます。

　したがって，仮に医療従事者に過失があった事例でも，幸いにして患者に影響が起こらなかった事例は医療事故とは呼びません。さらに，患者名や薬剤の間違いなどをその行為が起こる前に気づいて未然防止できた場合も，もちろん医療事故として扱うことはありません。このような事例は「ヒヤリ・ハット事例」と称し，病院の任意で日本医療機能評価機構に報告することになっています（図表 5-2）。

　このため，大腸の穿孔や入院期間の延長のような障害が明らかな事例は，報告義務が生じます。そこまでの影響度がなかった「ヒヤリ・ハット事例」や，あるいはクレームのような事例では報告義務はありませんが，その事例の報告が他の病院にも有意義であると考え，任意で報告することは可能です。

図表 5-2　医療事故報告の流れ

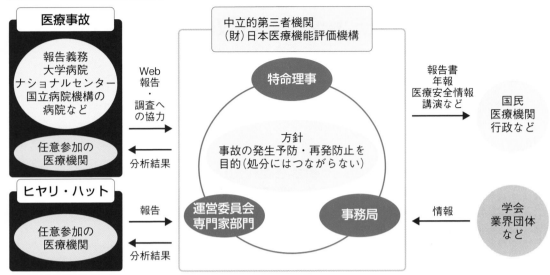

（日本医療機能評価機構情報収集等事業ホームページ http://www.med-safe.jp/contents/outline/index.html）

　このような事業を行う目的は個人を責めることではなく，組織的な改善活動に役立てることにあります。また，より多くの医療機関に周知すべき事象については「医療安全情報」というかたちで各病院にフィードバックされます。例えば，「医療事故情報収集等事業　医療安全情報　No.78（2013年5月）」では，医師事務作業補助者の業務にも関係が深い事例が報告されています。これは，「持参薬を院内の処方に切り替える際，処方量を間違えた事例」が複数報告されたものです。間違えた量は2〜10倍で，その背景としては「持参薬と同じ規格がなかった」あるいは「持参薬と同じ剤形がなかった」ことが挙げられています。この間違いの元は，診療情報提供書（紹介状）であったとの報告もあります。このような事例を防ぐためいっそうの注意を払うことは当然ですが，さらに「持参薬から院内の処方に切り替える際は，可能な限り薬剤師が介入する」ことが勧奨されていることにも留意すべきです。

　なお，医療事故や「ヒヤリ・ハット」の段階は，国立大学附属病院長会議が定めた8段階で区分する

図表 5-3　インシデント影響度分類

レベル	傷害の断続性	傷害の程度	傷害の内容
レベル 5	死亡		死亡（原疾患の自然経過によるものを除く）
レベル 4b	永続的	中等度〜高度	永続的な障害や後遺症が残り，有意な機能障害や美容上の問題を伴う
レベル 4a	永続的	軽度〜中等度	永続的な障害や後遺症が残ったが，有意な機能障害や美容上の問題は伴わない
レベル 3b	一過性	高度	濃厚な処置や治療を要した（バイタルサインの高度変化，人工呼吸器の装着，手術，入院日数の延長，外来患者の入院，骨折など）
レベル 3a	一過性	中等度	簡単な処置や治療を要した（消毒，湿布，皮膚の縫合，鎮痛剤の投与など）
レベル 2	一過性	軽度	処置や治療は行わなかった（患者観察の強化，バイタルサインの軽度変化，安全確認のための検査などの必要性は生じた）
レベル 1	なし		患者への実害はなかった（何らかの影響を与えた可能性は否定できない）
レベル 0	—		エラーや医薬品・医療用具の不具合が見られたが，患者には実施されなかった
その他			

方法が一般的です。ここでは 3b 以上を「医療事故」として，3a 以下を「ヒヤリ・ハット事例」として報告することになっています（図表 5-3）。医師事務作業補助者もレベル 0 相当の事例に直面することはよくあります。これらの報告は処罰を目的とするものではありませんので，積極的に報告を行い，安全な体制作りの一助を担うことが大切です。　　　　　　　　　　　　　　　　　　　　（参考　P.158）

Q2　4)

解説　救急医療情報システムとは，「休日夜間急患センター，入院を要する（第二次）救急医療機関及び救命救急センター，その他救急医療に必要な体制に関する情報を収集し，医療施設及び消防本部等に必要な情報を提供するもの」です（厚生労働省医政局「救急医療対策実施要綱」平成 26 年 3 月 20 日付医政発 0320 第 8 号）。

　平常時は都道府県単位で運用されますが，災害時には県境を越えて広域で運用することとされています。

　このなかでもっとも基本的な機能は，「搬送支援機能」といえます。すなわち，救急車の受け入れ可否などを各病院で入力し，その結果を救急隊が参照できるようにすることで，迅速な救急搬送につなげるものです。もちろん，診療可否情報や空床情報は変動するものですので，都道府県が定めた頻度（1日に 1〜2 回程度）で入力を行うことになっています（図表 5-4）。

　しかし，昨今では医療機関や消防本部のみでなく，住民にもその情報の一部を提供するようになってきました。都道府県は，医療法（第 6 条の 3）に基づく「医療機能情報提供制度」の一環として，管内の病院や診療所などの基本情報（病床数や診療科目など）を提供することになっています。そのため，東京都の「東京都医療機関案内サービス・ひまわり」などのウェブサイトが運用されており，このようなサイトでは，夜間などに救急診療を行っている医療施設の情報も提供しています。そこで，一部の自治体では，救急医療情報システムと，「医療機能情報提供制度」の一環として行う救急医療機関の案内を，一元的に行うようになってきました。佐賀県医療機関情報・救急医療情報システム「99 さがネット」などが代表例です。こうなると，患者の自宅も，こうしたシステムと無縁ではなくなってきます。

　他方，介護老人保健施設については，介護保険法に基づく介護施設であり，病院のような医療法に基づく施設とは種類が異なります。これらの介護施設は，通常，緊急時の受け入れ医療機関をあらかじめ確保しています。したがって，入所者の状態が急変したとしても，そのために救急医療情報システムを利用する場面はきわめて限られているといえるでしょう。　　　　　　　　　　　　　（参考　P.154）

図表 5-4　横浜市救急医療情報システム（通称：YMIS）の例

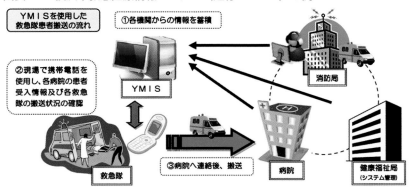

http://www.city.yokohama.jp/ne/news/press/201206/images/phpml07iq.pdf

第6章
医師事務作業補助者の運用管理

1. 配置部署とローテーション

福田智恵子，勝木　保夫

1　やわたメディカルセンターでの導入の経緯

　筆者らの勤めるやわたメディカルセンターは，病床数 208 床の急性期医療・回復期病棟・地域包括ケア病棟を有する地域中核病院です。2008 年 7 月より DPC を導入しており，その際に懸念されたことは，在院日数の急な短縮や新入院患者の増加によって，元々超過勤務が多い医師にさらに負担がかかって疲弊し，診療の質が低下したり患者サービスが低下したりすることでした。

　このことは当院のみの問題ではなく，背景には現在の日本の医療における深刻な医師不足問題があります。そこで当院では，その対応策として，医師事務作業補助者を配置することとしました。医師事務作業補助者の導入にあたり，まず取り組んだことは，院内の医師に対して負担となっている業務内容のアンケート調査です（2008 年 9 月実施）。調査結果は以下のとおりです。

- ・**書類の作成（78.6%）**
- ・**カルテ入力（35.7%）**
- ・**学会準備（64.3%）**
- ・**検査予約（42.9%）**
- ・**登録業務（42.9%）**
- ・**ホームページ作成（42.9%）**
- ・**文献検索（71.4%）**

　この結果を踏まえ，医師事務作業補助として行うべき業務を，生命保険の診断書やカルテサマリーなどの書類記載と，外来診療補助業務の 2 点に集中して取り組むこととしました。このような業務を行うためには，知識・技能として以下が求められます。

- ・**経過記録を的確に記載する知識・技能**
- ・**患者の状態によってどのような検査が必要であるかの理解**
- ・**患者ならびに看護・検査業務の流れの知識**
- ・**診療報酬と算定に必要なカルテ記載にも精通**
- ・**電子カルテやパソコン操作の知識・技能**

　これらを踏まえ，医師事務作業補助者の適任者は院内の医事課職員から育成することが最も早道と考えました。そこで医事課職員全 32 名が，まずは企業が実施している 32 時間研修を受講し，医事課職員の誰でも必要なときに医師事務作業補助者として配置できるような体制を準備しました。この準備期間にはおよそ 3 カ月必要でした。

2　外来配置の検討

　アンケート結果から，カルテ入力・検査予約といった外来診療補助の要望がとても高い診療科と，あまり外来診療補助を必要としない診療科があることもわかり，図表6-1 の順序に沿って外来

配置診療科の検討を行いました。

　当時の医事課職員数を考慮すると，一度に多くの医師事務作業補助者を育成することは困難であったため，以下の項目から外来診療補助を行う診療科と医師の補助優先順位を決定し，配置人数を決定しました。

- **・外来患者数／日**
- **・外来診療日数／月**
- **・入院患者数／月**
- **・手術件数／月**
- **・電子カルテ操作の習熟度**
- **・医師事務作業補助者が担当する業務内容・量**

　この結果，最初の配置は当院の3本柱である整形外科・内科・外科消化器内科となり，勤務年数・診療科での医事経験・適性を踏まえて，各科1名ずつ計3名を配置しました。決定後は各科看護師や医師の意見を採り入れ，多職種で何度も診療補助体制や業務内容について話し合いを行い，2009年12月より外来診療補助を開始しました。

　導入当初，医師や看護師はもちろん，医師事務作業補助者自身もどのように補助を行えばよいのかわからず戸惑いが生じました。例えば，電子カルテへの診療内容の代行入力ひとつをとっても，医師事務作業補助者は，医師・看護師が患者と話しているわかりやすい口頭説明に相応するカルテ記載用の医療用語の知識が不足していたり，医師はどの範囲まで医師事務作業補助者に記載を依頼すればよいのかわからず，医師自身で入力してしまったり——といったことが多々ありました。しかしこれらは，実践経験を積み，医師と医師事務作業補助者間での意思疎通がうまくいくにつれて解消していきました。現在，医師事務作業補助者の配置案は，各診療科の看護師やコメディカルの配置状況も考慮し，看護部とも相談して作成しています。その後，診療部長，診療副部長へ提案・協議して最終案を決定し，院長へ報告し承認を得ることで配置決定を定期的に行っています。

3　院内における継続教育

　当院の医師事務作業補助者は全員，医事課で医事業務を学んだ後に配置されます。医師事務作業補助者の業務は，電子カルテのオーダ代行や診療補助など責任のある業務であり，医事業務や通常規定されている32時間研修の知識だけでは追い付きません。そこで，医事課で学んだ診療の流れや請求業務，病院職員としての基礎知識に加え，レセプト請求事務だけでは把握できない疾病に対する症状・治療の流れ等について知識を深めることを目的として，医事課職員・医師事務作業補助者に同時に院内研修を行いました。

　外来補助を行ううえでは医師や多職種との協働が重要であり，協働するには共通知識が不可欠です。このため，日々の業務で疾病に関する知識を医師と患者の会話から聞きとったり，聞きなれない医療用語などは調べたり，医師と直接話し合って細かな点について確認し合うことも必要でした。また，反復して行った院内研修や，医師事務作業補助者から他職種へ積極的に声掛けしコミュ

図表 6-1　外来配置診療科の検討

各科看護師による業務の洗い出し
↓
洗い出した業務を医事課と看護部で話し合い，職種別に分類
（医師・看護師・看護助手・**医師事務作業補助者**・医事課）
↓
補助の開始を行う診療科と補助内容の決定

ニケーションを深めることが，徐々に医師事務作業補助者たちの知識を深め，外来補助における入力範囲の拡大や診察時間内で行えるオーダ数の増加といった成果につながりました。さらには，医師と医師事務作業補助者，多職種と医師事務作業補助者の信頼関係が築けるようになってきました。

4 外来診療における補助業務のバリエーション

　診療補助の際は医療職と同様の医療用ユニフォームを着用し，一人一台の専用ノートパソコンを持参して業務にあたっています。ユニフォームの着用により，医師事務作業補助者自身が診療空間で良い緊張感をもって業務に従事できること，患者さんから違和感をもたれず診療現場の一員として仕事ができること ── といったメリットがあります。診察室では，医師の横に座ってパソコン入力を行う者がいたり，患者の移動に合わせるためにパソコンカートを使って立ちながら業務を行う者がいたりと，診療科や医師の診療スタイルに合わせて対応しています。

　また，補助の内容も各科統一ではなく，担当の医師と話し合い，各診療科・各医師で異なっています。検査や画像などのオーダ代行入力を依頼する診療スタイルの医師もいれば，経過記録の代行入力を積極的に依頼する医師もいます。その場合は，医師事務作業補助者が入力した内容を医師が確認し，修正や追記を行って確定しています。

　この他にも，外来診療中にその場で診療情報提供書（紹介状・返書）を作成して患者さんへお渡しするなど，必要と要望に合わせて臨機応変に対応しています。

5 チーム体制への歩みと，ローテーションの導入を目指して

　導入当初は，3人の医師事務作業補助者がそれぞれ一人の医師専任で就く担当制（1DR／1MS）でした。このため，医師事務作業補助者の急な休みの場合，他の医師事務作業補助者による補助業務が不可能であり，医師や看護師に業務のしわ寄せがいき，普段の外来診療のペースが維持できずに患者サービスの低下を招くことになりました。

　そこで，医師事務作業補助者増員を期に，一人が欠けても柔軟に対応することができる「ペア体制（1DR／2MS）」を目標とすることにしました。具体的には，導入初期より診療補助を行っているベテラン補助者と新人補助者がペアとなり，一人の医師のもとで新人補助者教育を行います。医師への補助スタイルはベテラン補助者が既に確立しているためスムーズに新人教育が行え，新人の早期の独り立ちが可能となります。

　新人補助者が独り立ちすれば，ベテラン補助者は別の医師とともに補助スタイルの確立を行います。このとき，ベテラン補助者はこれまでの経験を基に次の医師に合った補助スタイルを提案しながら進めるので，信頼関係も築くことができます。結果的に，ベテラン補助者は複数の医師の補助ができるようになり，補助者の急な休みにも優先順位の高い医師への補助が行える体制となりました。さらに，新規に補助業務を行う診療科では別の医療知識が必要となるため，新しく補助を開始する診療科医師中心に勉強会を開催し，研鑽を積みました。

　医師事務作業補助者配置後，職歴の長い職員では複数年同じ医師を補助している者も出てきました。同じ医師のもとに長期間配置すると，医師から信頼されて依頼される仕事が拡大する傾向にあり，それは喜ばしい面もありますが，その医師事務作業補助者しか処理ができない担当制（1DR／1MS）に逆戻りすることも意味し，代替が困難になってしまう欠点があります。

　この欠点を解消するため，ローテーション制を導入しました。ローテーションを行うことで，一人の医師事務作業補助者が複数の医師を補助することが可能となります。そこで，整形外科と脳神経外科で「チーム整形」，内科系，外科消化器内科，睡眠呼吸障害外来で「チーム内科」と2つのチームに分け，チームで診療科をサポートする体制へと変更しました。複数医師の補助業務を行うことで，気付きやスキルアップ，間違った処理を行うリスクの軽減も図れます。現在は，チームの

垣根を超えて，複数の医師に対して補助が可能なスタッフが大半を占めるようになりました。

　一方，ローテーションの実施には標準的な育成・指導が必要であるとの考えから，2018 年にはラダーの作成に取り組みました（図表 6-2）。ラダーを活用することで習熟度が可視化され，段階的に達成度を確認して OJT に取り組むことができます。また，指導や評価を行うなかで，指導者自身も不足していた知識を学び直すよい機会となり，スキルアップも図れました。ラダーの導入は，育成ツールとしての効果だけではなく，知識の習得・実務能力の向上にもつながります。そして，標準的かつ一貫した指導が可能となり，より有益性のあるローテーションを進めることができます。

6　医師事務作業補助者間の情報共有

　医療は日々進歩しているため，数カ月で新しい薬が出たり薬の使い方が変わったりすることがあり，医師事務作業補助者間での情報共有が大切になってきます。

　当院では，その日に行った補助業務の内容を業務日報に記載するようにしています。日報に記述することにより 1 日の業務内容・業務の場所も可視化され，チェックする側（管理者）も把握できます。特に外来で得た新しい医療情報や補助業務は，タイムリーに院内メールやミーティングによって医師事務作業補助者間で共有するようにしました。

　これまでの増員と補助対象医師の拡大を行った経験から，増員を伴うローテーションにはラダーによる教育を兼ねたペア体制を敷き，医師事務作業補助者間で悩みや疑問点を共有し，最終的に独り立ちさせるのが最適と考えています。

7　医療チームの一員としての医師事務作業補助者

　医師事務作業補助者の仕事は，どの医療機関も試行錯誤しているのが現状です。医療機関によっては診療内容や繁忙部署が違いますから，全国すべての医師事務作業補助業務が一律で一定の業務になるとも思えません。

　そのなかでも，医療機関同士で補助現場の見学・研修をし，互いの研鑽ができるようになれば，医師事務作業補助者全体のスキルアップ，モチベーションアップにつながると考えています。

　やわたメディカルセンターで大切にしていることは，医師事務作業補助者もチーム医療の大事なメンバーであり，医師だけのためにある職種ではなく，患者さんに対しての医療サービスを高めるためにある，医療チームの一員であるということです。

　外来診療補助業務は，全医師へ画一的で均一な補助を行うことは困難ではありますが，必要とされる内容・業務についてそれぞれでコミュニケーションをとりながら相談していくことが肝要と考えます。

　したがって，私たち医師事務作業補助者は，医師・看護師・医事課職員・コメディカルと一致協力して，患者さんのためにそれぞれの業務を高いレベルで効率よく安全に提供できることを目指していかなければなりません。

図表 6-2　外来診療補助ラダー（外科消化器科）

氏名：　　　　　　　　　指導担当者：			確認日	
		具体的な知識・技能	**本人評点**	**指導者評点**
基本	1	医師事務作業補助の業務範囲を理解している	／2	／2
	2	個人情報の適切な取り扱いについて理解している	／2	／2
	3	院内の検査室の場所や患者の流れを理解している	／2	／2
	4	他科・他 Dr も含め，初診・再診担当日を把握している	／2	／2

2. 32 時間研修と継続研修

松木 大作

　医師事務作業補助者の要件に「新たに配置してから6か月間は研修期間として，業務内容について必要な研修を行うこと。なお，6か月間の研修期間内に32時間以上の研修（医師事務作業補助者としての業務を行いながらの職場内研修を含む）を実施するものとし，当該医師事務作業補助者には実際に医師の負担軽減及び処遇の改善に資する業務を行わせるものであること。（以下省略）」があります。

　診療報酬改定後の疑義解釈通知では，「外部団体等で開催される基礎知識習得については，適切な内容の講習の時間に代えることは差し支えない。ただし，業務内容についての6か月間の研修は実施すること。適切な内容の講習には，診療報酬請求，ワープロ技術，単なる接遇等の講習についての時間は含めない。なお，既存の講習等が32時間に満たない場合，不足時間については別に基礎知識習得の研修を行うこと」となっています。研修の内容については，図表6-3 に掲げる基礎知識を習得することとされました。また，職場内研修を行う場合には，その実地作業における業務状況の確認ならびに問題点に対する改善の取組みを行うこととされています。

　なお，2018年10月9日の疑義解釈（事務連絡）で，「医師事務作業補助者を新たに配置する前に，当該医師事務作業補助者が基礎知識を習得するための適切な内容の研修を既に受けている場合は，当該医師事務作業補助者に再度基礎知識を習得するための研修を行う必要はない。ただし，業務内容についての6ヶ月間の研修は実施すること」とされました。これを受けて，日本病院会等では，医師事務作業補助者に対し，当該教育を修了した旨の証明書を発行しています。

　医師事務作業補助者が補助する業務は多種多様であり，医療機関によって配置や担う業務は様々です。厚生労働省が行った「医師の働き方改革を進めるためのタスク・シフティングに関するヒアリング」（2019年6月17日開催）の公開資料（図表6-4）からは，下記のような実態が浮かび上がりました。

・実務者が従事する業務は，文書作成，代行入力，外来予約受付，検査等のオーダーリング，患者説明，各種登録等医療の質向上に関する業務，行政上の業務，チーム医療推進に関する業務など，文書作成から専門性の高い業務まで極めて多岐に渡っている。
・業務内容別の従事者数割合では，書類作成と外来業務の割合が高い。
・入院関連業務，臨床データ集計，がん登録・NCD・JND・JCVSD などの症例登録，救急医療情報システム入力，感染症サーベイランスなど，割合は少ないが専門性の高い業務に従事している職員も存在する。

図表6-3　医師事務作業補助者の研修内容

ア　医師法，医療法，医薬品，医療機器等の品質，有効性及び安全性の確保に関する法律，　　健康保険法等の関連法規の概要 イ　個人情報の保護に関する事項 ウ　当該医療機関で提供される一般的な医療内容及び各配置部門における医療内容や用語等 エ　診療録等の記載・管理及び代筆，代行入力 オ　電子カルテシステム（オーダリングシステムを含む）

　また，「平成 30 年度診療報酬改定の結果検証に係る特別調査（令和元年度調査速報値）」によると，書類の記載や入力について，「55.7％の医師が主治医意見書の記載を負担に感じていた」「55.4％の医師が診断書，診療記録及び処方せんの記載を負担に感じていた」「43.2％の医師が診察や検査等の予約オーダリングシステム入力や電子カルテ入力に負担を感じていた」と報告されています（図表 6-5）。

　依然として，診断書等の文書作成補助業務に負担を感じているようです。しかし，医師が補助してもらいたい業務には様々なものがあります。そのような業務は，診療科に特化したものや専門性の高いものもあります。一定の範囲の業務を補助するのではなく，業務範囲を広げていくことも重要です。そのために，基礎研修以上に，個々に合った継続教育が必要であると考えます。

　以下，筆者が勤める済生会吹田病院での基礎研修と継続教育についてご報告いたします。

1　基礎研修

　当院では，2007 年 12 月より医師事務作業補助者を配置しました。2008 年 2 月に増員し，同年 4 月より 5 名体制としました。その当時，私が医事課企画担当におりましたので，医師事務作業補助者は医事課に位置付けられました。当院ではこの医師事務作業補助者を MS（Medical Secretary）と呼称しています。

　診療報酬改定により 32 時間以上の研修が設定され，2008 年 3 月以前から業務している医師事務作業補助者にも研修が必要とされました。そこで，年間カリキュラムを作成し，院内講師にて研修を開始しました。最初の 5 名は，医事請求や各診療科の受付担当で，すべて医事課経験者であり，異動により配置された者です。私が診療情報管理士を取得していましたので，図表 6-3 のウについては一般的な内科学，外科学に加え，解剖生理や医学用語も取り扱いました。アおよびウの内容が 1 冊に収められた看護師やコメディカル対象の書籍をテキストとし，1 回 2 時間，月 2 回の勉強会を行いました。また，図表 6-3 のイ，エ，オは，該当部署に勉強会の講師を依頼しました。

　勉強会だけでは 6 カ月で 24 時間ですので，「32 時間以上」には届きません。そこで，院内で行われる様々な研修会等（医師事務作業補助者の業務に関係があるものに限る）に参加し，勉強会と研修会等で 32 時間以上の研修を行いました。

　最初の 5 名の努力により医師事務作業補助者の評価が高まり，医師から増員の要望が出るようになりました。そこで，ほとんどを院外から新たに採用しました。また，医療機関の経験者だけではなく，コミュニケーションスキルの高い人材を求めました。したがって，新入職者導入の際には 1 カ月ほどかけて，病院の仕組み，特に紹介患者の流れとそれに関わる業務を研修させました。

　昨今，コロナ禍で業務のあり方が大きく変化しました。例えば，従来型の集合研修は行えなくなりました。当院ではその代わりに，2020 年 4 月以降の入職者に対し，小論文と 500 問の問題（選択式問題 100 問，○×式問題 400 問）に取り組んでもらうことにしました。

　小論文は，「医師事務作業補助者の視点」を確認することを目的として行います。図表 6-3 に掲げる法規等を読んで，A4 用紙 1 枚で論述をまとめてもらいます。当院では 10 の小論文テーマを掲げており，1 テーマ当たり 1 時間と換算していますが，実際には 2〜3 時間かかります。提出された小論文は，1 回は差し戻し，見直しをしてもらいます。

　500 問の問題は，図表 6-3 のうち，医療知識，医療制度，安全管理，個人情報保護等をテーマに出題しています。正答数を時間換算し，350 問以上（15 時間），400 問以上（18 時間），450 問以上（20 時間），475 問以上（22 時間）等としています。なお，再提出も可としています。

　返却時は，1 問ごとの正解を記載せず，1 ページの正答数を記載して返却します。時期を見て，説明を加えながら答え合わせを行います。答え合わせに 5 時間程度かかりますので，実際には数十時間かかっていると考えます。答え合わせでは，問題を声を出して読ませることが重要です。

　これらの課題は，適性の把握やその後の教育において，とても参考になります。

図表 6-4　医師事務作業補助者の業務内容別従事者数割合

業務内容	割合
保険会社様式診断書	82.8%
病院様式診断書	77.7%
介護保険主治医意見書	71.3%
検査の指示	67.2%
診察予約・変更や調整	65.9%
身体障害者診断書	64.3%
特定疾患（難病）臨床調査個人表	63.8%
画像の指示	63.6%
紹介状の返事	60.1%
診療情報提供書	57.8%
労災後遺障害診断書	53.2%
処置の指示	52.8%
内服薬の処方	50.2%
外来診療録作成（その他）	45.4%
注射薬の処方	44.0%
退院サマリーの作成	41.5%
紹介状の返書	37.8%
次回来院時の説明	36.4%
初診患者への予診の記録	35.7%
診療情報提供書	35.1%
検査・手術等の日程調整	35.0%
外来診療録作成（SOAP 全て記載）	30.6%
再診患者への予診の記録	30.2%
検査の指示	28.2%
NCD 登録	27.5%
診察室のコーディネート	27.5%
画像の指示	27.1%
検査・手術のための説明・同意書取得	26.2%
入院診療計画書の作成	26.2%
内服薬の処方	24.1%
患者・家族への説明文書作成	22.6%
処置の指示	21.9%
注射薬の処方	21.6%
食事の指示	21.0%
診療録や画像結果などの物的整理	20.3%
学会等の資料作成	19.8%
臨床データ集計	18.7%
クリニカルパスの入力	18.1%
院内会議の資料作成	17.8%
通信文の物理的整理	17.3%
カンファレンスの記録	15.5%
入院診療録作成（その他）	15.1%
病棟回診の記録	14.4%
入院手続きの説明	14.3%
レセプトに関する症状詳記	12.6%
臨床研修のための資料作成	12.4%
がん登録（院内・全国）	12.1%
患者・家族への説明文書の作成	10.5%
入院診療録作成（SOAP 全て記載）	10.5%
逆紹介の説明	9.8%
臨床試験，治験等のデータ整理	9.0%
医師の教育や臨床研修のカンファレンス	8.9%
学術論文などの資料の検索	8.3%
地域医療連携パスの入力	7.6%
JND 登録	7.1%
院外会議の資料作成	6.6%
手術記録	5.9%
ヒヤリ・ハット事例収集事業	5.6%
救急医療情報システム入力	5.5%
JVCSD 登録	5.0%
感染症サーベーランス事業	3.7%
麻酔記録	2.9%

NPO 法人日本医師事務作業補助研究会調べ（平成 31 年 4 月）【速報版】　回答数 3,135 名　　　　　　　（複数回答可）

出典：厚生労働省「医師の働き方改革を進めるためのタスク・シフティングに関するヒアリング」（2019 年 6 月 17 日開催）における特定非営利活動法人日本医師事務作業補助研究会提出資料

図表 6-5　各業務の負担感（医師の回答）

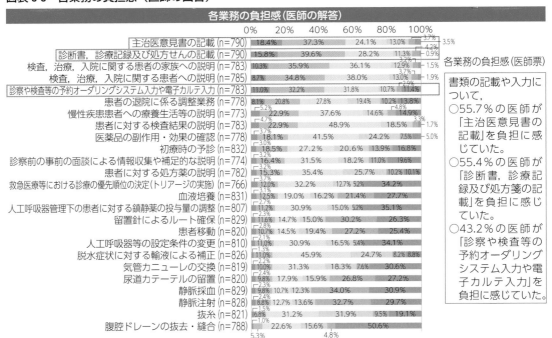

平成 30 年度診療報酬改定の結果検証に係る特別調査（令和元年度調査　速報値）

出典：中医協（2019 年 11 月 8 日開催）配布資料「個別事項（その 7）について」

2　**継続研修**

　さて，当初の5名以降，新入職者ももちろん勉強会に参加しますが，全員での勉強会のため入職時期により習得状況が異なり，32時間研修修了者と新入職者を同じように教えることがむずかしくなりました。また，病院未経験者には，最初の1カ月研修だけでは十分ではありませんでした。

　そこで，医師事務作業補助者全員がまとまって行う基礎知識の研修はいったん中止とし，比較的全員に必要な知識として，例えば，コメディカル部門が何を行っているのか，また，コメディカル部門から医師事務作業補助者に期待することは何か —— などをテーマに部門紹介や見学を行いました。これはおおむね月1回行いました。

　月2回の勉強会のうちの残り1回は，自分たちの勉強会としました。医学用語の理解とコンピュータのキー操作の練習を兼ねて，一定時間に100問程度の医学用語の読みを入力するという演習も行いました。登録後には正解を発表し，用語の解説を行いました。半年ほどで終了しましたが，医師事務作業補助者になってすぐの者にとっては，自己学習の良い材料となりました。

　医学用語の演習が終了したあとは，多くの診療領域に共通する疾患をテーマに選びました。例えば，「糖尿病」「高血圧症」「がん」「気管支喘息」「心疾患」 —— などです。また，「高額療養費制度」「DPC」「院内感染」「血液の組成と検査」「インフルエンザ」「診療報酬改定」 —— など，時期的に重要なテーマを取り上げました。

　この頃になると，基礎知識に関する外部の研修会が多く開催されるようになり，その内容も充実してきました。そこで新しく医師事務作業補助者となった者は，外部の研修会に参加させるようにしました。おおむね半年経過後に申し込みを行います。多くは日本病院会等の主催ですが，民間の団体が主催する研修会にも参加させました。半年後に参加することによって学習目的が明確になり，また，公費で参加することで責任感につながりました。

　医師事務作業補助者発足から3年が経過する頃になると，情報の作成や管理に係る業務を任されるようになりました。例えば，前立腺生検を行った患者のリストを作成し，病理検査や腫瘍マーカーなど血液検査の結果を加えていきます。その他，内視鏡検査で紹介のあった患者の返書と病理結果管理などです。

　そこで，多くの医師事務作業補助者が同様の業務を担えるように，2011年1月より統計をテーマに勉強会をすることとしました。そのなかで，エクセルの使い方や裏ワザを解説するようにしました。統計のテキストは，Web上に公開されている「ハンバーガーショップで学ぶ楽しい統計学[※1]」と「アイスクリーム屋さんで学ぶ楽しい統計学[※2]」（いずれも早稲田大学人間科学学術院・向後千春研究室のWeb教材）を利用しました。

　達成目標は，統計処理した結果やグラフからどのようなことがいえるのかを読み解くことです。統計処理のためにはどのようにデータを処理するのか，データを処理するためにはデータを揃えなければならないこと（仲間外れのデータが混じっていると正しくデータ処理されない） —— などを説明しながら，時間をかけて進めました。単に平均といっても，算術平均・最頻値・中央値があります。平均・分散・散布図に約半年をかけました。

　次は，統計教育推進委員会がWeb上に公開している「統計活用授業のための教材サイト[※3]」より，医師事務作業補助者の業務と関連性の高いものや興味深いもの8つを教材として選びました。この教材には，回答までの手順が示されていますので，まず手順どおりにやってみた後，別の方法や裏ワザなどを交えながら進めました。8つの教材を終えるのに，2012年3月までかかりました。

　2012年4月からは「ハンバーガーショップで学ぶ楽しい統計学」と「アイスクリーム屋さんで学ぶ楽しい統計学」に戻り，相関係数・信頼区間・χ^2乗検定，t検定，無相関検定を行いました。

※1　http://kogolab.chillout.jp/elearn/hamburger/index.html

※2　http://kogolab.chillout.jp/elearn/icecream/index.html

※3　http://estat.sci.kagoshima-u.ac.jp/data/

ですが，統計についてはここまでとしました。その理由の1つは，基礎知識の研修のときと同じ課題に直面したからです。統計を学び始めた2011年1月以前からの医師事務作業補助者は，同一のスタートラインで始めることができましたが，2011年2月以降に医師事務作業補助者に配属された者は，みんなに追いつくべく補習が必要となります。私も時間の許す限り補習を行いましたが，限度がありました。そのため，2012年7月にいったん終了し，再度初めから統計のカリキュラムを進めています。今は希望者のみ参加しています。また，業務の関係で勉強会に参加できなかった医師事務作業補助者から希望があり，別に時間を取って補習を行いました。

このような勉強会に効果があった例として，前述の前立腺生検があります。当初は，一生懸命集めたとても有用なデータから表を作成しているのに，大文字と小文字を混在させたり，さらに詳しいデータを付けてしまったために同じデータとして取り扱うことができなかったりと，表計算としては扱いにくいものができあがっていました。しかし現在は，データ収集後の活用を意識して表を作成していますので，病理結果とPS値のグラフなどを容易に作成できます。最近では，地域の医師を対象とした研修会の資料に活用されたり，学会発表の基礎資料に活用されたりしています。さらに，初回診断時の深達度と再発率を表現したカプランマイヤー曲線を作成しています。

MS担当者を増員した結果，2016年には一時的に32名になりました。2019年度末には28名が在籍しています。

コロナ禍においては，集合研修がまったくできなくなりましたが，最近やっと，環境を整えたうえでの集合研修が許可されるようになりました。これを機に，臨床支援課内にMS全体のレベルアップと情報共有を目的としたプロジェクトチームを発足させました。その1つが，「情報共有ノート」です。発案したのは岸田課員（前職は空港職員）です。イントラネット上にエクセルファイルを置き，誰でも，どこからでも閲覧可能とし，業務に関する情報を共有し，みんなで活用します。情報を確認したらチェックを入れる仕組みも入れています。これにより，コミュニケーションのレベルが上がりました。

3 これからの医師事務作業補助者

現在，国は医師の働き方改革をより加速推進させていくために，医事事務作業補助体制加算を高く評価しています。

診療報酬では，医師事務作業補助者の業務は医師の指示のもとに，診断書等の文書作成補助，診療記録への代行入力，医療の質の向上に資する事務作業（診療に関するデータ整理，院内がん登録等の統計・調査，教育や研修・カンファレンスのための準備作業等），入院時の案内等の病棟における患者対応業務および行政上の業務への対応に限定するとされています。

従前は，医師事務作業補助体制加算1は「業務時間の8割以上を病棟または外来で行うこと」とされていましたが，2022年度の診療報酬改定において，「3年以上の医師事務作業補助者としての勤務経験を有する医師事務作業補助者が5割以上配置されていること」と変更されました（「疑義解釈資料（その14）」（2022年6月22日）を参考にしてください）。これは，3年以上の経験者が医師の負担軽減に大きく寄与していることを評価したものと考えます。逆に言えば，3年間の経験中に，医師を補助する能力を取得しなければなりません。こうした観点から，継続教育が重要であると考えます。

当院の臨床支援課では，上記の業務について，質を求めて効率的な支援を行ってきました。その方法としては，担当診療科をもつことが挙げられます。担当診療科の診療記録への代行入力の質を上げることで，診断書等の文書作成補助を効率的に行えます。また，担当科の医療の質の向上に資する事務作業の質を追求し，効率的に行うよう努力しています。

現代の医療経営において，高い収益を求めるためには，病床回転率を高めざるを得ない診療報酬体系になっています。そうなると，必然的に全体の流れが早まり，医師の仕事もより忙しくなって

いきます。医師事務作業補助者の役目は，医師の業務の効率化を行い，病院の労働生産性向上のために，さらなる支援を果たしていくことです。決して医師の残業時間の削減ではなく，労働生産性向上に存在意義があります。

　経済学では，「機会損失」という考え方があります。これは，発生した損失ではなく，「最善の意思決定をしないことによってより多くの利益を得る機会を逃すことで生じる損失」のことです。時給の高い医師が代替性のある事務作業を行うことは，多大な機会損失を生みます。そのような業務は医師ではなく医師事務作業補助者が行い，医師は診療に専念することで収益増が生まれます。

　チーム医療が提唱されて久しくなりました。また，電子化によりオーダリングシステムですべての業務が行われています。医療の流れの源流は，何と言っても医師です。医師が流れを始めない限り，医療は流れません。そこで，現場の忙しい医師と他職種とを医師事務作業補助者がつなぐことで，医療がスムーズに流れ労働生産性が向上します。医師事務作業補助者が担当診療科をもつことで，質の高い流れが可能となり，また，他職種が効率的に連携できます。

　地域にとって必要な病院はなくなりません。存在価値があれば残り続けます。同じように，医師事務作業補助者も，病院にとって存在価値を示せば残り続けます。その存在価値となるのが，担当診療科をもちその科の疾患や医師を理解することです。これは，医師事務作業補助者のモチベーションでもあります。

　そのためには，医師事務作業補助者自身の自己研鑽，レベルアップが必要不可欠です。現場では人材の資質の幅が大きくばらつきがある，定着しない，思ったような活用ができていないなどの課題があることも事実です。私は，医師事務作業補助者を育成するには，まず，3年が必要と考えています。これは，一つの科の疾患・医師を理解するのに必要な期間です。医師や看護師等は，専門的な教育を受けたあとに業務に就きます。しかし，医師事務作業補助者には，事前の教育はありません。それにもかかわらず，それなりの能力，専門性が要求される職種です。医師事務作業補助の職に就いてみたものの現場のレベルについていけず辞めてしまう人も少なからずいます。本人のやる気はもちろんですが，臨床支援課の支援が必要です。そしてそれ以上に，担当診療科の理解と協力が重要と考えています。当院では，3年後には複数の診療科の支援ができるまでに成長しています。

　新型コロナが5類に移行され，個人の生活を見直す余裕が生まれました。前年までは，全員が協力しウィズコロナでの医療を支援することを第一目標としてきました。しかし，5類移行後，ご両親の介護，お子さんの教育，ご主人の転勤等，年間で7名の職員が退職となりました。ただ，臨床支援課では，2023年8月より，学生や就職希望者のための見学会を開始していました。すぐに効果は表れませんでしたが，見学会等を通じて5名の新しい職員を迎えることができました。

　2024年度の診療報酬改定では，医師事務作業補助体制加算1の施設基準に，「医師事務作業補助者の勤務状況及び補助が可能な業務の内容を定期的に評価することが望ましい」が追加されました。これについて，疑義解釈（その1）に，「医師事務作業補助者の勤務状況や，医師の業務を補助する能力の評価を定期的に行うことが想定される」と解説されています。また，施設基準に「当該責任者は，医師事務作業補助者に対する教育システムを作成していることが望ましい」とされています。当該責任者とは，配置管理者です。すなわち，配置管理者による継続教育が重要であると，厚労省が認識しています。各病院の配置管理者の方には，医師事務作業補助者のための勉強会を企画し，実施されることを望みます。

　どれだけ病院にとってかけがえのない存在となるか，医師の業務の効率化に寄与できるか——非常に高いレベルの働きが求められていると思います。それに応えられるだけの人材を数多く育成し，医師の労働生産性に寄与することで，医療の質，チームの質と効率，病院経営の向上につながることを，心から願っています。

3. 医師とのコミュニケーションと 医師事務作業補助者のモチベーション

多賀 千之

1 医師事務作業補助者の「わたしは誰，ここはどこ？」

　医師の負担軽減のために創設された医師事務作業補助者は，いざ仕事についてみると，どこで何をしたらよいのかわからない状態になります。医師事務作業補助者は医師に「何をお手伝いしたらいいのですか？」と尋ね，医師は医師事務作業補助者に「何をしてくれるの？」と聞きます。これは本来，医師事務作業補助者がどのような仕事をするのかを誰も明確に提示（定義）していないからでしょう。加えて，医事課職員がこれまで医師の書類を処理してきましたが，医師事務作業補助者は医師の業務軽減が目的であってレセプト業務をしてはいけませんから，医事課の部屋に同居することがむずかしくなります。また，医師のお世話をしてきた医局秘書は学会発表などの手伝いはしていましたが，医事業務はタッチしたことがないので，秘書室に同居するのも違和感があります。それゆえに，仕事は何をすればいいのかわからない，どこにいたらいいのかわからない――という状態に陥ります。

　さらに困ったことに，医師事務作業補助者は新しくできた職種ですから，病院内には相談できる相手がいません。病院外で相談しようにも，誰にどのように電話をしたらいいのかわかりません。一念発起して他の病院へ電話をしてみても，同じような混沌とした状況なので得られる情報がほとんどありません。

　それでもとにかく，診断書などの書類作成のお手伝いを始めます。すると，医師には時間的余裕が生まれますが，その医師は「ラッキー」とばかりに医局でコーヒーをゆっくり飲みながら，医師仲間との雑談に花を咲かせます。加えて，できあがった書類を医師事務作業補助者が医師のところへ持っていっても，医師は重箱の隅をつつくような指摘を繰り返し，職員の前で大きな声で批判し，ありがとうと言うことはまずありません（残念ながら筆者がこれまで経験した病院ではほとんどそうでした）。追い打ちをかけるように，医師事務作業補助者に人員を回されて，さらにノルマが増えてしまった医事課職員からも嫌味を言われます。こうして，医師事務作業補助者の気持ちはデフレスパイラルのように落ち込んでいきます。

2 医師事務作業補助者の "初心に帰る"

　このように困ったとき，身動きつかなくなったときに大切なことは，もう一度 "初心に帰る" ことだと思います。再確認のために，医師事務作業補助者の基本，つまり，医師事務作業補助者の生い立ちを手短に振り返ってみましょう。

　平成に入り，医療の高度化・医師不足・医師の偏在・医療裁判の増加による病院勤務医の過重労働・疲弊，それに起因する医師の過労死や医療ミスが顕在化しました。打開策として厚生労働省は「医師及び医療関係職と事務職員等との間等での役割分担の推進について」を通知し，2008 年の診療報酬改定で「医師事務作業補助者」という名称を定め，「医師事務作業補助体制加算」を新設しました。これらの通知のなかで最も大切なのは，「良質な医療を継続的に提供するという基本的考え方の下，…（中略）… 適切な人員配置の在り方や，医師，看護師等の医療関係職，事務職員等

くい状況は変わっていません。それは，仕事の方向が医師に限定されていること，すなわち医師事務作業補助者の存在の恩恵を被るのが医師だけであること，医事課職員や医局秘書との区別が付きにくいこと，医師事務作業補助加算が策定されたことにより仕事内容が未定のまま人員確保だけがされたこと，急な増員のためパート職員が多いこと — などによるものと思います。気むずかしい医師に対応し，神経を使う公文書の作成にかかわりながら，他の病院職員から理解を得られない状況では，医師事務作業補助者のモチベーションは下がる一方です。モチベーションが下がると，仕事の質が下がりますから，医師からのクレームが増加し，負のスパイラルに巻き込まれます。

　そのような状況の打破には医師事務作業補助者の仕事の量と質を上げることも大切ですが，病院の内・外に医師事務作業補助者の存在をアピールすることが不可欠でしょう。まず，病院内へのアピール方法としては，①院内の広報誌や研究発表会などを通じて医師事務作業補助者の仕事や効果を説明する，②病院関連の学会で医師事務作業補助者の仕事や効果を発表する（院外へ発表したことを院内へ報告します），③地区・県全体・日本全体の医師事務作業補助者勉強会を主宰して他の職員に協力を求める，④医師事務作業補助者が他の職員に口コミで「今このようなことをしています」と話す，⑤医師事務作業補助者の部屋・部署を新設して看板を掲げる，⑥病院上層部が全体集会などで医師事務作業補助者の役割や評価を説明する，⑦医師事務作業補助者の仕事の量と質を上げて他の職員が追従できないレベルにもっていく — などが挙げられます。

　一方，病院外へのアピール方法としては，①病院関連の学会で医師事務作業補助者の仕事や効果を発表する，②地区・地方・日本の医師事務作業補助者勉強会を開催する，③日本医師事務作業補助研究会の会員になる — などが挙げられます。これも同じで，大きな成功体験を最初から期待するより，小さな成功体験を積み重ねる努力が大切でしょう。

7）メンター医師を作る

　2012年末から"メンター医師"という制度の導入を目指しています（図表6-9）。"メンター（Mentor）"とは古代ギリシャの伝説上の人物"メントール"に由来し，支援者・理解者・教育者・後見人・庇護者・経験者の意味合いをもち，未経験者を導く役割を言います。

　"メンター医師"という制度の導入を考えたのには，二つの理由があります。一つは，医師事務作業補助者が医師に「何をお手伝いしたらいいのですか」と尋ね，医師が医師事務作業補助者に「何をしてくれるの」と聞くことが繰り返されていることに由来します。一般的には，頼む者が「これをしていただけますか」と頭を下げてお願いし，してもらったときには「ありがとう」と言います。しかし，医師にこの一般論は通用しません。石川県南加賀地区での勉強会においても，各病院からたくさんの医師事務作業補助者が集まって，どのように事務作業をしたらよいのかを一生懸命話し合っているのですが，当初参加している医師は筆者ひとりでした。頼む側がほとんどおらず，頼まれる側がたくさん集まって「何をしてあげたらいいんだろう」と頭を悩ませている。この状態では小さな成功体験を生むことさえむずかしいのが当然です。

　そこで石川県南加賀地区での勉強会に講演者として参加された主催病院の医師に，メンター医師になって医師事務作業補助者と医局のパイプ役になっていただきたいとお願いしました。たくさんの医師事務作業補助者が医師のために一生懸命話し合っているのを見た直後ですから，ほとんどの医師からメンター医師になる了解を得ることができました。

　もう一つの理由は，ある教育コンサルタントからの助言に由来します。どの病院でも院外への研修出張にたくさんの人を送り出しています。その研修出張には多くの時間と費用がかかっていますが，そこで得た知識・技術はどれくらい病院組織に還元されているでしょうか。私はそれほど高くないように思います。そういった話をしているとき，ある教育コンサルタントが言いました。「還元率を高くする方法をご存知でしょうか。研修出張で得た知識・技術を組織内で試行・活用する機会と環境を，上司・上層部がお膳立てしてあげることです。」 — 納得しました。特に医師事務作業補助者の所属や仕事内容は明確になっていない病院が多いですから，なおのこと活躍をお膳立

図表 6-9　メンター医師から医師事務作業補助者への講習

てしてくれる上司・上層部は存在しにくいでしょう。医師事務作業補助者の恩恵を最も享受するのは医師なのですから，医局の代表として医師 1 名に医師事務作業補助者のメンターになってもらおうという考えは，自然な流れでした。

　2012 年末から日本医師事務作業補助研究会（現・日本医師事務作業補助者協会）石川県支部では，参加病院全体に“メンター医師”の概念と意義を説明し，選出していただくように提案しました。幸い，2013 年 3 月で 22 病院から 12 名のメンター医師が生まれました。2013 年 2 月に開催された第 2 回石川地方会の準備打ち合せ会には 16 人の医師事務作業補助者とともに，7 名のメンター医師の参加がありました。医師事務作業補助者だけで話し合っていたこれまでより非常に濃厚な，双方向の話し合いができました。医師事務作業補助者からは，「病院内での後ろ盾ができた感じで，病院内で大手を振って仕事ができる感じがする」「メンター医師が同席してくれることで，打ち合せ会に胸を張って参加できた」といった感想が聞かれました。

5　医師事務作業補助者の未来

　「多職種協働」が重要視される現在の医療においても，医療は医師の指示のもとに動いていることがほとんどであり，医師のサインがなければ多くの書類が成立しません。つまり，医師の負担を軽減することは，病院全体のフットワークを軽くすることになり，医療活動の活性化とともに診療報酬改定への対応力を高め，引いては経営の安定化にも寄与するに違いないのです。

　すべてのサービス産業において，良質な製品を提供することが最も重要であることは自明の理です。それは医療界においても例外ではありません。医療機関が提供しているサービスとは，医療行為そのものです。これまでに医療崩壊が叫ばれるなか，医薬分業・医学部定員の増加・研修医制度の新設などの対策が打ち出されましたが，大きな効果は生み出せませんでした。しかし，医師事務作業補助者の新設・普及・向上は医療制度の改善へ大きなインパクトを与えると私は信じています。

Column

医師事務作業補助者を
指導統括する立場の配置管理者の
リーダーシップについて

田中　肇

　一流といわれる企業があればそうでない企業もあります。質が高く素晴らしい病院もあればそうとはいいがたい病院もあります。一つの組織内部を見ても，部署による差が見られます。働く人の能力に大きな違いがあるとは思えないのに，どうしてこのような差が生まれるのでしょうか。

　言うまでもなく，ここに管理者のマネジメントの重要性が潜んでいます。組織は人で成り立つだけに，管理者のリーダーシップのもつ意味はとても大きいと言えます。人を活かせるかどうかは管理者しだいといっても過言ではありません。多くの管理者は仲間のエンジンを全開にさせようと思っています。しかし，不幸にも現実には自分がブレーキになっていて，それに気付いていない場合も多いのです。

　配置管理者だけでなく，すべての管理者に必要とされるリーダーシップ ── このむずかしいテーマについて，あくまで私見として述べてみたいと思います。

　管理者に求められるリーダーシップとは何でしょうか。「部署の総合力を高め，最善の結果へと導く力」といってもいいでしょう。そのためには，向かうべきビジョンを打ち出すことが必要です。成し遂げるための優れた戦略も大事でしょう。しかし，より大切なことは，結果を出すのはあくまで最前線で働く現場にあるということです。管理者はそのことを理解しておく必要があります。現場の一人ひとりの能力を高め，その個々の力を総合力として発揮させる ── このことが管理者に求められる最も大切な使命といえるでしょう。

　つまり，いかに強い現場を作れるか，その問いに対する一つの答えが，現場の一人ひとりが自ら考え，創造し，行動する，自律的な現場体質の形成にあると考えます。このことは，自律の対極に位置する依存型体質を考えてみるとわかりやすいと思います。自分から動いて状況を変えようとしない，言われたこと以外はしない，モチベーション低下やストレスは組織や上司，他人のせいにして不満ばかりがはびこる ── など，責任感や当事者意識のないこのような依存型体質で，どうしてモチベーションが上がるでしょうか。日本航空（JAL）を再建した稲盛和夫氏は次のように述べています。「再建した当初，JAL の役員・社員も利己の心で利他の心がなく，会社・社員のために必死で働く人がいなかった。倒産したにもかかわらずその原因を"テロ"や"リーマンショック"など自分以外に求め，責任逃れをする甘ったれた精神が蔓延した依存的な風土であった」（PRESIDENT，2013 年 3 月 18 日号，p.28，プレジデント社）── と。多くの問題は依存型体質から発生します。そこを理解し，自律型体質への脱却を図ることが現場力向上には不可欠だといえるでしょう。

　以下では，強い現場力を作るための具体的な方法について述べていきたいと思います。

1　ありたい姿（ビジョン）を描き共有する

　所属する仲間と，ありたい姿を共有することから始まります。「どうなりたいのか」「どうありたいのか」── その強い思いが夢を実現させます。思わなければ何も叶いません。まず仲間と共通の価値観をもち，夢を強く想うことから始めること。これは成功法則の基本となるものです。

2　現場で働く人の重要性を説く（現場力の哲学）

　どんな卓越したビジョンや戦略を練っても，現場が動けなければ絵に描いた餅です。現場こそ価値を

生み出す主役，エンジンであり，現場力の差が総合力の差といっても過言ではないでしょう。そのことを一人ひとりの仲間の「腹におちる」ように何回も何回も繰り返して言い，哲学としていく。とにかく現場が病院を動かしているのだということを浸透させていく努力が必要です。

3　タコツボ化を壊す

　総合力を高めるうえでの最大の障害は，連携の欠如です。特に医療の世界では，資格を有する専門家集団が部署，科単位でまとまっているため，必然的にこうしたタコツボ化が起こります。このタコツボ化によって部署最適，部分最適になり，全体最適より優先されることが往々にして起こってしまいます。この連携の欠如が，どれだけ効率性を損ない，様々な人間関係の問題を生み出していることでしょうか。恐ろしいのは，タコツボ化は組織の必然であり，放置しておくと必ず陥るということです。このことを理解していない人は多く，そのため多くの組織がタコツボ化へと陥っています。

　それだけに「ツボ割り」には，必然に対して逆らおうとする努力と工夫が必要となってきます。「連携が大事だ」「連携をしなさい」と言うだけでは決して解消されません。それには部署間を超えた横断的な仕掛けが必要になってきます。多くの職種が集まる場を設ける，横断的なチーム医療活動，様々な催し，TQM活動 ── など，管理者はその仕掛けを作っていかなければなりません。

4　権限委譲

　現場の力，やる気を尊重して，権限移譲を徹底することも大切です。ただし，権限を与えたからといって現場の主体性が自動的に生まれるわけではありません。大切なのは，どのような責任を果たすために権限を与えるのかを理解してもらうことです。責任を担うことで緊張感や当事者意識が芽生え，やりがいや成長につながります。管理者は任せた以上，失敗に対する寛容さをもつことが大切です。

5　承認

　仲間の成長や成果を認めることが承認です。日々の業務を観察し，あるがままに感じることを言葉として伝えていく，そして存在を受け入れていることをメッセージとして発信していく ── このことがどれだけ元気を与えることでしょうか。

6　チャレンジ

　失敗から人は多くのことを学びます。失敗を恐れずどんどん挑戦させる，自らは何も起こさないことが最大の罪である風土を作ることを意識します。その際にも失敗への寛容さが必要になってくるのはいうまでもありません。

7　小さな成功体験

　一歩一歩小さな成功体験を積み重ねる。決して派手ではないが，地味であってもその積み重ねが自信を生み，人の成長を促進し，大きな成功へと導きます。

8　悩み相談

　誰でも辛くて悩むことはあります。辛いときに悩みを打ち明けやすい環境を作ることも大切です。相手の気持ちを理解するように聞くことが，どれだけ人を勇気づけるでしょうか。

　任されている，成長できている，やりがいを感じる，仕事が楽しい ── などは，自主的な活動を促すとされています。高いモチベーションは人を積極的にさせ，人とのコミュニケーションも活発にするとされています。このような内的動機づけを刺激し，いかに充実感を感じてもらうことができるか，ここが管理者のキモの部分であろうと思います。

　管理者の皆さんは本当に大変だと思います。悩むことも，苦しく辛いことも多いかと思いますが，日々の地道な努力により必ず良い方向に向かいます。高いモチベーションは職場全体，病院全体を活性化します。筆者の病院でも医師事務作業補助者の高いモチベーションが，病院全体にとても良い影響を与えています。病院をより良い方向に変えうる可能性を皆さんがもっていることを認識し，組織の活性化に取り組んでいただきたいと願っています。

　あきらめない限り負けはないと信じて。

インタビュー

医師との
コミュニケーションで悩む
医師事務作業補助者へアドバイス

吉村　博（聞き手：武田まゆみ）

　医師事務作業補助者のディスカッションの場に参加しますと，必ずと言っていいほど，他職種，特に医師とのコミュニケーションで悩む声が多く聞かれます。ビジネス本には「仕事の8割はコミュニケーション」などと書かれていますが，実際に病院の事務管理者はどのように考えているのか伺いました。

1）医師が，部長机の傍で談笑される姿をよくおみかけましたが，どんな話をされているのですか？

　現在，診療を行ううえで困っていることの相談がほとんどですが，雑談を織り交ぜて話をすることも多いです。雑談をすることによって，お互いの人となりが少しでもわかります。そのことによって，課題解決への近道となれば，雑談も無駄ではありません。

2）医師が忙しそうで，話しかけづらい雰囲気があります。話しかけるコツがあれば教えてください。

　具体的に言うと，手術前，外来診察開始前，空腹時のお願いごとは避けてください。判断の必要がない連絡や報告はOKです。
　医師が，今から何をしようとしているのか，何があるのかを，正しく判断することが大切です。例えば，表情や歩く速さなどからも察することができますね。重要な案件を，即時の対応がむずかしい状況下では話さないということはもちろんですが，医師の思考や行動範囲を把握することも有効です。これも，医師事務作業補助者の大切な仕事だと思います。タイミングを見計らったつもりでも，「あとにして！」と怒られることもありますが，それは状況を十分に読めていないということです。
　例えば，医局に座っている医師がいたとします。もしかしたら，このあとに予定されている手術のことを考えているかもしれません。そのような時は，手術後に「先生，手術お疲れ様でした」と言葉をかけて話を切り出してみると聞いてもらえたりします。要するに心遣いですね。そこまで気遣わなくてはいけないかと言われれば，する必要はないけれど，円滑に仕事をする秘訣ではないでしょうか。

3）言葉の選び方や話しかけるタイミングを誤ってしまい，本来話すべき内容をお伝えできないときがあります。

　そういった場合は，メール等で補足を入れてみてはどうでしょうか。大前提として，言葉が足りなかったところが文章で十分に補完されなければなりません。それもむずかしいようであれば，もう一度，機嫌がよさそうなときに話してみましょう。

4）他職種間で調整するなかで，それぞれの言い分が食い違ったり，平行線を辿ることがありますが，どのように対応すればいいでしょうか。

　医師事務作業補助者に，特に期待される「調整」ですが，役職など一定の立場がないと，特にむずか

しい場合もありますよね。現場で全てを調整しようとすると，逆に，当事者間に溝ができる可能性もあります。

　そういった場合，積極的に第三者に参加してもらうようにしましょう。

　ポイントは，お互いの言い分を冷静に分析してもらい，私情を挟まずに意見を述べてもらえる人物を選ぶことです。本来であれば，関係する部署の上席から選出することが望ましいのですが，その人物が感情的に判断しやすい人であったり，自部署以外も含めての評価が苦手な人であったりする場合は，解決まで遠回りになる傾向があります。

5）医師から少しずつ信頼されて嬉しく思いますが，仕事が多すぎて手が回らないのが現状です。これは医師に相談すべきでしょうか？事務職管理者に相談すべきでしょうか？

　仕事量については，みんなで協議して考えるべきと思いますが，問いに対しての答えは，どちらにも相談するということですね。そのなかで相談する部分（範囲）が違うとは思います。

　事務職管理者は配置管理者として労務管理をする必要があるので，量の問題であれば，みんなで業務を振り分けることができないか考えます。医師には「この部分だけ先生にお願いできると，私は他の業務が十分できるようになります」という代替案を提示できればいいのでしょうが，それには医師とのコミュニケーションが十分にとれていることが大前提ですよね。医師との関係がうまくいっているかどうかで左右されます。

　またその多忙な状態が期間限定なのか，永続的なのか，人が変わればできるのか，そこを分析することが大切です。医師も，自分の手足になって動いてくれる人を，手足（心）が折れても働かせようなんてことはしないと思いますよ。

6）もっと早く事務職管理者に相談して欲しかった！という事例はありますか。

　理不尽なことを言われているとか，要するにパワーハラスメントがあった場合は相談してほしいです。「こんなこともわからないのか，バカ！」と言われているとしたら，医師を糾弾する前に，何故そういった状況に陥っているのか，コミュニケーションがうまくいっていないのか，他に原因があるのかなど状況判断をする材料として早い時点で報告相談してほしいですね。

　また，他部署との調整を要する事案についても早めに相談してほしいです。自分が働くうえでかかわる人・ことについて問題がある場合は，「早い時点で相談してもらえればこじれることはなかったな」と感じることも多々あります。事務管理者は，そういった調整の役割も担っていると思います。

　あとは退職したいときですね。それだけ意味をもっている仕事だからこそ早く言ってほしい。すぐに育つ職種ではない，特殊性のある仕事だからこそ，そういう配慮をしてもらえると病院としてはありがたいということです。

　コミュニケーションが単なる情報の伝達だけでないことはご存知だと思いますが，今回の話を聞いて，相手（医師）の行動特性を見抜く力が必要だと感じました。相手（医師）の業務をよく理解し，要望（ニーズ）を正しくかつ速やかに理解できるよう，日々研鑽を重ねる必要があるようです。

　フェイスブックの「いいね！」のように，医師から「ありがとう」と言っていただけたら，小さな信頼をひとつひとつ積み重ねることができたと考えるようにしてみませんか。そして，たまには，医師事務作業補助者の想いや言葉を聞き届けていただけるような関係を築けると楽しいですね。

クイックチェック（運用管理編）

本書の内容をクイズ形式で振り返ります。初任時の 32 時間研修等にぜひご活用ください。

【問題】

Q1. 次のような業務を行っている場合，届出可能なものはどれか。

〈延べ勤務時間数ごとの業務場所〉

	職員 A （勤続 2 年 6 カ月）	職員 B （勤続 3 年 2 カ月）	職員 C （勤続 4 年 8 カ月）	職員 D （勤続 1 年 6 カ月）	平均
病棟・外来※	85%	90%	100%	75%	87.5%
その他	15%	10%	0%	25%	12.5%

※病棟・外来とみなされる業務を含みます。

1) 職員 A〜D の 4 人を対象として，「医師事務作業補助体制加算 1」を届け出る。
2) 職員 A〜D の 4 人を対象として，「医師事務作業補助体制加算 2」を届け出る。
3) 職員 A〜C の 3 人を対象として，「医師事務作業補助体制加算 1」を届け出る。

Q2. 医師事務作業補助体制加算 1 を届出している場合において，医師の直接指示のもとであれば「病棟または外来において行う業務」とみなせるのはどれか。

1) 放射線科において，読影レポートの一部を代行記載すること。
2) 医局において，入院患者の定期処方オーダを代行入力すること。
3) 病棟において，新入職医師の保険医登録や麻薬施用者免許の申請準備を行うこと。

【解答・解説】

Q1 2)，3)

解説　1) 医師事務作業補助体制加算 1 を算定する場合，補助者一人ひとりが，延べ勤務時間数の 80% 以上の時間を病棟または外来において行う必要があります（H26.4.4 疑義解釈その 2，問 19 より）。よって職員 D は，同加算 1 の要件を満たす人員としては算入できません。

2) この場合，「勤務時間のうち病棟・外来で 80% 以上」の要件がない加算 2 を算定するのであれば，職員 A〜D の 4 人を対象とすることが可能です。

3) また，加算 1 を優先するのであれば，職員 D を参入せず，職員 A〜C の 3 人だけで届出することも可能です。病床数等によって届出に必要な職員数は変動しますので，もし届出に必要な職員数が 3 人なのであれば，無理に職員 D を届出対象とする必要はありません。なお，医師事務作業補助者には，届出に伴って発生する「業務独占」はありません。したがって，仮に職員 D を届出対象としない場合でも，職員 A〜C と同様に文書作成や代行入力などを行ってもらうことは可能です。

　なお，いずれの場合でも勤続年数 3 年以上の医師事務作業補助者は 5 割以上になりますので，この点では問題ありません。

Q2 1), 2)

解説 1）放射線科や病理科などにおいて，医師の直接の指示下で医師事務作業補助業務を行っている場合は，病棟・外来での勤務時間数に含めることとされています（H26.4.4 疑義解釈その 2，問 19 より）。よって，読影レポートの作成を行うことは差しつかえありません。

2）2020 年の診療報酬改定において，「医師の指示に基づく診断書作成補助及び診療録の代行入力および医療の質の向上に資する事務作業に限っては，当該保険医療機関内での実施の場所を問わず，病棟又は外来における医師事務作業補助の業務時間に含める」こととなりました。オーダの発行も「診療録の代行入力」の一部ですから，これを医局で行っても差しつかえありません。

3）2014 年の改定で設けられた「病棟・外来での業務が 80%以上」の趣旨は，より入院・外来の診療に密接な業務を重視することにあります。よって，いずれにも該当しない業務でも，病棟・外来で行うという体裁だけ整えて対象にしてしまうという運用は，誤謬と言わざるを得ませんでした。そこで 2016 年度の改定では，診断書作成や代行入力が医局等で行えるようになった一方で，個々の患者の診察と直接的に関係ない業務は，一般的に病棟又は外来以外の場所において実施されるものであり，敢えて病棟又は外来において行った場合であっても病棟又は外来における業務時間に含まれない」ことが明確にされました（H28.6.14，疑義解釈その 4，問 8）。

このように，2016 年の診療報酬改定やこれに伴う疑義解釈には，医師事務作業補助者の業務を「業務場所」という形式主義から，「業務内容」という実態主義に発展させるという意味があることを理解しておきましょう。

資　料

医療用語＆略語

ADL（日常生活動作）

生活を営むうえで不可欠な基本的行動（食事，更衣，歩行，排泄，整容，入浴など）のことであり，ADL（activities of daily living）と呼ばれる。高齢者や要介護者，身体障害者などの身体機能を評価する指標ともなり，医療機関や介護施設等では各種書式において ADL 評価の記載が行われる。

COPD

→慢性閉塞性肺疾患（p.196）

CRP

Ｃ反応性蛋白（CRP）を，血清学的方法によって患者血清から検出する検査。

Ｃ反応性蛋白とは，ヒト血清中にあって肺炎双球菌菌体抗原（Ｃ多糖類）と反応する蛋白であり，炎症または組織崩壊のある疾患では陽性になる。鑑別診断には利用できないが，炎症の有無，重症度の判定に便利である。化膿性疾患，感染症，リウマチ熱などは陽性率が高い。

DM

糖尿病（diabetes mellitus）の略語

DMAT

広域災害の発生時に被災地に迅速に駆けつけ，災害急性期の救急治療を行うために，専門的な訓練を受けた災害医療派遣チームのこと。災害対策基本法に基づく防災基本計画に従って，国が医師・看護師等の教育研修を推進し，災害時にチームを編成する。チームは，国立病院機構災害医療センター等で実施される「日本 DMAT 隊員養成研修」を修了し，厚生労働省に登録された者（DMAT 登録者）で編成される。

Do 処方

処方箋用語。「同じ」を意味する略語として使われる。「繰り返す，コピーする」の意味の英語「ditto（ディトウ）」に由来する。

「前回 do」，「Rp. do」，「do 処方」などと書かれることがあるが，すべて「前回と同じ処方」を意味する。

HbA1c

高血糖状態が長期間続くと，血管内の余分なブドウ糖がヘモグロビンと徐々に結合し，グリコヘモグロビン（糖化ヘモグロビン）が形成される。そのうち特に糖尿病と密接な関係のあるタイプがヘモグロビン A1c（HbA1c）であり，血糖値に比例して HbA1c の生成量が増加するため，糖尿病の診断や治療効果の判定に用いられる。

血糖値は常に変化するが，ヘモグロビンの寿命は約 4 カ月であるため，HbA1c の値は過去 1〜2 カ月の平均血糖値を反映していると判断できる。

ICD-10

国際疾病分類（International Classification of Diseases）の第 10 版。ICD は，異なる国や地域から，異なる時点で集計された死亡や疾病のデータの体系的な記録・分析・解釈および比較を行うため，世界保健機関（WHO）が作成した分類。最新の分類は，1990 年に採択された第 10 版（ICD-10）で，2016 年 1 月 1 日より，その「2013 年版」が施行されている。

日本では，「疾病，傷害及び死因分類」が ICD-10 に準拠して作成されているほか，DPC（診断群分類）でも用いられている。

なお，国際疾病分類は第 11 版（ICD-11）が WHO において 2018 年 6 月公表，2019 年 5 月第 72 回 WHO 世界保健総会で採択，2022 年 1 月 ICD-11 発効されており，現在，日本でも国内適用に向けた作業が進められている。

ICD-9-CM

ICD-9 を基にアメリカで作られた，医療行為（処置・手術）の分類。MEDIS-DC による「手術・処置マスター」でも，ICD-9-CM コードが利用されている。

ICD-O-3

国際疾病分類腫瘍学第 3 版のこと。腫瘍学（oncology）のために作られた分類である。

腫瘍の局在 topography（部位，T）と形態診断 morphology（病理組織診断，M）との組合せで用いる。

K コード

診療報酬点数表の診療行為のうち，手術・処置の領域にふられたコード。1 桁目を『K』としているため，K コードと呼ばれる。

Kaplan-Meier 法

実測生存率の計算方法の 1 つ。観察期間を数個の期間（1 年単位など）に区切るのではなく，死亡が 1 例ずつ起きた時点でその時点の生存率を逐次計算する方法。中途打ち切り例は，それが発生した時点で観察人数から除外する。生命保険数理法と似ているが，仮定（中途打ち切りは，区間の半分の期間，生存していたとする）を必要としないため，統計学的に，Kaplan-Meier 法のほうが信頼性が高いとされる。

MRSA

多くの抗菌薬に耐性を示す黄色ブドウ球菌（MRSA：Methicillin-Resistant Staphylococcus Aureus）。院内感染の最も代表的な原因菌である。最近はセフェム系抗生物質にも耐性を示す菌が出現し，深刻化している。

大気中にごく普通に存在している細菌だが，患者（特に高齢者）など抵抗力の弱い人に感染すると，肺炎，腸炎，敗血症などを引き起こす。特に腸炎は抗菌薬投与時に菌交代症として発症し，致命率が高い。

MSW（医療ソーシャルワーカー）

メディカル・ソーシャル・ワーカー（MSW）。各種の医療施設で活動するソーシャルワーカーで，ケースワーカーと呼ぶこともある。

患者が抱える医療費や生活費などの経済的問題，療養に伴う心理的問題，就職や施設入所，在宅復帰など退院後の社会的問題などについて，社会福祉の立場から相談に応じ，公的制度の利用や関係機関との調整など，問題解決のために援助を行う専門職。

NST（栄養サポートチーム）

栄養サポートチーム。栄養状態の悪い患者に対して，各専門スタッフがそれぞれの知識や技術をもちよって栄養支援を行うチーム医療。褥瘡患者や血清アルブミン値 3.0g/dL 以下の患者などを対象に，チームスタッフで回診・カンファレンスを行い，各患者に応じた栄養療法のケアプランを立案・実施する。

2004 年に病院機能評価（ver.5.0）の評価項目で NST の設置が採用されたほか，2010 年度の診療報酬改定では栄養サポートチーム加算が新設された。

NYHA 分類

心不全の重症度を 4 種類に分類するもの。ニューヨーク心臓協会（New York Heart Association：NYHA）が定めた。

NYHAI 度：心疾患があるが症状はなく，通常の日常生活は制限されないもの。

NYHAII 度：心疾患患者で日常生活が軽度から中等度に制限されるもの。安静時には無症状だが，普通の行動で疲労・動悸・呼吸困難・狭心痛を生じる。

NYHAIII 度：心疾患患者で日常生活が高度に制限されるもの。安静時は無症状だが，平地の歩行や日常生活以下の労作によっても症状が生じる。

NYHAIV 度：心疾患患者で非常に軽度の活動でも何らかの症状を生ずる。安静時においても心不全・狭心症状を生ずることもある。

PCI

経皮的冠動脈形成術。アテローム等により狭窄した心臓の冠動脈を拡張し，血流の増加をはかる治療法で，虚血性心疾患に対して行われる。カテーテルを用いて行われる，低侵襲的な治療法である。

なお，狭窄の場所や状態等により PCI が行えない場合，冠動脈バイパス手術が必要になる確率が高くなる。

PET

ポジトロン断層撮影。陽電子（ポジトロン）を放出する放射性核種で標識した薬剤を体内に注入し，その薬剤の体内での状態を画像化する診断技術。具体的には，FDG 薬剤を静脈から注射し，薬が体のなかを移動し特定の場所に集まる様子を PET カメラと呼ばれる専用機器で体外から撮影する。てんかんや悪性腫瘍の診断のために行われる。

PFM（Patient Flow Management）

入院患者の情報を外来の時点で収集し，入院中や退院後の生活を見越した支援・管理を行うこと。患者が安心して生活を送れるほか，医師や医療従事者の負担軽減や平均在院日数の短縮などの効果も期待されている。

PTCD

経皮経肝胆管ドレナージ。体外から皮膚・肝臓を通して肝内胆管まで穿刺針を刺し，そのあとにドレーンを挿入・留置することで，持続的に胆汁を体外に排泄させること。閉塞性黄疸（腫瘍や胆管結石によって胆管が閉塞）の診断や治療に用いられ，胆道減圧，減黄や全身状態の改善を図る。その他，胆管結石の除去や急性化膿性胆管炎の治療などでも行われる。

QOL

quarity of life。生命の質，生活の質。医療や介護を受けている者が人間的な時間を過ごしているか，という視点で捉えた医療や介護の質。

末期患者に対する過剰な医療や，福祉体制の不備が生み出す“寝たきり老人”などに対する反省から，サービス提供側の視点ではなく，受け手の生活の視点から医療や介護のあり方を問い直すもの。

RI

放射性医薬品（ラジオアイソトープを含んだ薬）を使用する検査。RI 検査または核医学検査と呼ばれる。薬が特定の臓器や骨，腫瘍に集まる特性を利用して，その薬に放射線を帯びさせて注射または服薬し，一定時間経過後に専用のカメラ（シンチレーションカメラ）で撮影することで，臓器の形態・臓器の機能・物質の代謝の状態などを調べる。

RP

処方（recipe）の略語。

S 状結腸

左腸骨窩で下行結腸から移行して，S 状の屈曲をしながら仙骨の前面に達して直腸に連なる結腸。その長さや位置の個人差が著しく，回盲部あるいは肝臓の下面に近づいていることもある。

SOAP

患者情報の記録形式の一つ。S（Subjective）は主観的データで，患者の訴えや自覚症状をいう。O（Objective）は客観的データで，体温や血圧など測定や検査によるもの。A（Assessment）は情報や事実から患者の問題点を導き出す評価。P（Plan）は問題解決のための計画をいう。

診療録や看護記録，薬歴などを SOAP 形式でまとめることで，患者の問題点をより明確にできる。

SSI（手術部位感染）

手術操作を直接加えた部位に発生する感染症（SSI：surgical site infection）。切開部位の創感染だけでなく，手術操作の加わった組織や深部臓器，体腔の感染も含まれる。

SSI の発生を随時監視し，そのデータを収集して現場にフィードバックさせることで SSI を減少させようとする取組みは SSI サーベイランスと呼ばれる。

ST 上昇

心電図上の ST 部分が上昇していること。急性心筋梗塞になっていることを意味する。

冠動脈が完全閉塞すると，その部分を示している心電図波形の ST 部分が上昇してくる。

TNM 分類

がんの進行度分類であり，国際的な規約として用いられる。がんの大きさ・浸潤（T：tumor ＝腫瘍），リンパ節転移の有無・程度（N：lymph nodes ＝リンパ節），遠隔転移の有無（M：metastasis ＝転移）の 3 つの判定項目によって分類される。

VRE

バンコマイシン耐性腸球菌。バンコマイシン（VCM）に耐性を獲得した腸球菌のこと。

健常者の場合は，腸管内に VRE を保菌していても通常，無害，無症状であるが，術後患者や感染防御機能の低下した患者では腹膜炎，術創感染症，肺炎，敗血症などの感染症を引き起こすことがある。感染症法では VRE の感染症症例の全例について報告義務が課せられている。

予防手段としては，感染者（保菌者），排菌者からの菌の伝播防止が第一。汚染されている排泄物，ガーゼ，喀痰などの処理に特に留意し，医療職員や介護者の手指や医療器具などが汚染されないよう注意する。

アルブミン

蛋白質の一種であるアルブミンは肝臓で合成され，血液の浸透圧の維持，栄養の保持に大きな役割を果たす。しかし，消耗性疾患では合成能力が低下して低蛋白血症となり，浮腫や腹水，血管内脱水を引き起こす。これらを防ぐために直接アルブミンを輸注する。血液製剤であり，高価でもあるため，保険診療においてその使用は限定されている。

医療監視

自治体などが医療機関に対して適正な医療が行われているかどうか監視する制度。医療法第 25 条に基づき，厚生労働大臣，都道府県知事，保健所を設置する市の市長または特別区の区長は，必要に応じて病院，診療所，助産所に対して報告を命じることや，施設の衛生状況や

構造設備，診療録等の帳簿書類について立入検査を行うことができる。

イレウス

機械的圧迫，腸管の痙攣や麻痺によって腸管の通過障害を起こした状態（腸閉塞症，腸不通症）。腹痛，嘔吐，ガス排便の停止を3主徴とする。腸管に器質的な閉塞のある場合を機械的腸閉塞，器質的な閉塞はないが蠕動運動の機能障害により通過障害を生ずるものを機能的腸閉塞と称する。発症後，腸管拡張に伴い，体液電解質の喪失，腸管内毒性物質の吸収によってショック状態に移行するため，早期に診断および治療を行う。

インスリン

膵臓から分泌され血糖を低下させるホルモン。

糖尿病はインスリンの欠乏または作用不全による疾患なので，インスリンは糖尿病治療薬として使われる。ただし，投与量が多すぎるなどインスリンが相対的に過剰になると低血糖を起こし，昏睡など意識不明状態になる場合もあるので，注意が必要である。

インフォームド・コンセント

医師が病状，治療目的，治療法等について充分な説明を行い，患者の自発的意思による同意を得ること。かつての医師のパターナリズムを改め，医師・患者が対等な関係に立ち，患者の自由意思・自己決定権を最大限尊重するという理念に基づく考え方である。

エビデンス

ある傷病や症状に対して，その治療法が効果のあることを示す証拠，または医療行為において，ある治療法を選択する際の根拠。

応召義務

診療に従事する医師は，診察治療の求めがあった場合に，正当な事由がなければ拒んではならない，という医師法の規定（第19条）。「正当な事由」としては，「専門外の診療」，「時間外における診療」などのほか，医師本人の体調（アルコール摂取，病気，けが等）が挙げられる。ただし，患者の容態との比較で，それらの事由が必ずしも正当化されるとは限らない。

お薬手帳

医療機関や薬局で処方された薬の名称や用法・用量，服用歴などを記録する手帳。薬の重複や複数の薬の相互作用による副作用の危険性などを避けるために，受診や処方箋提出の際，患者が医師や薬剤師に提示する。

化学療法

病原菌によって起こる疾患に対して，その病原菌の増殖を抑制する化学物質を投与して治療を行うこと。あるいは，白血病や悪性腫瘍などの異常細胞の増殖を抑制する化学物質を投与して治療を行うこと。

合併症

疾患の経過中に併発した疾患のこと。本来，疾患相互に直接的な因果関係が考えられない場合の併発疾患を合併症といい，2つの疾患の発症に因果関係の認められる場合，後から起こった疾患を続発症と呼ぶ。しかし，続発症もこのように区別せず合併症と呼ばれることがある。

寛解

症状が一時的に改善され安定した状態だが，治癒（完治）はしていない，あるいは治癒したかどうかわからない状態のこと。そのため，特に白血病など悪性腫瘍の診療において使用される場合が多い。「緩解」という表記もある。

なお，白血病では，「寛解導入療法」と呼ばれる治療法がある。この場合の「寛解」とは，「骨髄中の白血病細胞が5％以下などわずかな状態となり，かつ末梢血・骨髄が正常化している状態」を指し，その状態に導くた

めの治療法という意味である。

関節可動域

身体の各関節が，傷害などを起こさず生理的に可動できる範囲（角度）のこと（ROM：range of motion）。

各関節は，生理的にそれぞれの運動範囲がほぼ一定しているため，正常な関節ならば，正常な運動が正常な範囲内で行われている。逆に言えば，何か傷害や異常のある関節ではその運動範囲が狭まったりするため，その可動域を調べることで診断の補助となる。

日本では，日本整形外科学会および日本リハビリテーション医学会により決定された「関節可動域表示ならびに測定法」という共通基準が使われている。

関節の拘縮

関節周囲の皮膚や筋，腱，靱帯，関節包といった軟部組織が，何らかの原因により収縮や短縮をきたし，関節の可動域が減少した状態のこと。先天性と後天性とに大別され，前者では先天性多発性関節拘縮症や先天性内反足などがあり，後者では関節リウマチや変形性関節症などによる炎症や，骨折や熱傷，挫傷といった組織損傷に起因するものがある。

緩和ケア

治癒を目的とした治療に反応しなくなった疾患の患者に対して行われる，積極的で全人的な医学的ケア（国際的な定義）。痛みその他の症状のコントロール，心理面，社会面，精神面のケアを最優先課題とする。単に身体症状のコントロールだけでなく，心のケアも同時に行い，患者のQOLを総合的に高めることを目的とするものである。在宅，入院，デイケアないしショートステイ，コンサルテーション・サービスなどの方法で行うことができる。

既往歴

既往症。アナムネ。広義には，診察時までの患者の経過すべて。

次のものを含む。出生状況，母体の妊娠合併症，幼・小児期の発育状況・疾患・予防接種，結婚歴，女性では月経・妊娠歴，生活歴，職業，生活および職業の環境，食生活，嗜好品，現症発病以前に経験した疾患，外傷，常用薬——など。

気管切開

気道を確保し換気を改善させるため，気管を切開する手術療法。術式には，①上気管切開，②下気管切開の2法があるが，現在は気道確保の手技として経口的・経鼻的気管内挿管が普及しているため，気道確保の第一手段として気管切開が行われることはない。

適応としては，①上気道閉塞，②気道内分泌物の長期管理，③長期間の気道確保・呼吸管理，④喉頭癌での喉頭全摘除術——などが挙げられる。

キシロカイン

主成分が塩酸リドカインである局所麻酔剤または抗不整脈剤の商品名。表面麻酔，浸潤麻酔，伝達麻酔，硬膜外麻酔，脊椎麻酔など，ほとんどの局所麻酔で用いられ，静注用，注射液，点眼液，ポンプスプレー，ゼリー，ビスカスなど多様な剤型が用意されている。

投与量は目的，年齢，麻酔領域，部位，組織，体質によって適宜増減する。なお，頻度は非常に少ないが，重要な副作用としてキシロカインショック等を起こす人もいることに注意が必要である。

教育入院

特定の疾患を悪化させないために，患者を一定期間入院させ，医師，看護師，薬剤師，管理栄養士，臨床検査技師，理学療養士によるチームで治療・指導を行うこと。

例えば糖尿病の場合，患者にあった食事療法や運動療

法，薬物治療の指導のほか，合併症の有無や進行上状況を確認するための精密検査等を行う。公的医療保険の対象で，高額療養費制度の利用も可能。

禁忌薬
特定の疾患や状態に対して使用できない薬のこと。

病気禁忌薬：特定の病気に対して使用できない薬（病気を悪化させたり，深刻な副作用を引き起こす危険性）。

アレルギー禁忌薬：特定の薬にアレルギーや過敏症のある患者に使用できない薬（アナフィラキシーショック，喘息発作，血管浮腫などを起こす危険性）。

併用禁忌薬：特定の薬を飲んでいる人に使用できない薬（薬物間相互作用で副作用が強まるなどの危険性）。

妊婦禁忌薬：妊娠中または妊娠の可能性がある女性に使用できない（流産などの危険性）。

筋肉内注射
筋肉の筋層内に薬液を注入する方法。皮下注射に比して吸収が速く，薬液の吸収の速さは皮下注射の約2倍である。吸収が容易なため，油性，懸濁液の薬液でも注射可能である。薬液量は皮下注射より多く，5mLまで可能である。

筋層が厚く，血管や神経の少ない部位を選んで行う。通常，臀部（中臀筋），上腕（三角筋）が用いられる。

偶発症
医療上の検査や治療に伴って，一定の確率で発生する有害事象で，因果関係がないか不明のもの。

くも膜下出血
くも膜下腔内に出血が起こり，脳脊髄液に血液が混入した状態。広義には，外傷性のものや脳腫瘍・脳内血腫などによる出血も含むが，通常は，くも膜下腔や脳実質内の血管病変によって出血した病態をいう。

症状は，突然に発生する激しい頭痛・嘔吐（頭蓋内圧亢進状），項部強直・嫌光症（髄膜刺激症状），意識障害をはじめとする種々の神経症状などがある。

クリティカルパス
特定の疾患の入院から退院までの一連の診療について，各部門・職種によるチーム医療の手順を，時間軸に沿って示した図表のこと。もともとは工場の工程管理を効率的に行うために用いられていた手法だが，在院日数の短縮や医療の質向上に役立つため，近年は多くの医療機関で導入されている。また，患者に提示して診療手順を説明することで，患者の不安軽減，ひいては患者満足度向上にも有効とされる。

クローン病
慢性持続性の腸炎（下痢，血便など）を起こす原因不明の難病。特定疾患治療研究事業の対象疾患となっている。口腔内から肛門までの全消化管粘膜に全層性の炎症を呈し，裂溝やときに穿孔，瘻孔を形成する。

経管栄養
胃・十二指腸または小腸内に細い管を経鼻的に挿入し，この管を通して流動食を与えること（別称：チューブ栄養，経腸栄養，鼻腔栄養）。経口的に栄養を摂取できない患者などに用いられる。

注入物は完全流動食で，必要な栄養素・カロリー・水分・電解質・ビタミン類などを含み，吸収されやすいものでなければならない。また，吐き気・嘔吐・下痢などをきたしやすいので，注入量と注入速度，濃度などを調整し，必要により薬剤も添加する。

頸動脈エコー
超音波診断装置（エコー）の超音波探触子（プローブ）を頸動脈専用のものに切り替え，首にあて，頸動脈を観察する検査。簡便で視覚的に動脈壁の動脈硬化の程度や，頸動脈狭窄の有無等を診ることができる。頸動脈狭窄やプラーク（隆起性病変）があると脳梗塞が起きやすいため，見つかった場合は高血圧・脂質異常等の治療を行い，血流改善剤・抗凝固剤などを内服する。また，頸動脈の内膜中膜複合体厚（IMT）を観察することで，全身の動脈硬化の程度や進行度がわかる。

血管造影
血管内にヨードを含有する造影剤を注入し，エックス線撮影等により診断する方法。血管自体の形態的変化を観察して病変の性質・拡がりの範囲を知ること，経時的観察によって機能的変化をみることができる。

血腫
打撲等で内出血を起こした部位に相当量の血液が貯まり，こぶのように腫れあがったもの。出血部位の血液が固まり，硬いおできのようになる。様々な原因で様々な場所に起こる。できる場所によって，皮下血腫，硬膜下血腫，硬膜外血腫などの呼び方がある。

見当識レベル
見当識とは，人や周囲の状況，時間，場所など自分自身が置かれている状況を正しく見当づける能力のこと。このような状況を正しく認識できない状態のことを見当識障害という。見当識障害は脳血管障害，アルツハイマー型認知症，統合失調症の患者などに見られる精神的機能障害の一つである。

現病歴
発病から現在までの経過のこと。いつから，どのように病気が始まり，どのような経過をたどってきたか，前医でどのような治療を受けたか ── などの情報をまとめたもの。過去の病歴は既往歴。

現物給付
医療保険における給付方法の一つで，受給者に対して医療行為そのものを給付すること（療養の給付）。

保険医療機関において患者は自己負担分を支払えば，診療，投薬などの医療サービスを受けられる。

これに対して，医療機関で医療費の全額を支払い，後で償還を受ける（その払い戻しを受ける）給付方法を償還払い，現金による給付方法を現金給付という。

抗血小板薬
血管内に病的な血栓が形成され，血栓症が発症するのを防ぐ薬。血流速度の速い動脈系の血管では，血栓形成において血小板の活性化が重要な役割を担う。そのため，動脈硬化によって発症する心筋梗塞や脳梗塞では，抗血小板薬による治療が行われる。

膠原病（こうげんびょう）
多数の臓器が同時に機能障害を起こす一連の疾患群の総称。病態の主座が結合組織にあり，フィブリノイド変性が共通してみられる。膠原病の特徴は，①原因不明の疾患，②発熱，体重減少，倦怠感などを伴う全身性炎症性疾患，③多臓器疾患，④再燃と寛解を繰り返す慢性疾患，⑤結合組織のフィブリノイド変性，⑥自己免疫疾患 ── であること。

膠原病に含まれる病気は，全身性エリテマトーデス，リウマチ熱，強皮症，皮膚筋炎，多発性筋炎，結節性多発性動脈周囲炎，関節リウマチ，シェーグレン症候群，混合性結合組織病，ウェゲナー肉芽腫症，高安動脈炎，側頭動脈炎，好酸球性筋膜炎，成人スティル病，強直性脊椎炎，乾癬性関節炎，ベーチェット病，サルコイドーシスなど。

向精神薬
一般的に，主な薬理作用が中枢神経系に働いて精神機能に影響を与える薬物の総称。保険診療では，「麻薬及び向精神薬取締法」で規定された薬剤をいう。

一般的な分類として，①抗精神病薬（精神病性の精神

資料

運動興奮や異常体験に対する鎮静作用をもち，強力精神安定剤とも言われる）②抗不安薬（神経症性の不安の改善作用をもち，穏和精神安定剤とも言われる）③抗うつ薬（抑うつ気分の特異的な改善作用，抗躁薬，精神刺激薬）──などがある。その他，睡眠薬や抗てんかん薬なども広義の向精神薬に含まれる。

抗体

抗体とは，抗原（細菌など体内に対して異物となる物質で，生体に悪影響を及ぼす場合がある）に対して体内の白血球（リンパ球）が作る物質で，抗原の種類ごとに体内で作られる。抗体は抗原と結合（反応）して抗原の働きを止めさせ，無毒化させる抗原抗体反応を起こす。抗原進入の直後にはすぐに抗体は作られないため，実際に抗原抗体反応が起こるのは抗原進入が度重なった場合である。アレルギー反応は，抗原抗体反応の代表的なものである。

誤嚥

食物や異物等がなんらかの理由で誤って喉頭と気管に入ってしまう状態。嚥下反射が障害されている，飲み込む力が弱い，食道を通過できない──といったことにより引き起こされる。誤嚥によってむせる・咳き込むといった症状が出るが，気道防御反射が低下しているとむせないことがあり，高齢者や脳卒中患者では唾液や胃液とともに細菌が入り込むことで誤嚥性肺炎が起こることも多い。

サーベイランス

一般に，継続的な調査によって事態の成り行きを監視すること。医療用語としては，主に院内感染対策に用いられ，院内感染の発生を早期に認知し，臨床現場と情報を共有し，問題点を調査・監視，検討することで，感染を最小限に抑えるために実施する。また，感染対策後の有効性や感染率を客観的に評価するうえで必要なデータが得られる。

細菌薬剤感受性検査

ある薬剤に対して，細菌の発育がどの程度阻止される（感受性がある）かを調べる検査法。細菌培養同定検査によって感染症の原因となる細菌を決定したあとに，最も殺菌効果のある薬剤を確定するために行う。

検体を培地に塗布して細菌の繁殖状況を調べる方法や，細菌が集まって繁殖している部分（コロニー）に感受性ディスク（薬剤を浸み込ませた円形の紙）を置き，細菌の繁殖状況を調べる方法がある。

細胞診検査

採取した組織の細胞を顕微鏡で観察し，悪性の細胞（がん細胞）の有無を調べる検査。検体をスライドグラスに塗布し，染色して観察する。

検査結果は，かつてはクラス分類（パパニコロウ分類）が使用されてきたが，現在は，各診療科等における独自の個別分類が使用されている。

嗄声（させい）

声のかすれのこと。音声は声帯粘膜の振動によって生成されるため，これを障害する声帯の器質的病変や運動麻痺などが原因となり生ずる。嗄声の原因疾患には様々なものがあるが，急性および慢性炎症による生体の器質的変化によるものがよくみられる。そのほか，ポリープや結節などの声帯の腫瘤性病変，癌などの腫瘍性病変，声帯麻痺などの運動障害，加齢変化などで起こりうる。器質的病変のみられない機能性発声障害でも嗄声が出現する。

サマリー

入院患者の治療内容や経過を要約した文書。

退院時に作成されるものを退院時サマリー（要約）と呼び，診断名，転帰，入院時の症状と所見，入院後の経過などを記載する。これは，記録として残すだけでなく，退院後外来受診などで診療を円滑に行うことを目的にしている。特定機能病院や診療録管理体制加算を算定する病院は必ず作成する必要がある。

また，入院患者の看護内容を要約したものは看護サマリーと呼ばれ，施設間で継続的な看護を実施する場合などに作成される。

散剤

粉末状の薬剤。粉薬。

シーネ

副木。副子。骨折，捻挫などに使われる当て木。

ジキタリス（ジギタリス）

ゴマノハグサ科の多年生草本。葉成分には強心作用が含まれている。ジキタリスの薬理作用は，①心筋の収縮性を高める。特にうっ血性心不全に陥った心臓への投与では，二次的に利尿作用が現れ，心不全による浮腫が除かれる。②迷走神経反射を介する作用により，心拍数を減少させる。③刺激伝達系に作用して伝導を抑制する──等が挙げられる。また，分解が遅いため，慢性心不全の治療で行われる維持量の追加投与によって蓄積し，心室細動を起こすことがある。副作用としてはほかに，食欲不振，悪心，嘔吐などがある。

自己免疫疾患

体内における免疫の仕組みが異常な状態になることで起こる疾患の総称。

体内へ異物が侵入した場合に異物の攻撃から守る仕組みを免疫系と呼ぶ。免疫系が何らかの原因で正常に働かなくなり，自己に対する抗体（自己抗体）が発生し，自分の組織に対して攻撃する状態を自己アレルギーと呼び，様々な症状が出た場合を自己免疫疾患と呼ぶ。

全身性疾患で特定の臓器に発症しない臓器非特異的自己免疫疾患と，特定の臓器に発症する臓器特異的自己免疫疾患に分かれる。前者には，関節リウマチや全身性エリテマトーデス，混合性結合組織病などがあり，後者には，橋本病，多発性硬化症，特発性血小板減少性紫斑病などがある。

自動運動

筋力増強訓練，関節可動域の維持，拘縮予防，肢の静脈系やリンパ系の循環を改善して浮腫を取り除くこと──などを目的とするリハビリテーションの一つ。患者がみずからの力で重力に抗して，または重力の影響を取り除いた条件下で行う随意運動である。外からの助けも半ば加わる自動介助運動，第三者や機械の助けを借りて行う他動運動と並行して施行される。

重篤

死亡，障害，それらに繋がるおそれのあるもの。

主治医意見書

要介護認定の申請時に，申請者の主治医が傷病の状況や心身の状態，必要な医療サービスなどについて意見を記載し，提出する書類。認定調査によるコンピュータの判定結果と調査員による特記事項と併せ，認定審査会における審査資料となる。なお，主治医がいない場合は，市町村が指定する医師または市町村職員である医師が診断・作成する。

意見書を作成した医師は，主治医意見書料を市町村に請求する。

守秘義務

業務で知り得た患者の個人情報を他者に漏らすことを禁じた職業上の義務。

医師・薬剤師・助産師の守秘義務は刑法で定められている。また，精神保健福祉法や感染症法では医師や病院

職員について，看護師や診療放射線技師，臨床検査技師など医療従事者の資格法においても，それぞれ守秘義務の規定がある。

腫瘍マーカー

腫瘍細胞が生成する物質，あるいはその物質に反応して身体が生成する生体物質のなかで，それを測定することで腫瘍の診断に役立つ物質の総称。

肝がんなどにおける α-フェトプロテイン（AFP），大腸がんや胃がんにおける癌胎児性抗原（CEA）など，現在 30 種類以上が保険適用されている。

腫瘍マーカーは血液や尿中に移行するので，血液や尿を採取して検査する。しかし，がん以外の疾患や喫煙などでも陽性になることがあるため，通常は数種類のマーカーを併用し，スクリーニング検査には使用せず，治療効果や再発の有無，予後の判定などに用いている。

傷病手当金

健康保険法に基づき，被保険者が傷病で労務に就けない場合に現金給付される所得保障金。労務不能になって 4 日目以降の期間，標準報酬日額の 3 分の 2 が 1 年 6 カ月を限度に支給される（保険により期間など異なるケースもある）。

人工関節置換術

股関節・膝関節など関節の破壊・変形，関節機能の低下，疼痛がある場合に，適応に基づき当該関節を人工関節に置き換える手術。疾患としては関節リウマチ，変形性関節症，重度外傷等が挙げられる。

使用される人工関節の多くは，チタン合金や超高分子ポリエチレンからできているが，永久的ではなく，摩耗のため再置換が必要となるケースもある。

人工呼吸器（レスピレーター）

呼吸停止あるいは呼吸不全に陥った患者の肺の中へ機械的に空気を送り込む装置。

従圧式と従量式がある。設定した酸素濃度の吸入気を送ると気道内圧が上昇し，一定の圧に達すると吸気から呼気に変わるのが従圧式である。しかし，気道内圧が元々高い場合は，わずかに吸入気が入っただけで呼気に変わってしまうので，長期管理には向かない。

一方，患者の体重に応じて吸気量を設定すると，設定量が入るまで吸気が続き，換気の改善が期待できるのが従量式である。ただし，気道内圧が高くなりすぎて肺が破裂する危険があるので，多くの機種は，同時に気道内圧の上限も設定できるようになっており，長期の管理に適している。

人工呼吸関連肺炎（VAP）

人工呼吸関連肺炎（ventilator associated pneumonia：VAP）とは，入院時ではなく，入院後の気管挿管による人工呼吸管理開始後48～72時間以降に発症する肺炎。ただし，肺炎患者に挿管して人工呼吸管理になってもVAPには含めないが，VAPを合併すると死亡率が高いので予防が重要となる。

心室中隔欠損（心室中隔欠損症）

心室中隔に欠損孔があるものをいう。先天性心疾患で頻度の高いものの一つ。他の心奇形を合併することが多い。通常は左→右短絡のためチアノーゼは見られないが，重症例ではチアノーゼを見る。欠損孔の大小は様々であるが，その位置により4つに分類される。胎生期に膜様部と心内膜床と心球とが癒合して心室中隔が完成するが，この過程で障害が起こると心室中隔欠損となる。心基部に鋭い全収縮期雑音（ロジェー音）を聞くため，乳児期に発見されることが多いが，生後1～2年で自然閉鎖することもある。軽症のものはロジェー病ともいう。

浸潤

がん細胞が，周囲の組織を侵食，破壊しながら広がること。または炎症発生時に炎症部位周辺に白血球やリンパ球が集まること。

シンチグラフィ

特定臓器に吸収されやすい放射性同位元素（ラジオアイソトープ：RI）を生体に経静脈的または経口的に投与し，専用カメラ装置によって体外からRIの発するガンマ線の強弱を検出することで，RIの集積・分布状態を描出する検査法。その描出された画像は，シンチグラムと呼ばれる。

臓器の大きさ，位置，内部構造など，静的状態での情報のみならず，投与後の集積能の時間的経過（動的状態）を計測することによって機能的評価も可能である。

心房細動

心房細動（atrial fibrillation：Af）とは，心房内で多数の不規則な興奮が発作的に生じた状態のことであり，不整脈の一種。心臓のポンプ機能が低下することで，症状としては動悸，胸部違和感，ふらつき等が現れる。

心房細動の原因は，加齢性変化や先天性心疾患や弁膜症，冠状動脈疾患による虚血など様々であり，その原因や症状等に応じた処置や治療が必要となる。

診療ガイドライン

診療ガイドラインとは，「医療者と患者が特定の臨床状況で適切な決断を下せるよう支援する目的で，体系的な方法に則って作成された文書」（医学書院，Minds 診療ガイドライン作成の手引き 2007）とされている。医療現場において適切な診断と治療を補助することを目的として，病気の予防・診断・治療・予後予測など診療の根拠や手順についての最新の情報をわかりやすくまとめた指針のこと。エビデンスに基づいた指針によって，医療従事者と患者が診療方針を検討することができる。なお，ガイドラインに示されるのは一般的な診療方法であるため，必ずしも個々の患者の状況に当てはまるとは限らないことに注意する必要がある。

診療情報提供書

紹介状とも言われ，自院で診療した患者をほかの医療機関に紹介する場合に，紹介先の医師に患者の状態や紹介目的を記載した文書である。

紹介の目的は，治療や検査，入院（入所）または対診など。自院に紹介された患者の診察に対する報告書として使用する場合もある。

スタチン

HMG-CoA 還元酵素阻害薬。HMG-CoA 還元酵素の働きを阻害することによって，血液中のコレステロール値を低下させる薬物の総称である。1973 年に日本の遠藤章らによって，青かびから最初のスタチンが発見されて以来，様々な種類のスタチンが開発され，高コレステロール血症の治療薬として世界各国で使用されている。

ステント

狭窄した管腔（血管，胆管，食道など）に留置して内腔を確保する医療器材。例えば冠状動脈ステント留置術ならば，狭窄（閉塞）した冠状動脈を広げて血流を確保するために，冠状動脈狭窄部（閉塞部）に留置する金属製の網状の筒がステントである。

近年，再狭窄を防ぐ薬剤がステント表面にコーティングしてあり，ステント留置後にその薬剤が徐々に溶け出す「薬剤溶出性ステント」も普及している。

生検（バイオプシー）

胃，腎臓，肝臓，リンパ節など生体組織の病変と疑われる部位を採取・検査すること（biopsy）。

メスで組織の小片を採取することを試験切除法，鋭匙

で組織を掻爬することを試験掻爬法，切除鉗子で組織片を採取することを鋏切生検法，腎や肝などの実質臓器に針を刺して組織小片を採取することを針生検法と呼ぶ。

セカンドオピニオン

患者が自己責任で治療方法を選択するうえで参考にするため，最初に診察・説明を受けた医師とは別の医師に診察を受け，診断や治療法についての意見を聞くこと。

保険診療上は，2006年度診療報酬改定で，診療情報提供料（Ⅱ）として初めて点数化された。

脊柱管狭窄症

脊柱管に何らかの原因によって狭窄が生じた状態であり，脊髄症状を呈する。腰部脊柱管狭窄症が多く，馬尾神経や神経根の圧迫症状を呈する。狭窄の原因としては脊椎の退行性変化やヘルニアなどの様々な要素があげられるが，腫瘍は含まれない。

腰部脊柱管狭窄症では，腰椎，下肢への放散痛，間歇性跛行（短時間の歩行で下肢の疼痛，しびれが生じ，休息すれば軽快するが，歩行を再開すると同じ症状が再現される）などが起こる。コルセット（flexion brace）や消炎鎮痛剤などの保存的治療が無効の場合，拡大椎弓切除術が行われる。また，術後の不安定性の予防に脊椎固定術を併用することもある。

赤沈

赤血球沈降速度。抗凝固剤を加えた全血を試験管に入れて，赤血球が沈殿する量と時間を測定するスクリーニング検査のこと（ESR：erythrocyte sedimentation rate）。感染症，貧血，悪性腫瘍などの有無を調べるために行われる。

測定法は2つあり，ウェスターグレン法では1時間値の正常値が男性では1〜7mm，女性では3〜11mm。ウィントロープ法では男性15mm以下，女性20mm以下である。

貧血，炎症性疾患などがあると沈降速度が亢進する。悪性腫瘍，肝炎，感染症などでは高値を示し，赤血球増多症，DIC（播種性血管内凝固症候群），実質性黄疸などでは低値を示す。

脊椎麻酔

局所麻酔薬をくも膜下腔に注入し，脊髄の前根・後根および脊髄を神経遮断する麻酔方法。現在は，脊髄くも膜下麻酔と呼ばれることが多い。

麻酔薬はプロカイン，キシロカイン，ペルカミンＳなどを使用するが，脳脊髄液と比べて高比重か低比重かによって，麻酔の体位を変える必要がある。通常は，高比重の麻酔薬によって側臥位で腰椎穿刺をすると，麻酔のレベルが調節しやすく確実である。麻酔中は血圧の下降に注意し，下がるようなら点滴を速めたり，昇圧剤などを用いる。

絶対的医行為

医師法第17条に規定された「医師でなければ医業をなしてはならない」の「医業」の「医」が医行為であり，「医師の医学的判断及び技術をもってするのでなければ人体に危害を及ぼし，又は危害を及ぼすおそれのある行為」と解釈されている。医行為のうち，医師のみが行い得る診断，手術，投薬，注射の処方などを絶対的医行為という。

増悪（ぞうあく）

病態や症状がますます悪くなること。一度は治ったと思われた状態から再び悪化することは「再発」または「再燃」であり，「増悪」とは異なる。なお，対比的な用語としては「寛解」がある。

挿管

気道を確保するため，気管内にチューブを挿入すること。挿管にあたっては，咽頭や気管の表面麻酔や全身麻酔を行う必要がある。また，頸や下顎の筋を弛緩させる目的で，筋弛緩剤を併用する場合もある。気管内挿管には経口，経鼻，気管切開という3つの経路があるが，一般的には経口的な挿管が多い。経口的に挿管する場合は，喉頭鏡のブレードで喉頭蓋を持ち上げ，声門を確認してからチューブを入れる。経鼻的挿管では，喉頭鏡を用いないで盲目的に入れることもある。

相対的医行為

医行為のうち，医師の指示を受けて看護師等が行い得るものを相対的医行為という。絶対的医行為と相対的医行為の違いは，看護師等に任せても人体に危害を及ぼすおそれがあるかどうか。以下は主な相対的医行為。

①医師の指示が必要なもの：静脈採血，心電図，与薬（経口，経鼻，経皮膚，膀胱内），注射（皮下，筋肉，静脈注射），点滴の交換，生命維持管理装置の操作（在宅酸素，人工呼吸器，CAPD）など。

②包括的指示でよいもの：食事指導，理学療法，浣腸，経管栄養管理，バルーンカテーテル交換，膀胱洗浄，導尿，人工肛門管理，吸引，ネブライザー，包帯交換，褥瘡管理など。

鼠径ヘルニア

股の付け根部である鼠径部で，腸などの腹腔内組織が飛び出した状態（ヘルニア）のこと。俗称が脱腸。比較的男性に多く，特に子どもや高齢者に発症する。

視診や触診で診断できることが多いが，必要に応じて超音波検査など画像診断も行われる。治療法は，ヘルニアの状態に基づき選択されるが，手術する場合も多い。

ターミナルケア

末期医療。患者が死を迎えるまで人間らしく生きることを援助する医療。身体的疼痛のコントロールだけでなく，死と直面していることによる恐怖，不安，家族への人格的援助も含む。日本にもターミナルケア施設としてホスピスが設置されているが，病名告知と予後の告知が一般的でないため欧米ほどは普及していない。また，緩和ケア病棟や緩和ケアチームという名称で末期患者のターミナルケアを行う医療機関は増加傾向にある。しかし，まだその数が十分ではないと指摘する意見もある。

対症療法

原因療法に相対する用語で，患者の症状に合わせて対処する治療法のこと。

現れた疼痛・腫脹などに対して，鎮痛剤などを投与して症状を緩和させる。根本的な治療ではないが，苦痛をとることで食欲が増進するなど，利点も多い。

耐性菌

抗生物質に耐性をもった細菌。細菌感染症に対して抗生物質を多用したため，細菌が抗生物質に耐性能力をもつようになってきた（抗生物質が効かなくなる状態）。

大腿骨頸部骨折

広義には大腿骨の近位部に相当する骨頭下から転子下までの骨折のことで，狭義には骨頸下股関節包内の骨折のこと。狭義の骨折を頸部内側骨折といい，関節包外の骨折を頸部外側骨折という。

診断は通常単純エックス線で行うが，老人の内側骨折では当初エックス線写真で所見のないこともある。

内側骨折とは関節包内の骨折で，骨折により血液供給が断たれることが多く，偽関節を形成したり，無腐性壊死を起こすことが多い。転位の大きい老人の骨折では骨頭を摘出し，人工骨頭に置換することが多い。

外側骨折は血流が良好で骨癒合が得られやすい部位の骨折であるが，転位のあるものや不安定性が強いものは変形治癒が起こりやすい。

他動運動

身体の特定部位を第三者や機械などの外力によって動かすこと。麻痺などで随意的に筋収縮が行われない，筋力が著しく低下している，外傷後，術後——などの場合の関節可動域の維持・拡大，拘縮予防を目的として行う。なお，患者が自らの力で動かすことは自動運動という。他動運動には徒手によるサポート，器具によるサポート，自分自身によるサポートなどの種類がある。

地域医療支援病院

かかりつけ医を支援し，地域医療の充実を図ることを目的として，2次医療圏ごとに整備される病院（医療法4条第1項）。所在地の都道府県知事の承認を得る。

1998年の医療法改正によって，従来の総合病院に代わって規定されたことで，初期医療はかかりつけ医，かかりつけ医で対応できない医療は地域医療支援病院，高度で専門的な医療は特定機能病院が担うというように，それぞれが機能別に連携する体制の整備が図られた。

治験

新しく開発された薬の臨床試験を治験と呼び，それに使用される薬を治験薬と呼ぶ。

新しく開発された薬を実際の医療現場で使えるようにするには，人体への効果や安全性を確かめなければならない。新薬は通常，動物実験を経て効果や安全性について確認したあと，健常人に使用し，その後同意を得た患者に使用して効果と安全性を確認する。最終的には，患者だけでなく担当医師等にも効果を知らせないで投与する二重盲検法という方法で行われる。

中心静脈栄養

カテーテルを中心静脈に挿入し，高カロリー輸液によって栄養を補給すること（経静脈栄養法とも呼ばれる）。高カロリー輸液は濃度が高いため，血管が太く血流量が多い中心静脈（上大静脈，下大静脈）から注入される。

何らかの理由によって経口からの栄養補給が不可能な場合，または胃や腸などの炎症性疾患のため経口摂取が望ましくない場合，経腸補液を上回る高カロリー補給が必要な場合などに用いられる。

血栓症，カテーテル感染，浸透圧異常，pH・電解質異常などの合併症に注意する必要がある。

動脈注射

限定した部位のみに高濃度薬剤を灌流させる目的で動脈内に注入すること。主に化学療法で行われ，例えば肝臓がんに対する抗悪性腫瘍剤肝動脈内注入（肝動注療法）などの方法がある。

特定機能病院

高度な医療を必要とする患者に対応できる病院として，厚生労働大臣の承認を受けた医療機関。1992年改正・1993年4月施行の第二次医療法改正に基づき，病院機能の一類型として制度化された。

要件として，高度な医療の提供，高度な医療技術の開発・評価，10以上の診療科・400床以上を有すること——などが規定されている。

ドライシロップ

シロップ剤の一種であり，細粒あるいは顆粒状の薬剤。服用時にそのまま飲ませることもできるが，通常は水などに溶かして幼児に飲ませる。散剤だとむせてしまうことが多い幼児などによく用いられる。

そのため，特に小児用の抗生物質や抗アレルギー薬などにドライシロップの剤型が多い。

尿路感染症

非特異性細菌（大腸菌，変形菌，緑膿菌などのグラム陰性菌群およびブドウ球菌などのグラム陽性菌群など）によって，尿路（腎，膀胱，前立腺，尿道，精巣上体，精巣など）に発症した感染性炎症のこと。

感染経路として隣接または遠隔臓器，組織からのリンパ行性，血行性などがあるが，主として尿路管腔を逆行性に病因菌が侵入する経路が考えられている。治療は原因菌を同定し，抗生物質を投与する抗菌化学療法が主体であり，感染を持続させる因子を取り除くことが大切である。

ネブライザ

吸入療法または噴霧療法に用いられる装置。コンプレッサーから出る空気または酸素による吸入用の薬剤を霧状にし，吸入用のマスクで気道に吸入させる。気管支喘息の発作時などに使用される。気道狭窄を緩和したり，気道の分泌物の喀出を促進し気管支腔を清浄化することによって呼吸機能を正常化させる。

超音波を利用し，薬液を数ミクロンの微粒子に噴霧化することのできる超音波ネブライザーも使われる。

バイオ製剤（バイオ医薬品）

生物の生命現象や生体機能を活用するバイオテクノロジー（遺伝子組換え技術，細胞培養技術など）によって製造された医薬品の総称。商品化されたものに，B型肝炎ワクチン，ヒト成長ホルモン，インスリン，インターフェロン，ウロキナーゼ，エリスロポエチンなどがある。

敗血症

感染に起因した全身性炎症反応症候群のこと。診断としては，血液培養を含む各種培養検査を施行し，原因菌の確認と原発感染巣の確認を行う。起因菌が同定された場合，その菌に対して適切な抗菌剤を十分量使用する。抗菌剤の届きにくい膿瘍などが存在する場合は，外科的ドレナージを検討する必要がある。また，経験的治療を開始する場合，患者の基礎疾患を考慮に入れて抗菌剤を選択する必要がある。

皮下注射

皮膚と筋肉の間にある皮下組織に薬を注射する方法。薬は注射部位の毛細血管から吸収され全身に循環する。注射の効果は，皮内注射以外の注射方法よりやや遅く，効きめが長い。ワクチン，インスリンなどが該当する。皮膚面にほぼ平行または10～30度の角度で，針を2/3ほど刺入する。

ファロー四徴症

心室中隔欠損・肺動脈狭窄・大動脈騎乗・右室肥大の4つの異常を併せもつ先天性心疾患。血液中の酸素量が通常の人より少なくなるためチアノーゼ（全身が紫色になる状態）となる。

予後は肺動脈狭窄の重症度によって左右されるが，成人まで生存することも稀ではない。治療は，根治手術またはブラロック―タウシック手術（肺血流量を増加させて低酸素症を改善することを目的として行う姑息手術）を行う。

フリーアクセス

受診する保険医療機関を患者が自由に選べる仕組みのこと。諸外国では最初に受診する医療機関が規制されている場合もあるが，日本の保険診療ではフリーアクセスが大原則である。

いつでも最寄りの医療機関に受診でき早く治療を受けることができる，診断や治療方法に不安がある場合には別の医療機関を選択できる等のメリットがある。一方，デメリットとしては，医師の負担増，医療費の増大等が指摘されている。

ヘパリンロック

輸液を投与せずに血管内に留置したカテーテルにヘパリン加生理食塩水を充填しておくことでカテーテルに蓋

をし，カテーテルの先端部に血液が逆流して凝固するのを防ぐ手技。ヘパリンによる合併症を予防するため，希釈して用いられる。

ヘモグロビン
赤血球に含まれる色素蛋白。肺で取り入れた酸素を身体に運搬する重要な役割を担う。鉄を含む「ヘム」と，蛋白質である「グロビン」から構成される。

ヘモグロビンが不足すると，供給される酸素の量も不足してしまうため，動悸や息切れ，めまいなどの酸欠症状が出る。重症の場合には脳に酸素が不足し，意識を失う。正常値の目安は，1dL 中 11.9〜17.0g であり，「g/dL」という単位で表す。

変形性股関節症
関節軟骨の退行性変化（変性や破壊）に始まり，様々な関節変化が進行する疾患。明らかな原因疾患がないものを一時性変形性股関節症といい，股関節に構造上の欠陥をもたらす原疾患に続発するものを二次性変形性股関節症という。

二次性変形性股関節症の二大原因は，先天性股関節脱臼と臼蓋形成不全である。日本では二次性が多く，女性に多い疾患である。症状は，①疼痛と②関節可動域制限がみられ，徐々に③跛行が出現する。

保存的療法として，ADL 指導，股関節外転筋筋力強化を中心とした理学療法，薬物療法，減量指導，水中歩行運動指導などが行われるが，進行症例あるいは進行の予想される症例では，手術療法を行う。

便潜血検査
消化管出血の有無を調べる方法の一つ（便潜血反応とも呼ばれる）。

測定方法にはフェノールフタレイン法，グアヤック法，ピラミドン法，オルトトリジン法などがあるが，現在ではオルトトリジン法，グアヤック法，あるいは両者を応用した簡易検査法が一般的である。

放射線療法
電離放射線を用いて行う局所療法。放射線を人体に一定量以上照射すると，細胞の運動を停止させ死滅させることができるので，主に悪性腫瘍の治療に用いられる。

病巣摘出が不可能なときや手術と同程度の効果があるときは，単独で放射線療法を行うが，手術と併用される場合もある。

ボーラス
急速静注。短時間で薬剤を投与すること。

慢性腎不全
進行性の慢性腎疾患によって生体内部環境の恒常性が維持できなくなった状態をいうが，これには急性腎不全から回復できずに進行性になった場合と，急性症状は明らかでなく徐々に腎機能の低下していった場合がある。原因の大部分は慢性糸球体腎炎と糖尿病性腎症であるが，その他，腎盂腎炎，先天性腎尿路奇形や遺伝性腎疾患によることも多い。

腎糸球体濾過率（GFR）30〜50mL/分程度では軽度の貧血，多飲多尿，夜尿などがみられる。徐々に進行した腎不全では明らかな症状のないこともあるが，多くは易疲労感，食思不振，発育障害，顔色不良，高度貧血，浮腫，高血圧，骨病変などを呈する。

慢性閉塞性肺疾患（COPD）
タバコ煙を主とする有害物質を長期にわたって吸入曝露することで生じる，肺の炎症性疾患。

気管支の炎症や肺胞の破壊に始まり，咳，痰，息切れが続いて次第に悪化し，重症になると気流閉塞となり呼吸困難に陥る。

有病率は 40 歳以上の 8.5％ と高く，潜在的な患者数は 530 万人と推定されている。患者の 8〜9 割が喫煙者で，20 年以上の喫煙歴をもつ人の 20〜25％ が発症するというデータもある。

抑制帯
意識障害や精神病の興奮患者の安静を保つために，患者の手足あるいは体幹をベッドに固定させるように工夫された帯。

抑制・拘束は，患者の人権に配慮し，多くの施設で原則禁止されている。しかし，チューブ・ドレーン等を自己抜去するおそれがある，転倒・転落等のおそれがある，などの理由で，患者自身の生命が危険にさらされる可能性のある場合，やむを得ず検討されることもある。

予後
疾患あるいは患者の経過，終末のこと。

治療の予後，生命の予後，社会復帰の予後，視力や四肢の運動，臓器の機能に関する予後などがある。情報処理理論の導入により，予後予測の定量評価が試みられている。

リウマトレックス
一般名はメトトレキサート。葉酸代謝拮抗剤に分類される抗リウマチ薬。関節リウマチ，関節症状を伴う若年性特発性関節炎が適応である。

有効性，副作用，コストのバランスが良く取れているため，抗リウマチ薬のなかでは特に継続率が高い。高い効果を示す一方で副作用はコントロールしやすく，薬剤費は比較的安価である。効果の発現も早い。併用療法にもよく用いられ，特に生物学的製剤はその有効性を上げる観点から，リウマトレックスと併用することが望ましいと考えられている。

理学療法士
PT。理学療法士及び作業療法士法で定められた国家資格で，医師の指示のもとに理学療法を行う専門職。作業療法士や言語聴覚士などとともに，リハビリテーションに携わる。

身体に障害のある者に対して，主に基本的動作能力の回復・維持を図るため，治療体操などの運動を指導し，マッサージや温熱など物理療法を行う。

療養病床
一般病床，精神病床，感染症病床，結核病床以外の病床で，長期にわたり療養を必要とする患者を入院させるための病床。

近年，医療費適正化計画に基づき，療養病床の再編が進められている。2011 年度末には介護型療養病床は廃止される予定であったが，2011 年 6 月に成立した「介護サービスの基盤強化のための介護保険法等の一部を改正する法律」によって，その廃止期限が 6 年間延長され，2017 年度末となった。

レスピレーター
→人工呼吸器（p.193）

ワーファリン
抗血栓薬。血栓症の治療に用いられる。

血液の凝固を阻害する強い作用をもつことから，心筋梗塞や脳卒中の治療に用いられる。特に，心臓の手術のあとや，心房細動などある種の不整脈により生じる脳卒中（心原性脳塞栓症）の予防効果が高いことがわかっている。そのほか，静脈血栓症，肺塞栓症，腎炎など，血栓や塞栓に起因する様々な病気に広く用いられている。しかし，効果発現までに 1〜2 日かかるので，深部静脈血栓症などに対しては，まず低分子ヘパリンの皮下注射を行い，維持療法として内服するのが一般的である。

カルテ略語一覧

■検査の略称

略称	正式名称
インピーダンス／コマク	鼓膜音響インピーダンス検査
エストロ半定量	エストロゲン半定量
エストロ定量	エストロゲン定量
眼底血圧	網膜中心血管圧測定
矯正	矯正視力検査
凝固	全血凝固時間
頸管スメア	子宮頸管粘液採取
抗 $CL\beta_2GPI$	抗カルジオリピン β_2 グリコプロテイン I 複合体抗体
語音	標準語音聴力検査
ゴナド	ゴナドトロピン
残気	機能的残気量測定
自記オージオ	自記オージオメーターによる聴力検査
出血	出血時間
純音	標準純音聴力検査
心カテ	心臓カテーテル法による諸検査
心外膜マッピング	心外膜興奮伝播図
スリット M（前眼部）	細隙燈顕微鏡検査（前眼部）
スリット M（前眼部及び後眼部）	細隙燈顕微鏡検査（前眼部及び後眼部）
PLA_2	ホスフォリパーゼ A_2
精眼圧	精密眼圧測定
精眼底	精密眼底検査
精眼筋	眼筋機能精密検査および幅輳検査
精視野	精密視野検査
像（自動機械法）	末梢血液像（自動機械法）
像（鏡検法）	末梢血液像（鏡検法）
タン分画	蛋白分画
腟スメア	腟脂膏顕微鏡標本作製
ツ反	ツベルクリン反応
トレッドミル／フカ	トレッドミルによる負荷心機能検査
尿カテ	尿管カテーテル法（ファイバースコープによるもの）
肺気分画	肺気量分画測定
プレグナ	プレグナンジオール
ヘパトグラム	肝血流量
卵管通過	卵管通気・通水・通色素検査
両視機能	両眼視機能精密検査
涙液	涙液分泌機能検査
レチクロ	網赤血球数
$1,5-AG$	$1,5-$ アンヒドロ－D－グルシトール
$1,25(OH)_2D_3$	$1,25-$ ジヒドロキシビタミン D_3
$5-HIAA$	$5-$ ハイドロキシインドール酢酸
$11-OHCS$	$11-$ ハイドロキシコルチコステロイド
$17-KGS$	$17-$ ケトジェニックステロイド
$17-KGS$ 分画	$17-$ ケトジェニックステロイド分画
$17-KS$ 分画	$17-$ ケトステロイド分画
$17\alpha-OHP$	$17\alpha-$ ヒドロキシプロゲステロン
ABO	ABO 血液型
ACE	アンギオテンシン I 転換酵素
ACG	心尖（窩）拍動図
ACP	酸ホスファターゼ
ACTH	副腎皮質刺激ホルモン

略称	正式名称
ADA（AD）	アデノシンデアミナーゼ
ADNaseB	抗デオキシリボヌクレアーゼ B
AFP	$\alpha-$ フェトプロテイン
Alb	アルブミン
Ald	アルドステロン
ALP	アルカリホスファターゼ
ALP・アイソ	ALP アイソザイム
ALT	アラニンアミノトランスフェラーゼ
Amy	アミラーゼ
Amy・アイソ	アミラーゼ・アイソザイム
ANA（蛍光抗体法）	抗核抗体（蛍光抗体法）
ANP	心房性 Na 利尿ペプチド
APTT	活性化部分トロンボプラスチン時間
ASE	溶連菌エステラーゼ抗体
ASK（定性）	抗ストレプロキナーゼ（定性）
ASK（半定量）	抗ストレプロキナーゼ（半定量）
ASO（定性）	抗ストレプトリジン O 定性
ASO（半定量）	抗ストレプトリジン O 半定量
ASO（定量）	抗ストレプトリジン O 定量
ASP	連鎖球菌多糖体抗体
AST	アスパラギン酸アミノトランスフェラーゼ
AST・アイソ	AST アイソザイム
AT 活性	アンチトロンビン活性
AT 抗原	アンチトロンビン抗原
B－～	血液検査
B－A	動脈血採取
BAP	骨型アルカリホスファターゼ
B－C	血液採取（動脈血以外，耳朶・指尖等）
B－Echo	エステル型コレステロール
B－Pl	血小板数
B－Tcho	総コレステロール
B－TP	総蛋白
B－V	静脈血採取
B－像（自動機械法）	末梢血液像（自動機械法）
B－像（鏡検法）	末梢血液像（鏡検法）
B－タン分画	蛋白分画
BBT	基礎体温
BFP	塩基性フェトプロテイン
BiL／総	総ビリルビン
BiL／直	直接ビリルビン
BMG, β_2-m	β_2- マイクログロブリン
BMR	基礎代謝測定
BP	血圧
BS	血糖，グルコース
BS－～	血清検査
BSP	ブロムサルファレイン試験（肝機能テスト）
BT	出血時間
BT	血液型
BUN	尿素窒素
BW	ワッセルマン反応（血液）
CA19-9	糖鎖抗原 19-9
cAMP	サイクリック AMP
C－PTHrP	副甲状腺ホルモン関連蛋白

略称	正式名称
CAP	システンアミノペプチダーゼ
CAT	幼児児童用絵画統覚検査
CBC	全血球計算
Ccr	クレアチニンクリアランステスト
CEA	癌胎児性抗原
CH_{50}	血清補体価
ChE	コリンエステラーゼ
CIE	二次元交叉免疫電気泳動法
CIE, CIEP	免疫電気向流法
CK	クレアチンキナーゼ
CK－MB	クレアチンキナーゼ MB 型アイソザイム測定
CK・アイソ	CK アイソザイム
CPR	C－ペプチド
CPT	寒冷昇圧試験
CRA	網膜中心動脈
CRE	クレアチニン
CRP	C 反応性蛋白
CRP 定性	C 反応性蛋白定性
CVP	中心静脈圧測定
D－Bil	直接ビリルビン
DBT	深部体温計による深部体温測定
DNA	デオキシリボ核酸
DLco	肺拡散能力検査
E－～	内視鏡検査
E－関節	関節鏡検査
E－胸腔	胸腔鏡検査
E－クルド	クルドスコピー
E－コルポ	コルポスコピー
E－喉頭	喉頭鏡検査
E－喉頭直達	喉頭直達鏡検査
E－直腸	直腸鏡検査
E－腹	腹腔鏡検査
E－ヒステロ	ヒステロスコピー
E－鼻咽	鼻咽腔直達鏡検査
E, Z, Uro	蛋白，糖，ウロビリノゲン（英語の略語）
ECG	心電図検査（英語の略語）
ECG 携	ホルター型心電図検査
ECG フカ	負荷心電図検査
Echo(EC)	エステル型コレステロール
ECLIA	電気化学発光免疫測定法
EEG	脳波検査
EF－～	ファイバースコープ検査
EF－胃・十二指腸	胃・十二指腸ファイバースコピー
EF－嗅裂	嗅裂部ファイバースコピー
EF－喉頭	喉頭ファイバースコピー
EF－十二指腸	十二指腸ファイバースコピー
EF－小腸	小腸ファイバースコピー
EF－食道	食道ファイバースコピー
EF－胆道	胆道ファイバースコピー
EF－中耳	中耳ファイバースコピー
EF－直腸	直腸ファイバースコピー
EF－腹	腹腔ファイバースコピー
EF－鼻咽	鼻咽腔ファイバースコピー
EF－ブロンコ	気管支ファイバースコピー
EF－副鼻腔	副鼻腔入口部ファイバースコピー
EF－膀胱尿道	膀胱尿道ファイバースコピー
EIA	酵素免疫測定法
ELISA	固相酵素免疫測定法
EKG	心電図検査（ドイツ語の略語）
EMG	筋電図検査
ENG	電気眼振図（エレクトロレチノグラム）
EOG	眼球電位図
ERG	網膜電位図
ESR	赤血球沈降速度

略称	正式名称
EVC	呼気肺活量
E_2	エストラジオール
E_3	エストリオール
F－～	糞便検査
F－集卵	虫卵検出（集卵法）（糞便）
F－塗	糞便塗抹顕微鏡検査
FA	蛍光抗体法
FANA	蛍光抗体法による抗核抗体検査
FDP	フィブリン・フィブリノゲン分解産物
Fe	鉄
FECG	胎児心電図
FIA	蛍光免疫測定法
FSH	卵胞刺激ホルモン
FTA－ABS 試験	梅毒トレポネーマ抗体
FT_3	遊離トリヨードサイロニン
FT_4	遊離サイロキシン
F－U	便ウロビリノゲン
G－6－Pase	グルコース－6－ホスファターゼ
G－～	胃液検査
G－胃液	胃液一般検査
GFR	糸球体濾過値測定
GH	成長ホルモン
GITT	耐糖能精密検査
GL	グルコース（血糖）
GPB	グラム陽性桿菌
GTT	糖負荷試験
GU	グアナーゼ
HA	赤血球凝集反応
HBc, HBs	B 型肝炎ウイルス（HBV）の抗体検査
HBD	オキシ酪酸脱水素酵素測定
HBE	ヒス束心電図
Hb	血色素測定
HbA1c	ヘモグロビン A1c
HbF	ヘモグロビン F
HBV	B 型肝炎ウイルス
HCG－β	ヒト絨毛性ゴナドトロピン－β サブユニット
HCG 定性	ヒト絨毛性ゴナドトロピン定性
HCG 半定量	ヒト絨毛性ゴナドトロピン半定量
HCG 定量	ヒト絨毛性ゴナドトロピン定量
低単位 HCG	低単位ヒト絨毛性ゴナドトロピン
HCt	ヘマトクリット値
HCV	C 型肝炎ウイルス，C 型肝炎ウイルス（HCV）の抗体検査
HDL－Ch	HDL－コレステロール
HDV 抗体価	デルタ肝炎ウイルス抗体
HGF	肝細胞増殖因子
HI	赤血球凝集抑制反応
HPL	ヒト胎盤性ラクトーゲン
HPT	ヘパプラスチンテスト
HPV	ヒト乳頭腫ウイルス
Ht	ヘマトクリット値
HVA	ホモバニリン酸・ホモバニール酸
IAHA	免疫粘着赤血球凝集反応
IAP	免疫抑制酸性蛋白測定
IEP	血漿蛋白免疫電気泳動法検査
IF	免疫蛍光法
Ig	免疫グロブリン
sIL－2R	可溶性インターロイキン－2 レセプター
IRMA	免疫放射定量法
L－CAT	レシチン・コレステロール・アシルトランスフェラーゼ
LAP	ロイシンアミノペプチダーゼ
LAT(LA)	ラテックス凝集法

略称	正式名称
LD	乳酸デヒドロゲナーゼ
LD・アイソ	LD・アイソザイム
LH	黄体形成ホルモン
LPIA	ラテックス凝集法
MAO	モノアミンオキシダーゼ
Mb 定性	ミオグロビン定性
Mb 定量	ミオグロビン定量
MED	最小紅斑量測定
MMF	最大中間呼気速度
MMPI	ミネソタ多相（多面的）人格（検査）表
MVV	最大換気量測定
NAG	N−アセチルグルコサミニダーゼ（尿）
NEFA	遊離脂肪酸
NH_3	アンモニア
NPN	残余窒素測定
OHCS	ハイドロキシコルチコステロイド
OGTT	経口ブドウ糖負荷試験
P	リン（無機リン，リン酸）
P−〜	穿刺，穿刺液検査
P−関節	関節穿刺
P−上ガク洞	上顎洞穿刺
P−ダグラス	ダグラス窩穿刺
PAP	前立腺酸ホスファターゼ抗原
PBI	蛋白結合沃素測定
PBS	末梢血液像
PC テスト	ペニシリン皮内反応
PCG	心音図検査
PEF	肺機能検査
PF	P−F スタディ
PF_3	血小板第3因子
PF_4	血小板第4因子
PgR	プロジェステロンレセプター
PH	プロリルヒドロキシラーゼ
PK	ピルビン酸キナーゼ
PL−〜	脳脊髄液検査
PL−検	髄液一般検査
PL−トウ	髄液糖定量
Pl	血小板数
POA	膵癌胎児性抗原
PRA	レニン活性
PRL	プロラクチン
PSP	色素排泄試験
PSTI	膵分泌性トリプシンインヒビター
PT	プロトロンビン時間
PTH	副甲状腺ホルモン
PTHrP	副甲状腺ホルモン関連蛋白
R	赤血球数
RA テスト	ラテックス凝集反応リウマチ因子検出検査
RBC	赤血球数
RBP	レチノール結合蛋白
Ret	網赤血球数
RF	リウマトイド因子
RF 半定量	リウマトイド因子半定量
RF 定量	リウマトイド因子定量
RIA	ラジオイムノアッセイ，放射性免疫測定法
RLP−C	レムナント様リポ蛋白コレステロール
RSV 抗原	RS ウイルス抗原定性
S−〜	細菌検査
S−M	排泄物，滲出物，分泌物の細菌顕微鏡検査（その他のもの）
S−暗視野	〃　（暗視野顕微鏡）
S−位相差 M	〃　（位相差顕微鏡）
S−蛍光 M	〃　（蛍光顕微鏡）

略称	正式名称
S−同定	細菌培養同定検査
S−培	簡易培養
S−ディスク	細菌薬剤感受性検査
S−薬剤感受性	細菌薬剤感受性検査
SA	赤血球膜シアル酸
SAA	血清アミロイド A 蛋白
SCC	扁平上皮癌関連抗原
SLX	シアリル Le^x_i 抗原
Sm−Ig	B 細胞表面免疫グロブリン
SP−A	肺サーファクタント蛋白−A（羊水）
T−Bil	総ビリルビン
T−〜	病理組織検査
T−M	病理組織標本作製
T−M/OP	術中迅速病理組織標本作製
TAT	トロンビン・アンチトロンビン複合体
TBA	胆汁酸
TBC	サイロキシン結合能
TBG	サイロキシン結合グロブリン
Tcho(T−C)	総コレステロール
TDH	腸炎ビブリオ耐熱性溶血毒
TdT	ターミナルデオキシヌクレオチジルトランスフェラーゼ
TG	中性脂肪（トリグリセライド）
TIA	免疫比濁法
TIBC	総鉄結合能
TK 活性	デオキシチミジンキナーゼ活性
TL	総脂質測定
TP	総蛋白
TPA	組織ポリペプタイド抗原
TR, TuR	ツベルクリン反応
TSH	甲状腺刺激ホルモン
TTD	一過性閾値上昇検査
TTT	チモール混濁反応
T_3	トリヨードサイロニン
T_4	サイロキシン
U−〜	尿検査
U−インジカン	インジカン（尿）
U−ウロ	ウロビリノゲン（尿）
U−検	尿中一般物質定性半定量検査
U−ジアゾ	ジアゾ反応
U−タン	尿蛋白
U−沈（鏡検法）	尿沈渣（鏡検法）
U−沈	尿沈渣（フローサイトメトリー法）
U−沈／染色	尿沈渣染色標本
U−デビス	デビス癌反応検査
U−トウ	尿グルコース
U−ミロン	Millon 反応
UA	尿酸
UCG	心臓超音波検査（心エコー図）
UIBC	不飽和鉄結合能
UN(BUN)	尿素窒素
VCG	ベクトル心電図
VMA	バニールマンデル酸
W	白血球
WBC	白血球数
Z	糖
Zn	血清亜鉛測定
ZTT	硫酸亜鉛試験
α_1−AT	α_1−アンチトリプシン
α_2−MG	α_2−マクログロブリン
β−LP	β−リポ蛋白
β_2−m	β_2−マイクログロブリン
γ−GT	γ−グルタミルトランスペプチターゼ
γ−GT・アイソ	γ−GT アイソザイム

資料

■画像診断の略称

略称	画像診断方法名
アンギオグラフィー（AG）	血管撮（造）影
エンツェファログラフィー	気脳法または脳写。脳脊髄腔の造影剤使用撮影
キモグラフ	動態撮影
スポット撮影（SP）	狙撃撮影
トモグラフィー（トモ）	断層撮影
バリウム透視	造影剤使用消化管透視診断
ピエログラフィー	造影剤使用の腎盂撮影
ブロンコ	気管支造影
ポリゾ	重複撮影
ミエログラフィー（ミエロ）	脊髄造影撮影
リンフォグラフィー	造影剤使用リンパ管撮影
ACG	血管心臓造影法
AG	血管撮（造）影（アンギオグラフィー），動脈撮影
angio	血管造影
AOG	大動脈造影
BAG	上腕動脈造影
BE	注腸造影
CAG	脳血管撮影 冠動脈造影，冠状動脈血管造影 頸動脈撮影，頸動脈造影
CECT	造影CT
CG	膀胱造影
CT	コンピューター断層撮影
CUG	膀胱尿道造影
DCG	膀胱二重造影
DIC	点滴静注胆管・胆嚢造影
DIP（DIVP）	点滴静注腎盂造影
DSA	デジタルサブストラクション血管造影法
Disco	椎間板造影法
Enema	注腸造影
ERCG	内視鏡的逆行性膵胆管造影
ERCP	内視鏡的逆行性胆管膵管造影
ERP	内視鏡的逆行性膵管造影
HDG	低緊張性十二指腸造影
HSG	子宮卵管造影
Hystero	子宮卵管造影
IA－DSA	動脈内デジタルサブストラクション血管造影法
IC	経口胆嚢造影
IP（IVP）	経静脈性腎盂造影
IVC	経静脈性胆管（胆嚢）造影
IVCG	下大動脈造影，下大静脈造影
IV－DSA	経静脈性デジタルサブストラクション血管造影法
IVU	静脈性尿路造影法
KUB	腎臓，尿管，膀胱を含むエックス線撮影

略称	画像診断方法名
Kymo	動態撮影
LW－X－P	腰椎撮影
MAMMO	乳房撮影
MCG	排尿時膀胱エックス線造影
MLG	脊髄腔造影
MRI	磁気共鳴画像診断法
Myelo	脊髄造影法
NG	腎造影
OCG	経口胆嚢造影撮影法
PAG	骨盤動脈造影・肺血管造影
PECT	ポジトロン放出断層撮影
PEG	脳室撮影・気脳造影法
PET	ポジトロン断層撮影
Pneumo	関節空気造影法
Polyso	重複撮影
PP	腹腔気体造影
PRP	後腹膜気体造影
PTC	経皮的胆嚢胆道造影
PTP	経皮経肝門脈造影法
PTU	単純尿路エックス線撮影
PVG	気脳室撮影法
RAG	腎動脈造影法
RCT	RIコンピューター断層撮影法
RP	逆行性腎盂造影（尿管カテーテル法）
RPP	逆行性気体性腎盂造影撮影法
RTV	エックス線テレビジョン
RVG	右室造影
SAB	選択的肺気管支造影
SCAG	選択的腹腔動脈造影
SIMA	選択的下腸間膜造影
SMAG	上腸間膜動脈造影
SP	スポット撮影
SPECT	単光子射出コンピューター断層撮影
SRA	選択的腎動脈造影
SSMA	選択的上腸間膜造影
STEREO	立体撮影（ステレオ撮影）
SVA	選択的臓器動脈造影撮影法
SVCG	上大動脈造影
Tomo	断層撮影，トモグラフ
UCG	経尿道的膀胱造影
UG（OG）	尿道造影撮影法
upper Gl series	上部消化管造影
VAG	椎骨動脈造影法
VCG	排尿時膀胱造影
XCT	エックス線コンピューター断層撮影法
X－D（x－d）	エックス線透視診断
X－D（X－DL）	エックス線透視診断
X－P（x－p）	エックス線写真撮影
X－Ray	エックス線

■処方箋・カルテ等における略称

略称	意味／正式名称
分 3，3×，3×t g l，auf3, t.d.s.	いずれも1日3回に分けて服用の意
1W	1週間分
(1−1−2)	朝1錠（包），昼1錠（包），夜2錠（包）を服用
3×v.d.E.(3×v)	1日3回に分けて，食前に
3×n.d.E.(3×n)	1日3回に分けて，食後に
3×z.d.E.(3×z)	1日3回に分けて，食間に
5st×4	5時間ごとに1日4回服用
6st×4×3TD	6時間ごとに1日4回3日分
×10	10倍散（レセプトには10％と記載）
×100	100倍散（レセプトには1％と記載）
A	管（アンプル）
Add	「加える」の意
b.i.d.	1日2回に分けて服用
b.i.n.	夜中2回
C（Cap）	カプセル
Q.O.D., dieb. alt.	隔日に服用
DIV	点滴静脈内注射（点滴注射）
do	「同上」の意
G（Granule）	顆粒
h.s., v.d.s	就眠時に服用
IVH	中心静脈栄養法
IM	筋肉内注射
Inj	注射
IP	腹腔内注射
IV	静脈内注射
n.d.E.（pc）	食後に
Oh	1時間ごとに
o.m.	毎朝
omn. bin	2時間ごとに
omn. hor	毎時（omn. 2hr なら2時間ごとに）
P	何回分，何包ということ
Pil	丸薬
prn	必要に応じて
Pulv	粉末
q.d.	1日1回
qid	1日4回
q.wk	1週1回
q.2h	2時間ごとに
Rp	処方の冒頭に書く「処方せよ」の意
S（Syr）	シロップ
SC	皮下注射
sofort v.d.E.	食直前に服用
sofort n.d.E.	食直後に服用
Sol	溶液
Suppo, Supp.	坐剤
T（Tab）	錠剤
TD, T	何日分（錠剤の「T」とは位置で見分ける）
tid	1日3回
TR	ツベルクリン反応
Ung	軟膏
V	瓶（バイアル）
v.d.E.（ac）	食前に
z.d.E.	食間に
【医薬品】	
アセコリ	塩化アセチルコリン
アトモヒ	モルヒネ・アトロピン

略称	意味／正式名称
アンナカ	安息香酸ナトリウムカフェイン
エピレナ	エピネフリン
エフェド	塩酸エフェドリン
エルゴメ	マレイン酸エルゴメトリン
塩カル	塩化カルシウム
塩コカ	塩酸コカイン
塩ナト	塩化ナトリウム
塩プロ	塩酸プロカイン
塩モヒ	塩酸モルヒネ
塩リモ	塩酸リモナーデ
R	リンゲル液
EM	エリスロマイシン
SM	硫酸ストレプトマイシン
果	果糖
カナマイ	カナマイシン
カマ	酸化マグネシウム
強ミノC	強力ネオミノファーゲンC
KM	硫酸カナマイシン
サリソ	サリチル酸ナトリウム
ザルベ	軟膏
ジギ	ジギタリス
重ソ	炭酸水素ナトリウム
臭曹	臭化ナトリウム
ストマイ	ストレプトマイシン
生食	生理食塩水
単舎	単シロップ
タンナルビン	タンニン酸アルブミン
胎ホル（HCG）	胎盤性性腺刺激ホルモン
ツボクラ	塩化ツボクラリン
ニコアミ	ニコチン酸アミド
ネオM	ネオフィリンM注射液
ネオスチ	メチル硫酸ネオスチグミン
ハイポ	チオ硫酸ナトリウム
ピオクタニン	塩化メチルロザニリン
ビカ	炭酸水素ナトリウム
ヒコアト	オキシコドン・アトロピン
ビタカン	ビタカンファー
プロテスホル	プロピオン酸テストステロン
ボール水	ホウサン水
PC	ペニシリン
ミョウバン	硫酸アルミニウムカリウム
モヒ	塩酸モルヒネ
輸チト	輸血用クエン酸ナトリウム
硫アト	硫酸アトロピン
硫キ	硫酸キニーネ
硫ク	硫酸マグネシウム
流パラ	流動パラフィン
硫麻	硫酸マグネシウム
リンコデ	リン酸コデイン
Aq	注射用（蒸留）水
B_1	塩酸チアミン（ビタミンB_1剤）
B_2	リボフラビン（ビタミンB_2剤）
B_6	塩酸ピリドキシン（ビタミンB_6剤）
B_{12}	シアノコバラミン（ビタミンB_{12}剤）
C	アスコルビン酸（ビタミンC剤）
G	ブドウ糖注射液
IN(A)H	イソニコチン酸ヒドラジド
Ins	インスリン
PTU	プロピルチオウラシル
V.M	バイオマイシン

資料

人体解剖図

1 体表区分

2 全身の骨格

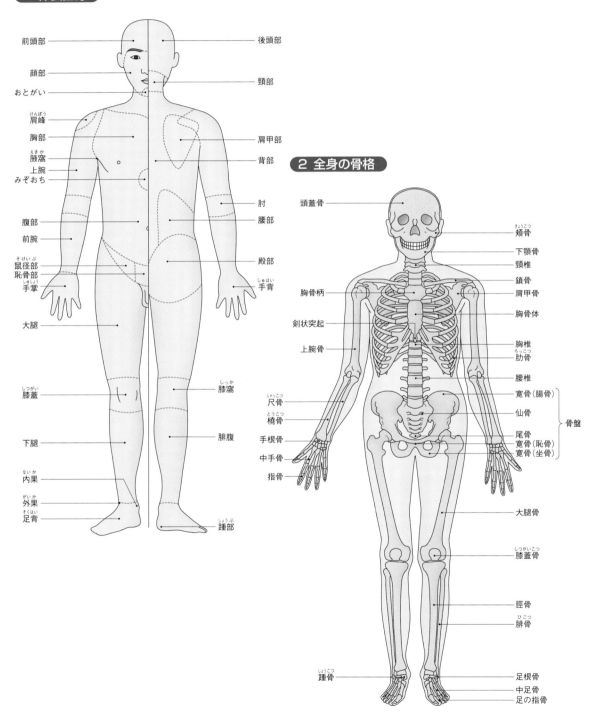

3 全身の筋肉

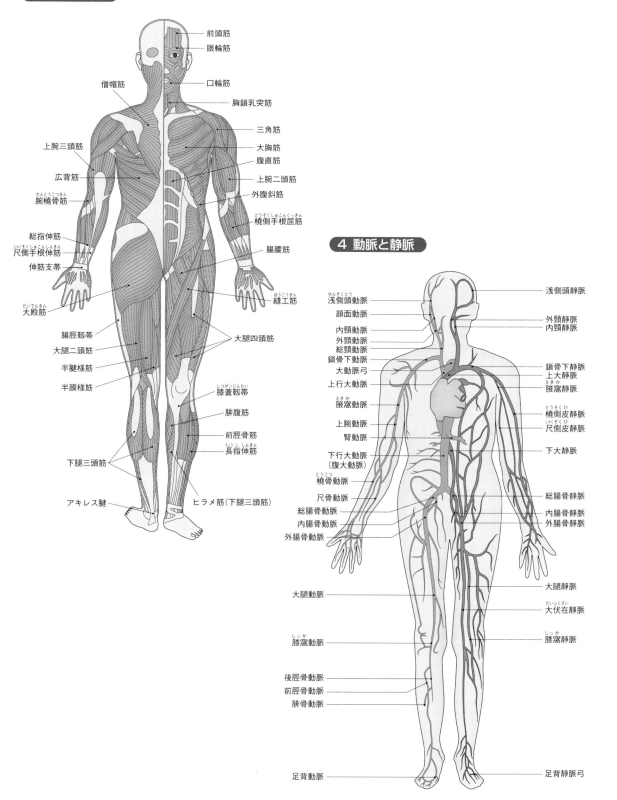

前頭筋
眼輪筋
僧帽筋
口輪筋
胸鎖乳突筋
三角筋
上腕三頭筋
大胸筋
腹直筋
広背筋
上腕二頭筋
腕橈骨筋（わんとうこつきん）
外腹斜筋
橈側手根屈筋（とうそくしゅこんくっきん）
総指伸筋
尺側手根伸筋（しゃくそくしゅこんしんきん）
腸腰筋
伸筋支帯
大殿筋（だいでんきん）
縫工筋（ほうこうきん）
腸脛靱帯
大腿四頭筋
大腿二頭筋
半腱様筋
半膜様筋
膝蓋靱帯（しつがいじんたい）
腓腹筋
前脛骨筋
下腿三頭筋
長指伸筋（ちょうししんきん）
アキレス腱
ヒラメ筋（下腿三頭筋）

4 動脈と静脈

浅側頭動脈（せんそくとう）
顔面動脈
内頸動脈
外頸動脈
総頸動脈
鎖骨下動脈
大動脈弓
上行大動脈
腋窩動脈（えきか）
上腕動脈
腎動脈
下行大動脈（腹大動脈）（とうこつ）
橈骨動脈
尺骨動脈
総腸骨動脈
内腸骨動脈
外腸骨動脈
大腿動脈
膝窩動脈（しっか）
後脛骨動脈
前脛骨動脈
腓骨動脈
足背動脈

浅側頭静脈
外頸静脈
内頸静脈
鎖骨下静脈
上大静脈
腋窩静脈（えきか）
橈側皮静脈（とうそくひ）
尺側皮静脈（しゃくそくひ）
下大静脈
総腸骨静脈
内腸骨静脈
外腸骨静脈
大腿静脈
大伏在静脈（だいふくざい）
膝窩静脈（しっか）
足背静脈弓

資料

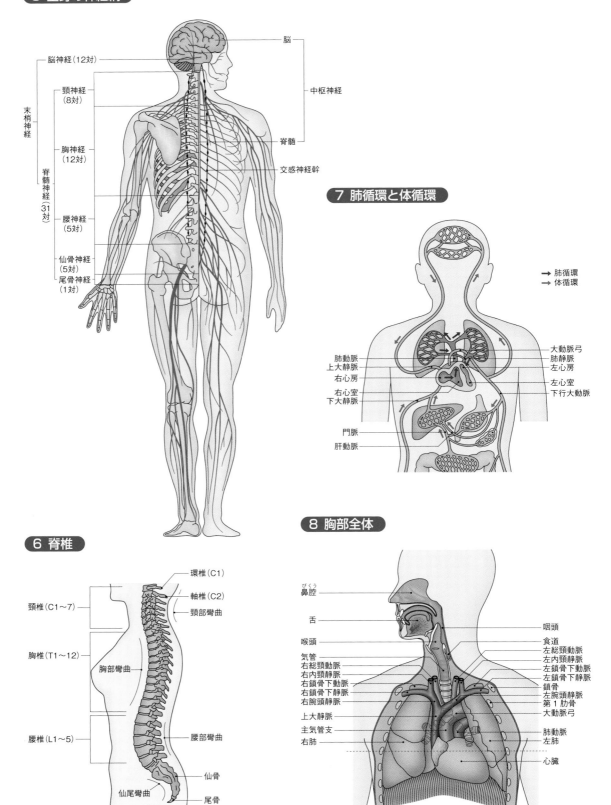

5 全身の神経網

脳神経（12対）
頸神経（8対）
胸神経（12対）
腰神経（5対）
仙骨神経（5対）
尾骨神経（1対）

末梢神経
脊髄神経（31対）

脳
中枢神経
脊髄
交感神経幹

7 肺循環と体循環

→ 肺循環
→ 体循環

肺動脈
上大静脈
右心房
右心室
下大静脈
門脈
肝動脈
大動脈弓
肺静脈
左心房
左心室
下行大動脈

6 脊椎

環椎（C1）
軸椎（C2）
頸部彎曲

頸椎（C1〜7）
胸椎（T1〜12）
腰椎（L1〜5）

胸部彎曲
腰部彎曲
仙骨
仙尾彎曲
尾骨

8 胸部全体

鼻腔（びくう）
舌
喉頭
気管
右総頸動脈
右内頸静脈
右鎖骨下動脈
右鎖骨下静脈
右腕頭静脈
右腕頭動脈
上大静脈
主気管支
右肺

咽頭
食道
左総頸動脈
左内頸静脈
左鎖骨下動脈
左鎖骨下静脈
鎖骨
左腕頭静脈
第1肋骨
大動脈弓
肺動脈
左肺
心臓

9 頭蓋

前頭骨
前頂骨
篩骨
蝶形骨
側頭骨
外耳孔
頬骨
下顎骨

眼窩上孔
鼻骨
涙骨
眼窩下孔
上顎骨
おとがい孔

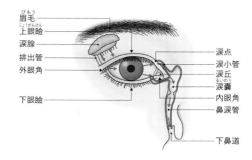

11 眼および周辺器官

眉毛
上眼瞼
涙腺
排出管
外眼角
下眼瞼

涙点
涙小管
涙丘
涙囊
内眼角
鼻涙管
下鼻道

10 脳

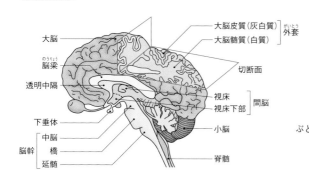

大脳
脳梁
透明中隔
下垂体
中脳
橋
延髄
脳幹

大脳皮質(灰白質)
大脳髄質(白質)
外套
切断面
視床
視床下部
間脳
小脳
脊髄

12 眼

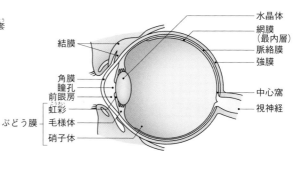

結膜
角膜
瞳孔
前眼房
虹彩
毛様体
硝子体
ぶどう膜

水晶体
網膜(最内層)
脈絡膜
強膜
中心窩
視神経

13 鼻腔（側壁部）

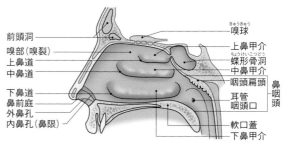

前頭洞
嗅部(嗅裂)
上鼻道
中鼻道
下鼻道
鼻前庭
外鼻孔
内鼻孔(鼻限)

嗅球
上鼻甲介
蝶形骨洞
中鼻甲介
咽頭扁頭
耳管咽頭口
鼻咽頭
軟口蓋
下鼻甲介

14 耳

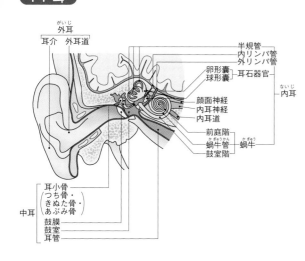

外耳
耳介　外耳道

半規管
内リンパ管
外リンパ管
卵形囊
球形囊
耳石器官
顔面神経
内耳神経
内耳道
前庭階
蝸牛管
鼓室階
蝸牛
内耳

耳小骨(つち骨・きぬた骨・あぶみ骨)
鼓膜
鼓室
耳管
中耳

15 口腔

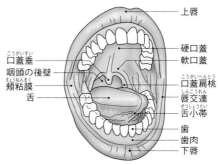

口蓋垂
咽頭の後壁
頬粘膜
舌

上唇
硬口蓋
軟口蓋
口蓋扁桃
唇交連
舌小帯
歯
歯肉
下唇

資料

16 内臓

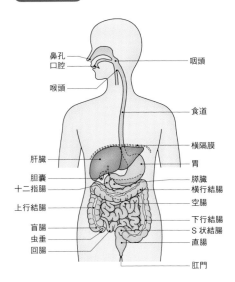

17 心臓

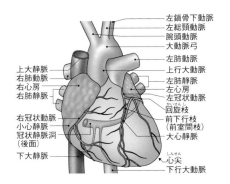

18 心臓の血液循環

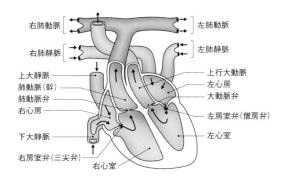

19 呼吸器系

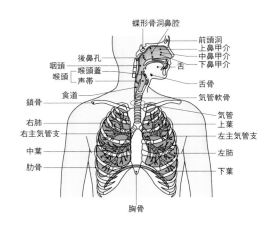

20 肺葉，気管，気管支

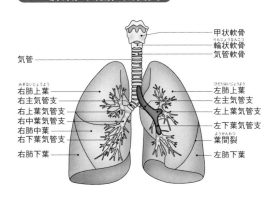

21 胃

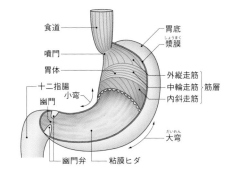

22 十二指腸・膵臓

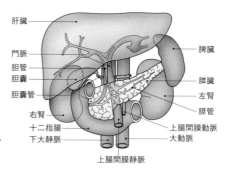

総肝動脈
固有肝動脈（肝臓へ）
胃
右胃大網動脈
右胃大網静脈
門脈（肝臓へ）
胃十二指腸動脈
十二指腸

左胃動脈（胃へ）
腹腔動脈
腹大動脈
脾動脈（脾臓へ）
心臓から

大膵動脈（膵臓へ）
脾静脈（肝臓へ）
空腸
回腸へ
下腸間膜静脈（肝臓へ）
上腸間膜動脈（腸へ）
上腸間膜静脈（肝臓へ）

膵臓は胃の後方に位置し，右側（頭部）は十二指腸に抱きかかえられ，左側（尾部）は脾臓に接している．

23 肝胆膵

肝臓
門脈
胆管
胆嚢
胆嚢管
右腎
十二指腸
下大静脈
上腸間膜静脈

脾臓
膵臓
左腎
膵管
上腸間膜動脈
大動脈

24 泌尿器系

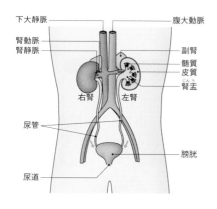

下大静脈
腎動脈
腎静脈
右腎　左腎
尿管
尿道

腹大動脈
副腎
髄質
皮質
腎盂
膀胱

25 腎臓

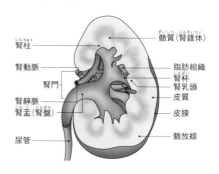

腎柱
腎動脈
腎門
腎静脈
腎盂（腎盤）
尿管

髄質（腎錐体）
脂肪組織
腎杯
腎乳頭
皮質
皮膜
髄放線

26 小腸・大腸

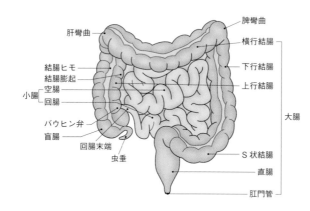

肝彎曲
結腸ヒモ
結腸膨起
小腸　空腸
　　　回腸
バウヒン弁
盲腸
回腸末端
虫垂

脾彎曲
横行結腸
下行結腸
上行結腸
大腸
S状結腸
直腸
肛門管

資料

27 男性生殖器

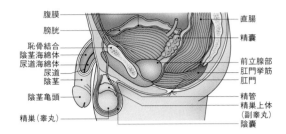

腹膜
膀胱
恥骨結合
陰茎海綿体
尿道海綿体
尿道
陰茎
陰茎亀頭
精巣（睾丸）

直腸
精嚢
前立腺部
肛門挙筋
肛門
精管
精巣上体（副睾丸）
陰嚢

28 女性生殖器

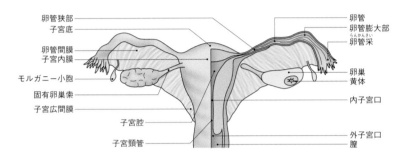

卵管狭部
子宮底
卵管間膜
子宮内膜
モルガニー小胞
固有卵巣索
子宮広間膜
子宮腔
子宮頸管

卵管
卵管膨大部
卵管采
卵巣
黄体
内子宮口
外子宮口
膣

29 骨

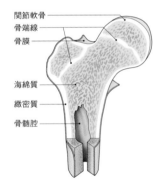

関節軟骨
骨端線
骨膜
海綿質
緻密質
骨髄腔

30 膝関節の断面（右膝）

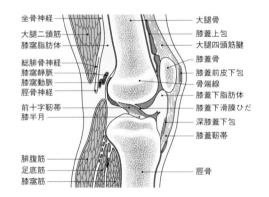

坐骨神経
大腿二頭筋
膝窩脂肪体
総腓骨神経
膝窩静脈
膝窩動脈
脛骨神経
前十字靭帯
膝半月
腓腹筋
足底筋
膝窩筋

大腿骨
膝蓋上包
大腿四頭筋腱
膝蓋骨
膝蓋前皮下包
骨端線
膝蓋下脂肪体
膝蓋下滑膜ひだ
深膝蓋下包
膝蓋靭帯
脛骨

31 関節の構造

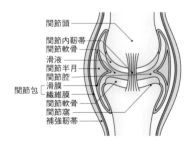

関節頭
関節内靭帯
関節軟骨
滑液
関節半月
関節腔
滑膜
繊維膜
関節軟骨
関節窩
補強靭帯
関節包

32 皮膚

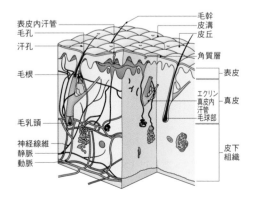

表皮内汗管
毛孔
汗孔
毛根
毛乳頭
神経線維
静脈
動脈

毛幹
皮溝
皮丘
角質層
表皮
エクリン真皮内汗管
毛球部
真皮
皮下組織

診療報酬点数（医師事務作業補助体制加算）

〔告示〕

（最終改定：告示 57，令 6.3.5）

A207-2　医師事務作業補助体制加算（入院初日）
1　医師事務作業補助体制加算1
 イ　15 対 1 補助体制加算　　　　　　1,070 点
 ロ　20 対 1 補助体制加算　　　　　　855 点
 ハ　25 対 1 補助体制加算　　　　　　725 点
 ニ　30 対 1 補助体制加算　　　　　　630 点
 ホ　40 対 1 補助体制加算　　　　　　530 点
 ヘ　50 対 1 補助体制加算　　　　　　450 点
 ト　75 対 1 補助体制加算　　　　　　370 点
 チ　100 対 1 補助体制加算　　　　　320 点
2　医師事務作業補助体制加算2
 イ　15 対 1 補助体制加算　　　　　　995 点
 ロ　20 対 1 補助体制加算　　　　　　790 点
 ハ　25 対 1 補助体制加算　　　　　　665 点
 ニ　30 対 1 補助体制加算　　　　　　580 点
 ホ　40 対 1 補助体制加算　　　　　　495 点
 ヘ　50 対 1 補助体制加算　　　　　　415 点
 ト　75 対 1 補助体制加算　　　　　　335 点
 チ　100 対 1 補助体制加算　　　　　280 点

注　勤務医の負担の軽減及び処遇の改善を図るための医師事務作業の補助の体制その他の事項につき別に厚生労働大臣が定める施設基準に適合しているものとして地方厚生局長等に届け出た保険医療機関に入院している患者〔第1節の入院基本料（特別入院基本料等を除く）又は第3節の特定入院料のうち，医師事務作業補助体制加算を算定できるものを現に算定している患者に限る〕について，当該基準に係る区分に従い，入院初日に限り所定点数に加算する。

〔通知〕

(1)　医師事務作業補助体制加算は，医師の負担の軽減及び処遇の改善に対する体制を確保することを目的として，医師，医療関係職員，事務職員等との間での業務の役割分担を推進し，医師の事務作業を補助する専従者（以下「医師事務作業補助者」という）を配置している体制を評価するものである。
(2)　医師事務作業補助体制加算は，当該患者の入院初日に限り算定する。
(3)　医師事務作業補助者の業務は，医師（歯科医師を含む）の指示の下に，診断書等の文書作成補助，診療記録への代行入力，医療の質の向上に資する事務作業（診療に関するデータ整理，院内がん登録等の統計・調査，教育や研修・カンファレンスのための準備作業等），入院時の案内等の病棟における患者対応業務及び行政上の業務（救急医療情報システムへの入力，感染症サーベイランス事業に係る入力等）への対応に限定する。なお，医師以外の職種の指示の下に行う業務，診療報酬の請求事務（DPC のコーディングに係る業務を含む），窓口・受付業務，医療機関の経営，運営のためのデータ収集業務，看護業務の補助及び物品運搬業務等については医師事務作業補助者の業務としない。
(4)　医師事務作業補助者は，院内の医師の業務状況等を勘案して配置することとし，病棟における業務以外にも，外来における業務や，医師の指示の下であれば，例えば文書作成業務専門の部屋等における業務も行うことができる。
（令 6 保医発 0305・4）

〔事務連絡〕

問1　治験に係る事務作業は医師事務作業補助業務に含まれるか。
答　含まれない。　　　　　　　　　　（平 26.3.31）
問2　医師事務作業補助者は専従者であることが要件とされているが，複数の人間による常勤換算の場合の「専従」の取扱いはどうなるか。
答　常勤換算となるそれぞれの非常勤職員が，医師事務作業補助者として専従の職員でなければならない。
問3　従来からの事務職員や病棟クラークを医師事務作業補助者として配置しても，医師事務作業補助体制加算を算定することは可能か。
答　可能であるが，配置するにあたり研修が必要である。
問4　医師や看護師の資格を有するものを医師事務作業補助者として配置しても，医師事務作業補助体制加算を算定することは可能か。
答　医師事務作業補助者の資格は問わないが，医師や看護師等の医療従事者として業務を行っている場合は，医師事務作業補助者としない。
問5　医師事務作業補助者の業務は，医師の指示の下に行うこととなっているが，業務委託とすることは可能か。
答　不可。
問6　医師事務作業補助者は，診療録管理者若しくは診療録管理部門の業務を行っても良いか。
答　不可。
問7　医師事務作業補助者は DPC のコーディング作業において，どこまでを担当して良いのか。
答　主たる傷病名は当該患者の療養を担う保険医が決定する。その後のコーディング作業は診療報酬請求事務であることから，医師事務作業補助者の業務としない。
問8　DPC 算定対象医療機関において，「適切なコーディングに関する委員会の設置」が義務付けられたが，医師事務作業補助者は当該委員会の業務を行っても良いか。
答　不可。　　　　　　　　　　（平 20.3.28 事務連絡）

資料

基本診療料の施設基準等

〔告示〕

（第8　入院基本料等加算の施設基準等）
7の2　医師事務作業補助体制加算の施設基準
(1)　医師事務作業補助体制加算1
　イ　医師の事務作業を補助する十分な体制がそれぞれの加算に応じて整備されていること。
　ロ　勤務医の負担の軽減及び処遇の改善に資する体制が整備されていること。
(2)　医師事務作業補助体制加算2
　イ　医師の事務作業を補助する体制がそれぞれの加算に応じて整備されていること。
　ロ　(1)のロを満たすものであること。

〔通知〕

1　通則

(1)　医師の負担の軽減及び処遇の改善に資する体制として、次の体制を整備している。なお、総合入院体制加算や急性期看護補助体制加算、地域医療体制確保加算等を届け出ている保険医療機関において、医療従事者の負担の軽減及び処遇の改善に資する体制又は看護職員の負担の軽減及び処遇の改善に資する体制を整備する場合は、当該加算に係る体制と合わせて整備して差し支えない。
　ア　当該保険医療機関内に、医師の負担の軽減及び処遇の改善に関し、当該保険医療機関に勤務する医師の勤務状況を把握し、その改善の必要性等について提言するための責任者を配置する。
　イ　特別の関係にある保険医療機関での勤務時間も含めて、医師の勤務時間及び当直を含めた夜間の勤務状況を把握している。その上で、業務の量や内容を勘案し、特定の個人に業務負担が集中しないよう配慮した勤務体系を策定し、職員に周知徹底している。
　ウ　当該保険医療機関内に、多職種からなる役割分担推進のための委員会又は会議（以下この項において「委員会等」という）を設置し、「医師の負担の軽減及び処遇の改善に資する計画」を作成する。当該委員会等は、当該計画の達成状況の評価を行う際、その他適宜必要に応じて開催している。また、当該委員会等において、当該保険医療機関の管理者が年1回以上出席する。なお、当該委員会等は、当該保険医療機関における労働安全衛生法第19条に規定する安全衛生委員会等、既存の委員会を活用することで差し支えない。
　エ　ウの計画は、現状の勤務状況等を把握し、問題点を抽出した上で、具体的な取組み内容と目標達成年次等を含めた医師の負担の軽減及び処遇の改善に資する計画とする。また、当該計画を職員に対して周知徹底している。
　オ　当該計画には以下の項目を含む。
　　医師と医療関係職種、医療関係職種と事務職員等における役割分担の具体的内容（例えば、初診時の予診の実施、静脈採血等の実施、入院の説明の実施、検査手順の説明の実施、服薬指導など）について計画に記載し、医療機関内の職員に向けて周知徹底するとともに、ウに規定する委員会等で取組状況を定期的に評価し、見直しを行う。
　カ　当該計画には、医師の勤務体制等に係る取組について、次に掲げる項目のうち少なくとも2項目以上を含んでいる。
　　①　勤務計画上、連続当直を行わない勤務体制の実施
　　②　前日の終業時刻と翌日の始業時刻の間の一定時間の休息時間の確保（勤務間インターバル）
　　③　予定手術前日の当直や夜勤に対する配慮
　　④　当直翌日の業務内容に対する配慮
　　⑤　交替勤務制・複数主治医制の実施
　　⑥　育児・介護休業法第23条第1項、同条第3項又は同法第24条の規定による措置を活用した短時間正規雇用医師の活用
　キ　医師の負担の軽減及び処遇の改善に関する取組事項を当該保険医療機関内に掲示する等の方法で公開する。
(2)　(1)のウの計画に基づき、診療科間の業務の繁閑の実情を踏まえ、医師の事務作業を補助する専従者（以下「医師事務作業補助者」という）を、15対1補助体制加算の場合は当該加算の届出を行った病床数（以下この項において同じ）15床ごとに1名以上、20対1補助体制加算の場合は20床ごとに1名以上、25対1補助体制加算の場合は25床ごとに1名以上、30対1補助体制加算の場合は30床ごとに1名以上、40対1補助体制加算の場合は40床ごとに1名以上、50対1補助体制加算の場合は50床ごとに1名以上、75対1補助体制加算の場合は75床ごとに1名以上、100対1補助体制加算の場合は100床ごとに1名以上配置している。また、当該医師事務作業補助者は、雇用形態を問わない（派遣職員を含むが、指揮命令権が当該保険医療機関にない請負方式などを除く）が、当該保険医療機関の常勤職員（週4日以上常態として勤務し、かつ所定労働時間が週32時間以上である者をいう。ただし、正職員として勤務する者について、育児・介護休業法第23条第1項、同条第3項又は同法第24条の規定による措置が講じられ、当該労働者の所定労働時間が短縮された場合にあっては、所定労働時間が週30時間以上である）と同じ勤務時間数以上の勤務を行う職員である。なお、当該職員は、医師事務作業補助に専従する職員の常勤換算による場合であっても差し支えない。ただし、当該医療機関において医療従事者として勤務している看護職員を医師事務作業補助者として配置することはできない。
(3)　保険医療機関で策定した勤務医負担軽減策を踏まえ、医師事務作業補助者を適切に配置し、医師事務作業補助者の業務を管理・改善するための責任者（医師事務作業補助者以外の職員であって、常勤の者に限る）を置く。当該責任者は適宜勤務医の意見を取り入れ、医師事務作業補助者の配置状況や業務内容等について見直しを行い、実際に勤務医の事務作業の軽減に資する体制を確保することに努める。なお、医師事務作業補助者が実際に勤務する場所については、業務と

して医師の指示に基づく医師の事務作業補助を行う限り問わないことから，外来における事務補助や，診断書作成のための部屋等における勤務も可能である。

(4) 当該責任者は，医師事務作業補助者を新たに配置してから6か月間は研修期間として，業務内容について必要な研修を行う。なお，6か月の研修期間内に32時間以上の研修（医師事務作業補助者としての業務を行いながらの職場内研修を含む）を実施するものとし，当該医師事務作業補助者には実際に医師の負担軽減及び処遇の改善に資する業務を行わせる。研修の内容については，次の項目に係る基礎知識を習得する。また，職場内研修を行う場合には，その実地作業における業務状況の確認及び問題点に対する改善の取組みを行う。

ア　医師法，医療法，医薬品医療機器等法，健康保険法等の関連法規の概要
イ　個人情報の保護に関する事項
ウ　当該医療機関で提供される一般的な医療内容及び各配置部門における医療内容や用語等
エ　診療録等の記載・管理及び代筆，代行入力
オ　電子カルテシステム（オーダリングシステムを含む）
　　また，当該責任者は，医師事務作業補助者に対する教育システムを作成していることが望ましい。

(5) 医療機関内に次の診療体制がとられ，規程を整備している。

ア　医師事務作業補助者の業務範囲について，「医師及び医療関係職と事務職員等との間等での役割分担の推進について」（平成19年12月28日医政発第1228001号）にある，「2　役割分担の具体例(1) 医師，看護師等の医療関係職と事務職員等との役割分担　1) 書類作成等」に基づく院内規程を定めており，個別の業務内容を文書で整備している。
イ　診療記録（診療録並びに手術記録，看護記録等）の記載について，「診療録等の記載について」（昭和63年5月6日総第17号）等に沿った体制であり，当該体制について，規程を文書で整備している。
ウ　個人情報保護について，「医療・介護関係事業者における個人情報の適切な取扱いのためのガイダンス」に準拠した体制であり，当該体制について，規程を文書で整備している。
エ　電子カルテシステム（オーダリングシステムを含む）について，「医療情報システムの安全管理に関するガイドライン」等に準拠した体制であり，当該体制について，規程を文書で整備している。特に，「成りすまし」がないよう，電子カルテシステムの真正性について十分留意している。医師事務作業補助者が電子カルテシステムに入力する場合は代行入力機能を使用し，代行入力機能を有しないシステムの場合は，業務範囲を限定し，医師事務作業補助者が当該システムの入力業務に携わらない。

2　医師事務作業補助体制加算1の施設基準

当該保険医療機関において3年以上の医師事務作業補助者としての勤務経験を有する医師事務作業補助者が，それぞれの配置区分ごとに5割以上配置されている。また，医師事務作業補助者の勤務状況及び補助が可能な業務の内容を定期的に評価することが望ましい。

(1) 15対1補助体制加算の施設基準
次のいずれかの要件を満たしている。
ア　「救急医療対策事業実施要綱」に規定する第三次救急医療機関，小児救急医療拠点病院又は「周産期医

療の体制構築に係る指針」に規定する総合周産期母子医療センターを設置している保険医療機関である。
イ　年間の緊急入院患者数が800名以上の実績を有する病院である。

(2) 20対1，25対1，30対1及び40対1補助体制加算の施設基準
次のいずれかの要件を満たしている。
ア　「(1)　15対1補助体制加算の施設基準」を満たしている。
イ　「災害時における医療体制の充実強化について」（平成24年3月21日医政発第0321第2号）に規定する災害拠点病院，「へき地保健医療対策事業について」（平成13年5月16日医政発第529号）に規定するへき地医療拠点病院又は地域医療支援病院の指定を受けている。
ウ　「基本診療料の施設基準等」別表第6の2に掲げる地域に所在する保険医療機関である。
エ　年間の緊急入院患者数が200名以上又は全身麻酔による手術件数が年間800件以上の実績を有する病院である。

(3) 50対1，75対1及び100対1補助体制加算の施設基準
次のいずれかの要件を満たしている。
ア　「(1)　15対1補助体制加算の施設基準」又は「(2) 20対1，25対1，30対1及び40対1補助体制加算の施設基準」を満たしている。
イ　年間の緊急入院患者数が100名以上（75対1及び100対1補助体制加算については50名以上）の実績を有する保険医療機関である。

(4) 緊急入院患者数とは，救急搬送（特別の関係にある保険医療機関に入院する患者を除く）により緊急入院した患者数及び当該保険医療機関を受診した次に掲げる状態の患者であって，医師が診察等の結果，緊急に入院が必要と認めた重症患者のうち，緊急入院した患者数の合計をいう。なお，「周産期医療対策事業等の実施について」（平成21年3月30日医政発第0330011号）に規定される周産期医療を担う医療機関において救急搬送となった保険診療の対象となる妊産婦については，母体数と胎児数を別に数える。
ア　吐血，喀血又は重篤な脱水で全身状態不良の状態
イ　意識障害又は昏睡
ウ　呼吸不全又は心不全で重篤な状態
エ　急性薬物中毒
オ　ショック
カ　重篤な代謝異常（肝不全，腎不全，重症糖尿病等）
キ　広範囲熱傷，顔面熱傷又は気道熱傷
ク　外傷，破傷風等で重篤な状態
ケ　緊急手術，緊急カテーテル治療・検査又はt-PA療法を必要とする状態
コ　消化器疾患で緊急処置を必要とする重篤な状態
サ　蘇生術を必要とする重篤な状態
シ　「ア」から「サ」までに準ずる状態又はその他の重症な状態であって，医師が診察等の結果，緊急に入院が必要であると認めた重症患者

3　医師事務作業補助体制加算2の施設基準

2の(1)から(3)までのいずれかの基準を満たす保険医療機関において，医師事務作業補助者がそれぞれの配置区分ごとに，配置されている。

【届出に関する事項】
(1) 医師事務作業補助体制加算の施設基準に係る届出は，別添7の様式13の4，様式18及び様式18の2を用いる。

資料

(2) 毎年 8 月において，前年度における医師の負担の軽減及び処遇の改善に資する計画の取組状況を評価するため，別添 7 の様式 13 の 4 により届け出る。

(3) 当該加算の変更の届出に当たり，医師の負担の軽減及び処遇の改善に資する体制について，直近 8 月に届け出た内容と変更がない場合は，様式 13 の 4 の届出を略すことができる。 　　（令 6 保医発 0305・5）

医師及び医療関係職と事務職員等との間等での役割分担の推進

(平 19 医政発 1228001)

1. 基本的考え方

　各医療機関においては，良質な医療を継続的に提供するという基本的考え方の下，医師，看護師等の医療関係職の医療の専門職種が専門性を必要とする業務に専念することにより，効率的な業務運営がなされるよう，適切な人員配置の在り方や，医師，看護師等の医療関係職，事務職員等の間での適切な役割分担がなされるべきである。

　以下では，関係職種間の役割分担の一例を示しているが，実際に各医療機関において適切な役割分担の検討を進めるに当たっては，まずは当該医療機関における実情（医師，看護師等の医療関係職，事務職員等の役割分担の現状や業務量，知識・技能等）を十分に把握し，各業務における管理者及び担当者間においての責任の所在を明確化した上で，安全・安心な医療を提供するために必要な医師の事前の指示，直接指示のあり方を含め具体的な連携・協力方法を決定し，関係職種間での役割分担を進めることにより，良質な医療の提供はもとより，快適な職場環境の形成や効率的な業務運営の実施に努められたい。

2. 役割分担の具体例

(1) 医師，看護師等の医療関係職と事務職員等との役割分担

1) 書類作成等

　書類作成等に係る事務については，例えば，診断書や診療録のように医師の診察等を経た上で作成される書類は，基本的に医師が記載することが想定されている。しかしながら，①から③に示すとおり，一定の条件の下で，医師に代わって事務職員が記載等を代行することも可能である。

　ただし，医師や看護師等の医療関係職については，法律において，守秘義務が規定されていることを踏まえ，書類作成における記載等を代行する事務職員については，雇用契約において同趣旨の規定を設けるなど個人情報の取り扱いについては十分留意するとともに，医療の質の低下を招かないためにも，関係する業務について一定の知識を有した者が行うことが望ましい。

　他方，各医療機関内で行われる各種会議等の用に供するための資料の作成など，必ずしも医師や看護師等の医療関係職の判断を必要としない書類作成等に係る事務についても，医師や看護師等の医療関係職が行っていることが医療現場における効率的な運用を妨げているという指摘がなされている。これらの事務について，事務職員の積極的な活用を図り，医師や看護師等の医療関係職を本来の業務に集中させることで医師や看護師等の医療関係職の負担の軽減が可能となる。

①診断書，診療録及び処方せんの作成

　診断書，診療録及び処方せんは，診察した医師が作成する書類であり，作成責任は医師が負うこととされているが，医師が最終的に確認し署名することを条件に，事務職員が医師の補助者として記載を代行することも可能である。また，電磁的記録により作成する場合は，電子署名及び認証業務に関する法律（平成 12 年法律第 102 号）第 2 条第 1 項に規定する電子署名をもって当該署名に代えることができるが，作成者の識別や認証が確実に行えるよう，その運用においては「医療情報システムの安全管理に関するガイドライン」を遵守されたい。

②主治医意見書の作成

　介護保険法（平成 9 年法律第 123 号）第 27 条第 3 項及び第 32 条第 3 項に基づき，市町村等は要介護認定及び要支援認定の申請があった場合には，申請者に係る主治の医師に対して主治医意見書の作成を求めることとしている。

　医師が最終的に確認し署名することを条件に，事務職員が医師の補助者として主治医意見書の記載を代行することも可能である。また，電磁的記録により作成する場合は，電子署名及び認証業務に関する法律（平成 12 年法律第 102 号）第 2 条第 1 項に規定する電子署名をもって当該署名に代えることができるが，作成者の識別や認証が確実に行えるよう，その運用においては「医療情報システムの安全管理に関するガイドライン」を遵守されたい。

③診察や検査の予約

　近年，診察や検査の予約等の管理に，いわゆるオーダリングシステムの導入を進めている医療機関が多く見られるが，その入力に係る作業は，医師の正確な判断・指示に基づいているものであれば，医師との協力・連携の下，事務職員が医師の補助者としてオーダリングシステムへの入力を代行することも可能である。（以下略）

医師事務作業補助者業務指針試案
～医療の質向上と病院運営の全体最適に向けて～

特定非営利活動法人日本医師事務作業補助研究会（現・日本医師事務作業補助者協会） 平成 28 年 8 月 25 日

1. 序章

1-1 本指針試案の目的
　この医師事務作業補助者業務指針試案（以下，本指針試案とする）は，次の二点を目的としている。
・医師事務作業補助者を配置し管理する病院の医師および事務職の管理者等（以下，管理者とする）に対し，その活用に対する基本的な考え方を提言すること。
・医師事務作業補助者として実務を行っている人（以下，実務者とする）に対し，医師事務作業補助者の社会的使命とその業務に対する基本的な考え方を示すこと。

1-2 本指針試案の使い方
　医師事務作業補助者の創生から 10 年が経過したが，業務に対する基本的考え方は，制度的，学術的及び社会的に充分に定着しているとは言い難い。他方，管理者が医師事務作業補助者に関する人事設計や業務設計を行う際には，その土台が必要である。本指針試案は，医師事務作業補助者の実務者，管理者および学識経験者の知見と議論をもとに，これらの土台を示したものである。よって，本指針試案の適用は，各病院の管理者が，その管理権に基づいて行なうものとする。

2. 医師事務作業補助者のあり方

2-1 医師事務作業補助者の使命
　医師事務作業補助者の使命は，医師が行う業務のうち事務的業務を支援することにより，医師が診療業務に専念できる業務環境を確保し，もって医療の質向上と病院運営の全体最適に資することである。
　わが国においては，人口あたり及び病床あたりの何れにおいても医師数が少ないことは周知の事実であり，その中で質の高い診療を維持するためには，医師が診療業務に専念できる環境づくりが必要であることは明らかである。よって医師事務作業補助者としての最大の使命は，医師が外来診察，病棟回診，手術および患者指導などの対患者業務に要する時間を確保できるよう，それ以外の間接的業務を代替するとともに，診療そのものを効率化できるように支援することである。
　他方，超高齢社会が進展する中で病院の経営環境が徐々に厳しくなっていることも事実であるため，病院組織の一員として，医師事務作業補助者が病院経営に貢献する使命を併せ持っていることも確かである。しかしながら，医師事務作業補助者による経営貢献はあくまで医師の診療行為が円滑化することを通じた全体最適の結果として行われるべきであり，診療報酬などによる直接的な収入確保を主な使命としたものではないことに留意すべきである。

2-2 医師事務作業補助者の組織的位置づけ
　医師事務作業補助者は，医師の指示を受けて業務を行う人材であるため，医師が業務上の指示命令を出せる体制であることは勿論，教育などの人材マネジメントに関与できる体制を確保すべきである。その一方で，医師事務作業補助者の業務は，医事部門や医療情報管理部門などとの接点も多いことから，これらの部門との円滑な協力体制を維持できるよう，事務部門から著しく乖離しない体制も確保すべきである。
　この両方の体制を維持する組織設計は，病院の実情によって異なる。そのため，医師事務作業補助者の所属部署には，診療部門（医局），事務部門（事務部），中央診療部門（いわゆるコメディカル部門）など多様な形態が考えられるが，いずれの場合も医師と事務職管理者の双方の支援を受けられる体制が不可欠である。

2-3 医師事務作業補助者の人材像
　医師事務作業補助者は，医師の業務を支援することが本務であり，その性質上，医師から依頼や指示を受けて業務を行う各職種との接点も必然と発生する。よって，医師事務作業補助者の能力としてもっとも重視されるべきことはコミュニケーション力であることは，どのような状況の病院であっても共通認識となっている。
　よって，医師事務作業補助者の人材像を，教育的背景，保有資格，あるいは職務経験などで限定する必要はないので，多彩な人材がともに働く職場になるのが自然である。また，ワークライフバランスの観点から，職務遂行に対するエフォートについても，個人差が生じがちである。
　このように，医師事務作業補助者の人材像は，水平的および垂直的に多層化されることとなる。その多彩な人材を活用するダイバーシティ・マネジメントが，医師事務作業補助者がより質の高い業務を遂行するための前提である。

2-4 医師事務作業補助者の業務に関する患者への説明責任
　医師事務作業補助者は，その業務に際して医師の外来診療等に同席する場面も多く，従って患者との接点を全く持たないということはできない。もちろん医師事務作業補助者が診療行為自体を補助することはないものの，事務作業の範囲であっても，患者との接点は存在し得るものと考えられる。
　そのため，診察室での同室等に関して患者が疑義を抱くことのないよう，医師事務作業補助者を配置していることについては，ポスターなど何らかの形で患者への説明機会が設けられることが望ましい。なお，説明責任の観点から，医師事務作業補助者が着用する服装については，診療現場に即したもの（白衣，他の事務職とは異なる事務服等）とすることも一つの方法である。とりわけ病棟においては，看護補助者と混同されやすい状態は，施設基準を遵守する観点からも避けることが望まれる。

3. 医師事務作業補助者の業務範囲

3-1 文書作成補助
3-1-1 総論
　診断書などの文書作成業務は，医師事務作業補助者のもっとも基本的な業務である。これは，現時点で医師がもっとも負担になっている間接的業務であることが先行研

資料

究で明らかにされていることに加え，これらの業務は直接的な診療行為からも大きく乖離した業務だからである。

医療文書の範囲については，保険会社に提出する診断書，介護保険における医師の意見書は勿論，診療情報提供書，退院サマリー，公費診断書などに段階的に範囲を広げていくことが望まれる。この場合，文書の種類によってはかなり難易度が高いものもあるため，作成できる医師事務作業補助者が限定される場合も想定される。この場合，経験の浅い人材に合わせて文書の範囲を限定すべきではなく，スキル評価などを通じ，妥当と判断された医師事務作業補助者に限って難易度の高い文書を任せるような対応が望まれる。また，文書作成の範囲は医師事務作業補助者の人員配置に比例することが明らかになっているので，その範囲を見直す際には個々のスキルだけではなく，文書作成を遅滞なく行える人員体制であるかを見直すことも必要である。

3-1-2　診断書（介護保険における主治医の意見書を含む）

診断書については医師事務作業補助者が代行する最も基本的な業務といえる。ただし，その範囲はきわめて幅広く，保険会社様式の診断書の他，院内書式や公費，介護保険（主治医の意見書）など多様な法制度に基づく診断書が存在する。公費や介護保険等の診断書の一部は難易度が高いものも存在するが，その場合も更新に伴って同様の書類を作成する場合も多いことから，更新に限って代行するなど柔軟な運用が望まれる。この場合の代行範囲は診療科によって異なる場合も想定されるが，代行範囲については明文化されたルールの中で運用することが望まれる。

3-1-3　退院サマリー

退院サマリーの作成については，難易度が高い業務の一つであることから，医師事務作業補助者のスキルによって作成対象者を限定することも一つの方法である。

なお，臨床研修指定病院等においては，医師教育の観点から，研修医等がその作成を行う場面もみられる。この場合は，医師教育の環境を確保しつつ，他方で円滑な業務遂行を両立させる必要があることから，典型的な症例の退院サマリーは医師事務作業補助者が作成し，それ以外のものを研修医等が担当する方法も考えられる。この場合，医師事務作業補助者が補助すべき文書の範囲やその決定方法などを，明示的に定めておくことが望まれる。

3-1-4　診療情報提供書及び返書

診療情報提供書及び返書の記載にあっては，より迅速な文書の作成が待ち時間減少など患者の便益に直結する要素もあることから，積極的に取り組むことが望まれる。この場合，送付先の医師との関係等によって医師自ら作成する必要がある場合も考えられることから，機械的に文書を作成することなく，医師の判断が入る仕組みにしておくことが望まれる。なお，診療経過が何ら記載されず，単に受診報告のみを目的とした返書（いわゆる紹介御礼）の記載などは，必ずしも医師の業務の代行とはいえない場合もあるので，返書の内容について院内ルールを定める際は，十分に留意する必要がある。

3-1-5　入院時に記入する文書

入院時には，診療録を補完するチェックリスト等の文書が多量に発生する。とりわけ栄養管理計画書などチーム医療に関する文書が急増しており，これが多く医師の負担になっていることも否めないので，積極的に代行することが望まれる。ただし，代行によって個々のチームの課題（栄養管理等）への医師の関与が形骸化しないよう十分に留意

する必要がある。また，コメディカルなど他の職種が記載すべき内容を医師事務作業補助者が記載することは，施設基準との乖離が生じるので，留意すべきである。

3-2　代行入力業務
3-2-1　総論

診療記録の代行入力は，医師の間接的業務時間との相関が高いことから，電子カルテシステムなどを導入している病院では，きわめてニーズの高い業務である。この「診療記録」は，医師法第24条による診療録に限らず，医療法施行規則に基づく「診療に関する諸記録」を含むと解されている。実際，「医療情報システムの安全管理に関するガイドライン」においても，代行入力の範囲は幅広く解釈されていることから，代行入力の範囲は病院の実情に合わせて柔軟に検討することが望まれる。

他方で，代行入力の業務は医療安全管理上のリスクも生じるものであるから，その実施にあたっては代行によるベネフィットとリスクの双方を組織的に勘案し，組織的な判断のもとで行われることが望まれる。院内ルールが十分に整理されていない条件下や，代行入力の確定操作などのガイドライン上の要求事項を満たさないシステム仕様下においては，医師事務作業補助者が代行入力を行うことは，厳に控えるべきである。

なお，代行入力業務に当然に附随する業務については，医師事務作業補助者の業務範囲として考えるべきである。例えば，「次回診療の予約を取る際に，診察室で医師と同居した環境下で，患者に対して次回診察の希望日を聴取すること」は，その聴取が伴わなければ代行入力を実施することが困難なのであるから，あくまでオーダリングシステムを操作するプロセスの一部と考えることが自然である。

3-2-2　外来診療録

外来診療録の代行入力については，問診票の内容やバイタルサインなども医師の責任で診療録に記載すべき内容であることに鑑み，幅広く行う方向で入力範囲を検討することが望ましい。診察中のプログレスノートの記載については，当該医師の入力ニーズが，患者数や医師の入力速度等によって大きく変わるため，画一化することなく，院内ルールの範疇で柔軟に運用する。

なお，医療安全の観点から，処方オーダを代行入力し，もって処方せんを発行する場合においては，その処方せんが患者に交付するまで何らかの方法で医師が入力内容もしくは印刷された処方せんを確認できるような運用を検討することが望ましい。

3-2-3　入院診療録

入院診療録の代行入力については，病棟業務の性質を踏まえ，回診への同行，病状説明などへの同席，医師が出席するカンファレンスへの同席など，積極的に医師の病棟業務に同伴して実施することが望まれる。その際，看護師等の病棟で業務を行う関係職種の業務と交錯したり，医師の指示を看護師から又聞きする形での代行入力など安全に支障のある業務とならないよう，事前に業務の範囲を明文化し，関係職種との役割分担に努めることが望まれる。また，とくに病棟では看護補助者が配置されているので，両者の役割分担が混同されることのないように院内ルールを明確にすべきである。

3-2-4　オーダリングシステムへの入力

オーダリングシステムのへ代行入力は医療安全に直結する業務であることに鑑み，医師事務作業補助者のスキルに応じて代行業務に着手する。とくに処方オーダ，注射オー

ダの発行についてはリスクのある業務であることを十分に意識し、薬剤の種類などに応じた代行範囲の制限も視野に入れて、院内ルールを整理することが望ましい。

また、入力後のオーダが長期間にわたって未確定であることは望ましくないので、確定操作の励行に関しては定期的に現状を把握することが望まれる。

3-2-5　その他の部門システム等への入力

手術部門や集中治療部門など部門システムを用いる診療記録についても、確定操作が可能なシステムについては、積極的に代行を検討する。手術記録の記載代行などは手術の複雑性などによって代行の難易度が著しく異なることから、例えば短時間の手術に限定するなど、代行範囲については柔軟に運用する。

ただし、集中治療部門の部門システム等では他の職種が入力する情報も多いことから、医師以外の職種の代行入力が行われないよう、施設基準に則った運用を徹底する必要がある。

3-3　医療の質の向上に資する事務作業
3-3-1　診療データの登録・集計

院内がん登録や National Clinical Database 等の症例登録業務については、医師の研修などに幅広く用いられるものであることを踏まえ、登録のみに留まらず、診療データの集計や結果の活用を含めた幅広い業務を検討する。ただし、経営や病院運営を目的とした診療データ集計等は医師事務作業補助者の業務から除外されているが、他方では診療データの名称のみで利用目的を特定することは困難な場合も多い。このため、業務日誌等の活用により診療データを作成する目的を記録しておき、一義的には診療を改善する目的で行った業務であることを明確にすることも一つの方法である。

3-3-2　研修・カンファレンスの準備

医師の研修やカンファレンスの準備については、報告や発表のための資料や議事の作成といった直接的な準備作業はもちろん、これらの資料を作成するために必要なデータ集計等の前作業や、プレゼンテーションの支援など多岐に亘るものと考えられる。また、医師はすぐれて高度専門的な職務を行う性質上、その教育や研修はその医療圏の地域医療支援病院や特定機能病院などで行われる場合も多い。この場合、その研修が病院長の職務命令に基づいて行われるものである限り、病院業務の一環として行っていることは明かであるから、その準備を自院において医師事務作業補助者が実施する場合も当然に想定される。

3-4　行政上の業務

行政上の業務は、診療データの登録等と実務的には近似している。その診療データの利用目的が行政にあるため、データの集計は行わずに、データ登録や調査票の記載のみを行うものも多い。これらの調査等は単発的に行われるものも多いことから、業務範囲を予め定めておくことは難しく、そのため案件が発生した際に、どのような手続きで処理していくのか業務フローを整理しておくことが望まれる。

なお、医師が行う「行政上の業務」のなかには、捜査関係事項照会書への返答のように、司法と接点を持つものも多い。この場合、文書等を提出する先が行政機関に置かれているのであれば「行政上の手続き」ではあるため医師事務作業補助者が実施することが可能ではあるものの、その文書等の実質的な使途が司法手続きにあることは明らかであるから、医師事務作業補助者が代行することには慎重な判断が必要であり、明確な院内ルールのもとに行われるべきである。

3-5　医師事務作業補助者業務に附随する行為の取り扱い

医師事務作業補助者が業務を行う際、その業務と不可分な行為が附随する場合がある。例えば、外来診療中に入院診療録を記載する際に医師に着信した電話に出る行為、医師が職務命令に基づいて院外で研修を受ける資料の準備を行う際に併せてその研修に係る移動の調整を行う行為など、多様な例が考えられる。これらの行為は、非反復的であるため事前に業務範囲を測定することが難しい一方、その範囲が際限なく広がる可能性も否めない。そこで、これらの行為を行う際には、①業務の従属性（その行為が、主たる医師事務作業補助業務に対して従属的に実施されるものであること）、②業務の必然性（その行為を医師事務作業補助者が行わなかった場合、医師自ら行わざるを得ないことが明らかであること）、③業務の妥当性（その行為は、他の職種によって業務独占とされたものでないこと）を何れも満たしていることを確認した上で、実施することが望まれる。

4.　医師事務作業補助者の業務体制

4-1　医師事務作業補助者が業務を行う場所

医師事務作業補助者が業務を行う場所については、施設基準においても、医師の指示下で業務を行う限りにおいては柔軟に定めることが可能とされている。実際、医師事務作業補助者が業務を行う場所は、外来や病棟をはじめ、医局や、救急部門や手術部門などの中央診療施設など、多岐に亘っている。医師事務作業補助者が業務を行う前提は、医師からの指示を受けて業務を行うことであるから、その指示を受けやすい場所である限り、業務を行う場所は柔軟に運用すべきである。

他方、病棟や医事部門の事務室など他の職種が常駐するものの必ずしも医師が常駐していない場所においては、医師以外の職種の指示で業務を行うことが認められていない施設基準を遵守するよう留意が必要である。よって、医師による指示命令系統が維持されるよう、関係する職種にも医師事務作業補助者の業務範囲などを周知しておくことが望まれる。

4-2　医師事務作業補助業務に関する指示命令系統

医師事務作業補助者の所属部門には多様な形態があるため、人事上あるいは組織上の指揮命令系統は必ずしも医師とは限らない。しかし、医師事務作業補助者が配置された趣旨や施設基準に則れば、日常業務における指示は、医師から発出されることが原則である。このため、医師事務作業補助者に対する日常業務の指示権者が、あくまで医師にあることは、院内ルール等で担保すべきである。

他方、病棟や医事課など必ずしも医師が常駐ない部署で業務を行う医師事務作業補助者においては、業務に関する指示権者が医師であっても、看護師長や医事課長など関連する職種に対して業務遂行上の確認や質問をすることは当然に想定されることである。医師による指示命令系統を優先するあまり、これら関連職種とのコミュニケーションが薄くならないよう、医師事務作業補助者としても留意することが求められる。

また、人事上あるいは組織上の管理者は、医師事務作業補助者の中長期的な業務設計や人材育成に責任を負っている。そのため、医師事務作業補助者はこれらの管理者に対して積極的に報告、連絡および相談を行い、より円滑な業務運営を行えるように務めることが望ましい。

資料

4-3　診療科の特性による業務内容の調整

　医師事務作業補助者の業務は院内ルール等によって明示されることが望ましいが，他方で診療科の特性によって業務内容が変化することは，当然に想定されることである。従って，例えば整形外科に限って医師事務作業補助者が外来注射オーダの発行を行ったり，緩和ケア科においては医師事務作業補助者が病状説明時の立ち会いを行わない等，その病院の実情に応じて柔軟な対応を検討すべきである。

　しかしながら，診療科の特性を考慮することを理由に，医師事務作業補助者の業務が明示された院内ルールと乖離することは，厳に避けるべきである。したがって，診療科の特性による業務内容の調整を行う際は，その特性と診療科ごとの運用に妥当性があるか何らかの会議体等によって審議され，その審議を経て採択された院内ルールに基づいて業務を行うよう，留意することが望まれる。

5. 医師事務作業補助者のコンプライアンス

5-1　施設基準

　医師事務作業補助者の業務は施設基準によって限定列挙されており，その範疇で業務を遂行することが原則である。その一方で，限定列挙された事項には「医療の質の向上に資する事務作業」など幅の大きい業務も存在することから，個別具体的な業務範囲に定める際に，施設基準を遵守する観点から判断が難しい場面も存在する。

　しかしながら，医師事務作業補助者があくまで医師と事務職員等との役割分担を推進する観点で設けられたものであることに立ち返れば，その業務範囲は，医師の診療活動を支援するものであることは明かである。したがって，医師事務作業補助者の業務は，最終的に何らかの支援を受けなければ医師自らが行わざるを得ない業務に限って行われるべきである。これ以外の業務については，本質的に医師の業務ではないことから，医師事務作業補助者の業務範囲とすることは避けるべきである。

　他方で，食事せんの記載など医師事務作業補助者が配置される以前に他の職種が支援していた業務については，当該職種に代わって，医師事務作業補助者が代行することも十分にあり得る。これらは，療養担当規則その他の規程によって医師に課せられた業務である以上，当該職種の業務を支援するのではなく，あくまで医師の支援であることは明らかである。

　このように，医師事務作業補助者の業務範囲については，あくまで医師が発生源であることに十分留意した上で定めることが必要である。

5-2　個人情報保護・医療情報システムの安全管理

　医師事務作業補助者の業務は，医師の業務を代行するものであるから，医師に準じた守秘義務が職業倫理として課せられていることは言うまでもない。医師事務作業補助者は，その業務において，患者の住所・氏名などの基本情報や病名などの健康情報はもとより，加入している保険会社など財産に関する情報も取り扱うため，とりわけ個人情報の保護には留意すべきである。

　また，医師事務作業補助者は，医療文書を作成するための情報参照や，代行入力などのため，電子カルテなど医療情報システムを操作することも非常に多い。更にデータ集計などの業務では大人数の個人情報が格納された情報媒体を扱うこともあり，その情報の取り扱いに関して事故があると，被害は甚大である。このため，医師事務作業補助者は医療情報システムに関する運用管理規程を熟知した上で，その規程に沿った運用をすることが必要である。

5-3　医療安全管理

　医師事務作業補助者の業務は，処方オーダの代行入力をはじめ，医療安全に直結する行為も多い。もちろん，医師事務作業補助者の業務はあくまで代行であり，個々の業務の最終的な責任は指示元の医師に帰属することにはなるが，それによって医師事務作業補助者が免責されることにはならない。

　従って，医師事務作業補助者の業務においては，医療安全に関する院内ルールを遵守することはもちろんのこと，自らの業務遂行において医療安全上の疑念を生じた場合は，積極的に医師に確認する他，必要に応じて薬剤師等の関係職への確認を行うことが望まれる。

　また，医師が手術中等の理由により，医師が同席していない場所において，電話等による口答指示を受けて代行入力する場合も想定される。この場合は入力間違えなどが発生しやすくなることから，必要最小限の入力に留めることが望まれる。特に，医師が看護師に口頭指示した注射などの内容を，看護師から更に又聞きして代行入力するような運用は，責任の所在が不明確になりリスクが高いため避けるべきである。やむを得ない事情によって医師の指示内容が他の医療従事者（薬剤師や看護師等）を介して伝達される場合は，その医療従事者の責任が明確となる書面（いわゆる「口頭指示メモ」など）が必要である。

6. 補　章

　この業務指針試案は，現時点での医師事務作業補助者の業務について基本的な考え方を整理したものである。しかし，医師事務作業補助者の業務はまだ黎明期にあって，関連する制度の改定等によって業務範囲等が変化することも容易に想定される。

　このため，本業務指針試案は将来的な見直しが必要であり，その見直しの際には医師事務作業補助者の業務に関する文献その他のエビデンスを集積して行うべきである。そのため，医師事務作業補助者は業務に関する実績や成果などを積極的に可視化し，今後の議論に活かせるように資料を集積しておくことが望まれる。

【本文中の表記に関する注釈】
- 本文中「すべきである」「することが必要である」と記載した箇所については，より多くの病院が記載事項を励行する必然性が高い事項である。
- 本文中「することが考えられる」「することが望まれる」と記載した箇所については，ある程度の病院にとって記載事項を励行する必然性があるものの，個々の病院が置かれた状況によってはこれによらない方法が望ましい場合もある事項である。
- 本文中「するのも一つの方法である」「することもあり得る」と記載した箇所については，その方法を用いる必然性は特にないものの，趣旨を踏まえて，何らかの方法によって記載事項の趣旨を勘案した対応を行うことが妥当な事項である。

【本文中の用語に関する注釈】
- 本文中に記載されている「オーダリングシステム」は，「医療情報システムの安全管理に関するガイドライン」における「オーダエントリシステム」と同義である。本指針試案においては，「医師事務作業補助体制加算の施設基準」で用いられている文言に合わせ，前者の用語で統一している。

おわりに

　医師事務作業補助体制加算制度が設立されて15年以上が経過しました。この制度で誕生した医師事務作業補助者は「医師の事務作業の負担軽減」と「医療の質向上」を目的にスタートしましたが，今では医師の働き方改革や医療関係職との連携推進にも貢献しており，チーム医療に欠かせない職種に成長したと感じられます。

　日本医師事務作業補助者協会のアンケート調査結果によると，医師事務作業補助者が担う業務は，書類作成，代行入力，医療の質向上に資する事務作業，行政文章への対応など多岐に渡ります。また，昨今の新興感染症でも新たな役割を担っており，今後ますます業務範囲が拡大することが見込まれます。

　本書は，臨床現場で実務をこなしながら，チームメンバーの教育指導にあたるベテラン医師事務作業補助者の方々が中心となって執筆された，医師事務作業補助者のための基礎知識と実践的なknow-howが網羅されたテキストです。このテキストは，医師事務作業補助業務の入門書としての役割に留まらず，「実践的な教育ツール」としても活用していただけるものとなっています。

　読者の皆様が，このテキストを通じて知識と経験をステップアップしていただくとともに，これからの医師事務作業補助者の「あるべき姿」について考え，医療界での役割を果たすことを目指す機会になれば幸いです。

　監修の佐藤秀次先生が「医療専門職（co-medical）は，医業（医師法で定められた医師の業務）からの分業で国家資格化し独自の発展を遂げてきた。医師事務作業補助者は医業からの最後の専門職として分業し，国家資格化を果たすべき」と仰っていたことがとても印象的でした。医師事務作業補助者は，医療界における事務系専門職としての責任と義務を負うことができる人材となるべきです。

　最後に，本テキストの編者を前任の瀬戸僚馬先生より引き継ぎました。瀬戸先生におかれましては長きに渡り本テキストを支えていただいた先駆者でおられ，そのような偉大な先駆者より引き継ぎを受けましたこと，身の引き締まる思いです。

　本テキストの執筆に携わった各医療機関の関係者の皆様，前編者の瀬戸先生，医学通信社様に感謝申し上げます。

慶應義塾大学医学部　医療政策・管理学教室　訪問助教　髙橋　新

〔著者略歴〕

監修　佐藤　秀次

1974 年 3 月　札幌医科大学卒
1980 年 9 月　金沢医科大学脳神経外科　講師
1986 年 5 月　医療法人社団浅ノ川金沢脳神経外科病院　院長
2020 年 8 月より　医療法人札幌美しが丘脳神経外科病院　顧問
特定非営利活動法人　日本医師事務作業補助者協会　顧問
一般社団法人　医療秘書教育全国協議会　会長
一般財団法人　日本医療秘書学会　会長
専門：脊椎外科（最小侵襲手術），日本脊髄外科学会専門医，脊椎脊髄外科専門医，日本脳神経外科学会認定医

編者　高橋　新

慶應義塾大学大学院健康マネジメント研究科博士課程修了。東京都済生会中央病院，東京大学大学院医学系研究科医療品質評価学講座特任研究員（2016 年 9 月より客員研究員）を経て，慶應義塾大学医学部医療政策・管理学教室助教（2022 年 11 月より訪問助教）。日本医師事務作業補助者協会第 11 回，第 13 回全国学術集会実行委員長。診療情報管理士（国際診療情報管理士教育修了）。日本臨床疫学会認定専門家。

実務者のための
医師事務作業補助 実践入門 BOOK　2024-25 年版　＊定価は裏表紙に表示してあります
～基礎知識&実践ノウハウ入門テキスト～

2013 年 8 月 12 日　第 1 版第 1 刷発行
2024 年 8 月 7 日　第 7 版第 1 刷発行

監　修　佐藤　秀次
著　者　高橋　新　他
協　力　特定非営利活動法人日本医師事務作業補助者協会
発行者　小野　章
発行所　医 学 通 信 社
〒 101-0051　東京都千代田区神田神保町 2-6　十歩ビル
TEL　03-3512-0251（代表）
FAX　03-3512-0250（注文）
03-3512-0254（書籍の記述についてのお問い合わせ）

https://www.igakutushin.co.jp
※　弊社発行書籍の内容に関する追加情報・訂正等を掲載しています。

装丁デザイン：冨澤崇
（写真：©sunabesyou-Fotolia.com）
印刷・製本：株式会社　アイワード

落丁，乱丁本はお取り替えいたします。
ISBN978-4-87058-961-2

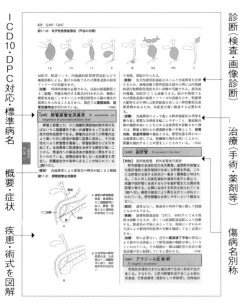

診療報酬・医学臨床・適応疾患―電子辞書BOX

2024年8月1日リリース予定

2024年診療報酬改定に準拠し，バージョンアップ!!

GiGi-Brain
ギギ

Version3.0　2024-25年版

診療報酬点数表，臨床手技・傷病名解説，医学・医療用語，カルテ略語――など，臨床現場やカルテ・レセプト業務に必要な書籍データ（全9冊）を，図表・イラスト・写真も含めて，すべて収録しています。

　①全書籍データの目次検索，②各書籍データ内の文字検索，③全書籍データを連結させた文字検索――という3種類の検索機能を装備。全データ間をクロスした検索が可能です。

　例えば，「診療報酬」→「臨床手技解説」→「適応病名解説」→「医学用語・略語解説」という各書籍データ間の検索が，スピーディに実現できます。

- ① 診療点数早見表　2024年度版
- ② 最新 検査・画像診断事典　2024-25年版
- ③ 手術術式の完全解説　2024-25年版
- ④ 臨床手技の完全解説　2024-25年版
- ⑤ 医学管理の完全解説　2024-25年版
- ⑥ 在宅医療の完全解説　2024-25年版
- ⑦ 標準・傷病名事典　ver.4.0（2024年新版）
- ⑧ 最新・医療用語4200
- ⑨ 臨床・カルテ・レセプト略語28000

★『診療点数早見表2024年度版』など，2024年改定準拠の最新版・書籍データに更新し，バージョンアップ!!

(1) 『GiGi-Brain』をお申込みいただきユーザー登録された方に，IDとパスワードをお送りします。

(2) IDとパスワードで，弊社ホームページからパソコンにダウンロード（インストール）すれば使用できます。

※ 推奨動作環境は，Windows7，10です。

- 1端末1,000円（＋税）/月，利用契約期間2026年5月まで
  →利用料は，申込み月の翌月から2026年5月までの月数×1,000円（＋税）
- お申込みされた月は無料とさせていただきます。

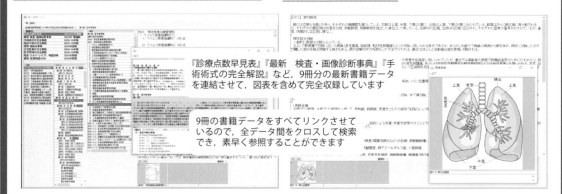

『診療点数早見表』『最新 検査・画像診断事典』『手術術式の完全解説』など，9冊分の最新書籍データを連結させて，図表を含めて完全収録しています

9冊の書籍データをすべてリンクさせているので，全データ間をクロスして検索でき，素早く参照することができます

【ご注文方法】① HP・ハガキ・FAX・電話等でご注文下さい。
②振込用紙同封でダウンロードのご案内をお送りします。

☎ 101-0051 東京都千代田区神田神保町 2-6 十歩ビル
tel.03-3512-0251　fax.03-3512-0250
ホームページ https://www.igakutushin.co.jp

医学通信社

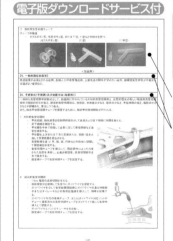